MARIE-JOSÈPHE CHALLAMEL

Le docteur Marie-Josèphe Challamel, pédiatre, est chargée de recherche à l'INSERM, dans le laboratoire du professeur Michel Jouvet. Elle est responsable d'une unité d'exploration du sommeil de l'enfant au Centre hospitalier Lyon-Sud.

MARIE THIRION

Le docteur Marie Thirion est pédiatre et mère de trois enfants. Elle est l'auteur de plusieurs ouvrages consacrés au nouveau-né et à l'enfant.

Marie-Josèphe Challamel
Marie Thirion

"MON ENFANT DORT MAL..."

Illustrations de Anne Valla

RETZ-POCKET

Cet ouvrage est paru en
première édition chez Ramsay sous le titre :
Le sommeil, le rêve et l'enfant.

Dessins Anne Valla

© Éditions Retz - Pocket, 1993.

ISBN : 2-266-16288-8

À Caroline, Nelly, Alice et Maëlle.

À mes parents.
À Françoise, Jean, Pierre et Étienne.

Remerciements

Nous voudrions remercier ici :

Le professeur Michel Jouvet.

Le docteur Richard Ferber qui m'a si bien accueillie à Boston.

Sans eux ce livre n'aurait pas existé.

Le professeur Robert Gilly.

Les docteurs Gabriel Bellon, Jacqueline Dutruge.

Et surtout le docteur Michel Revol et tout le personnel du service d'exploration neurologique de l'hôpital Lyon-Sud.

Le docteur Marc Gallien.

Mme Michèle Mussat.

Les bibliothécaires de la « salle des enfants » de la Bibliothèque Municipale de Lyon qui nous ont permis de consulter et apprécier tous les ouvrages mentionnés à la fin de ce livre.

Sommaire

Introduction

À tous ceux qui prennent le risque de s'endormir paisibles...

Il est couché sur le côté. La main droite remue encore doucement. Les doigts caressent un pan de joue de manière répétitive, un peu machinale. La main gauche agrippe l'oreille à moitié arrachée d'un vieux lapin en peluche rose, tellement élimé qu'il en est émouvant. Le bruit de la respiration monte, régulier, un peu rapide, avec des accélérations brutales lorsqu'il hésite une dernière fois à appeler avant de se laisser glisser doucement dans le sommeil.

Ils ont lu l'histoire du petit ours brun qui dit bonsoir. Au moment d'éteindre la lampe, *elle* s'est assise au bord du lit, caressant lentement ses cheveux, suggérant d'une voix très lente, très douce, des vœux de paix pour ce long sommeil. Par la porte entrebâillée, un rai de lumière éclaire encore le visage penché, la main qui ralentit son mouvement. Lentement *elle* se redresse, s'immobilise quelques instants au pied du lit. *Il* soulève vaguement la main tenant le lapin rose (geste pour la retenir, geste d'adieu, elle ne sait), ouvre à peine les yeux, et retombe paisible, détendu, déjà loin, si loin d'*elle* qui le regarde. Au moment où la porte se referme, *il* jette un rapide coup d'œil à la chambre obscure, cale son cou dans le creux de l'oreiller, marmonne un dernier câlin au lapin bien-aimé. Puis, béatement, voluptueusement, se laisse porter par les puissants et tendres remous d'une nuit tranquille...

Image utopique, nous diront bien des parents harassés par les nuits blanches et les cris d'un enfant qui appelle trois ou six fois chaque nuit. Rêve inaccessible, penseront bien d'autres, terrorisés à l'idée qu'il va falloir affronter, comme chaque soir à l'approche du crépuscule, le dur et long combat, plein de cris et de larmes, qui prélude inexorablement au sommeil du cher bambin. Balivernes, ont dit des parents dont aucun des trois enfants n'a jamais su dormir une nuit complète, et qui avouent ne plus savoir depuis dix ans ce que c'est que dormir huit heures d'affilée. Impossible, affirme une mère dont l'enfant ne dort qu'en lui tenant la main, hurlant dès qu'elle fait mine de se dégager et de s'éloigner. Injuste, a dit le père d'un adolescent de onze ans qui a pissé au lit toutes les nuits pendant dix ans et demi, et qui, depuis six mois, enfin continent, hurle de terreur au milieu de la nuit, et parcourt la maison violemment, sans se réveiller, au risque de se blesser. Pourquoi s'est-on demandé, mais pourquoi cette délicieuse petite fille, calme et silencieuse dans la journée, crie-t-elle toutes les nuits, plusieurs fois par nuit, et ne se rendort-elle que dans les bras de ses parents ? Quand ? se demandent les parents d'un tout petit bébé, fatigués par la naissance et les soins des premiers mois, soucieux de retrouver le plus vite possible les longues nuits réparatrices dont ils ont la nostalgie.

Et puis surtout, comment, comment peut-on faire dormir un enfant qui ne veut pas se coucher, comment apprendre à un nourrisson à bien dormir, comment ne plus se lever la nuit, comment retrouver le calme dans une famille où plus personne ne supporte rien à force de mal dormir...

Ces questions, lancinantes, répétées, parfois désespérées, chacun un jour ou l'autre se les pose. Elles sont devenues le pain quotidien des médecins de famille et des pédiatres. Près d'une consultation pédiatrique sur cinq, ces dernières années, est motivée par cette demande. Le problème de société est majeur, les drames familiaux qui en résultent parfois impressionnants. Les parents excédés, épuisés, après des mois ou des années de patience sont prêts à craquer. Ils ne supportent plus les nuits écourtées, gâchées. Souvent, ils ne se supportent plus entre eux, se rendant l'un l'autre responsables du comportement de l'enfant : « Tu as été trop faible, tu le laisses toujours faire... Oui mais toi tu cries toujours et tu lui as fait peur... Oui mais toi... » La consultation médicale, demandée en plein « ras-le-bol », tourne au règlement de comptes conjugal auquel le médecin assiste silencieux, tandis que le sujet du drame (indifférent semble-t-il à toute cette agitation, mais qui ne perd pas une miette du dialogue !...) écoute le cœur de la poupée au stéthoscope ou démonte le camion-robot.

C'est déjà là, pour nous, un des points les plus étonnants : les consultations pour troubles du sommeil sont toujours demandées, plus ou moins en urgence, lorsque les parents en ont marre, lorsqu'ils sont, eux, en déséquilibre à cause de leurs mauvaises nuits. On pourrait presque dire que c'est leur état physique et nerveux *à eux* qui est le facteur déclenchant. C'est un cas très typique en pédiatrie où des adultes consultent en priorité pour eux-mêmes et non pour leur enfant... Selon leur patience, leur seuil de tolérance, ils viennent parfois dès le 3e ou 4e mois, lorsque le bébé cherche ses rythmes ; mais aussi, trop souvent, la demande n'est posée que beaucoup plus tard, pour un enfant de trois ou quatre ans qui, depuis sa naissance, leur fait subir, apparemment sans aucun trouble pour lui, des nuits infernales.

allez, je vous emmène chez mon docteur !

Entre-temps les parents désarçonnés ont sollicité, ou encaissé, des avis multiples, les conseils des grands-parents, de leurs amis, des voisins gênés par les cris nocturnes ; ils ont lu des articles contradictoires sur le bon comportement à choisir. Ils ont souvent tenté, sans conviction, de laisser pleurer l'enfant la nuit, mais le regard rivé sur la montre. Affolés de leur propre sévérité, ils se sont précipités dans la chambre au bout de dix minutes pour consoler l'enfant et se faire pardonner bien vite ce moment d'autorité. D'autres ne peuvent imaginer que leur magnifique enfant de six mois et huit kilos, tout rond tout dodu, ne meurt pas de faim, et lui offrent, puisqu'il pleure, trois grands biberons de lait chaque nuit, biberons que l'intéressé, bien sûr, avale d'un trait, ce qui conforte ses parents dans l'idée qu'il en avait réellement besoin. À l'inverse, nous avons tous rencontré des tout-petits nouveau-nés hurlant la nuit pendant des heures, et là certainement de faim, devant une puéricultrice rigide ou des parents mal informés, qui tiennent à lui faire comprendre « tout de suite » comment on doit dormir.

Et puis il y a aussi les pensées alarmistes, l'idée toujours proche que l'enfant qui pleure la nuit est peut-être malade, qu'il a sans doute mal au ventre, ou mal aux dents, ou une otite qui se prépare, ou qu'il va s'étouffer avec son nez encombré... Et si les mauvaises nuits perdurent malgré les conseils de l'entourage, peut-être souffre-t-il d'une véritable maladie nerveuse, d'un trouble organique du sommeil, et pourquoi pas d'une anomalie héréditaire puisque le père ou la mère faisait la même chose dans son enfance et la grand-mère se charge bien de le répéter comme une preuve de filiation... Encore plus affolant, ne lit-on pas dans la presse le récit détaillé de nourrissons mort brutalement la nuit. Dormaient-ils profondément ou se sont-ils étouffés en criant, on ne sait plus trop ou le récit ne le précisait pas ; en tout cas, par précaution, on ne laissera pas un tel risque rôder autour de son bébé tout seul la nuit et il faudra donc répondre, pendant des mois, à la moindre de ses demandes et sursauter au moindre bruit dans le berceau, berceau qui, bien sûr, sera à moins de trente centimètres de l'oreille du parent ayant le sommeil le plus léger !...

Au-delà de la crainte, il y a parfois l'évidence, la fausse évidence, que vivre avec un bébé, c'est accepter de telles nuits pendant des années. Les marraines-fées se déchaînent au-dessus des berceaux, avec des prédictions absolues, incontournables, que la sagesse des parents a bien du mal à remettre à leur juste place. N'avez-vous pas entendu dans une maternité une sage-femme, un médecin ou un visiteur annoncer carrément et sans précaution que « celui-ci, ce sera un braillard » ou après la première nuit un peu chahutée, juste après la naissance, « celui-là, vous allez en baver pour le faire dormir », et bien d'autres petites phrases corrosives, apparemment anodines, qui vont suivre cet enfant dans son développement comme une tare indélébile. L'étiquette est collée, et les parents croient n'avoir plus qu'à tolérer le comportement nocturne de cet enfant que le ciel, le hasard ou la malchance leur a attribué.

Au gré de toutes ces raisons, de ces peurs ou de ces fausses informations, les parents laissent peu à peu, et croyant bien faire, les mauvaises habitudes de sommeil s'installer. Ils autorisent l'enfant à dormir peu ou mal. Il est catalogué « mauvais dormeur », les parents « font avec », jusqu'au jour où, excédés par leur manque de sommeil, ils viendront demander de l'aide chez leur médecin, aide dont ils ne doutent pas un seul instant qu'il va s'agir de la simple mais efficace prescription d'un somnifère.

Il nous paraît effarant de constater le décalage dans la notion d'urgence vécue par les parents suivant les fonctions primordiales de leurs enfants. Si un enfant mange moins, semble ralentir sa prise alimentaire, les parents réagissent très vite, et nous voyons chaque jour en consultation des enfants dits inquiétants, parce qu'ils ne mangent pas, ou peu, depuis 48 heures. Par contre, un bébé peut ne pas trouver son rythme de sommeil pendant plus de dix mois sans alarmer personne, et il n'est pas rare de voir en consultation des enfants de trois ou quatre ans qui n'ont jamais dormi correctement, sans que les parents aient jamais osé se plaindre ou pensé à demander de l'aide. D'ailleurs les croyances populaires et les discours des médecins n'assurent-ils pas que ces troubles du sommeil sont transitoires, qu'il suffit d'un peu de patience, et que spontanément, vers quatre ans, tout rentrera dans l'ordre... C'est partiellement vrai, la plupart des enfants, même très insomniaques, ont une relative amélioration de leur comportement nocturne vers quatre ans. Mais pourquoi attendre un âge aussi tardif pour intervenir ? Pourquoi prendre le risque d'une telle fatigue cérébrale, pourquoi autoriser l'enfant à rester de longues années en déséquilibre sur l'un de ses rythmes essentiels, aussi fondamental à son épanouissement que l'alimentation ou la régulation de sa température ? Il en a besoin pour aller bien physiquement, il en a besoin pour se vivre en paix avec ses parents et son entourage, pour ne pas risquer de gâcher sa relation avec eux.

Le sommeil, le bon sommeil, est indispensable à la fabrication du cerveau, il est l'un des atouts d'une croissance staturo-pondérale satisfaisante, il est l'une des composantes de l'équilibre relationnel de l'enfant avec ses parents et de la cohabitation paisible de toute la maisonnée. Nous y reviendrons bien sûr. Tout ce livre sera un long exposé sur le rôle du sommeil, sommeil lent et sommeil de rêve, dans la construction d'un petit d'homme et de son équilibre biologique et psychologique. Pourtant, d'emblée, nous pouvons affirmer trois points :

● **le sommeil est une nécessité vitale absolue :** les expériences de privation de sommeil réalisées, tant chez l'animal que chez l'humain adulte, sont formelles. Un animal qui ne peut dormir ou à qui l'on empêche tout sommeil lent tombe malade et meurt rapidement. La suppression du sommeil chez l'humain entraîne en quelques jours des troubles graves du comportement, liés au simple fait de ne plus dormir. Si l'on poursuit l'expérience quelques jours de plus, la recherche devient impossible. Quelles que soient les conditions, l'individu échappe à l'expérimentation vers le dixième jour, arrive à s'endormir — malgré tout ce qui est tenté pour le tenir éveillé —, poussé par une régulation spontanée invincible qui a pour but de préserver sa vie. La suppression élective du seul sommeil paradoxal n'a jamais été réalisée.

● **les troubles du sommeil ne sont que très exceptionnellement liés à une anomalie cérébrale,** organique ou fonctionnelle. Il s'agit presque toujours d'un équilibre à trouver, aussi simple à obtenir que celui de la régulation de l'appétit (équilibre faim-satiété). D'ailleurs, la courbe de poids n'est-elle pas beaucoup plus satisfaisante quand un enfant dort tout son saoul ? Les parents correctement informés, conscients qu'il est au moins aussi important d'offrir à leur tout-petit des nuits parfaites qu'une belle courbe de poids, ont toutes les compétences pour réaliser au mieux avec leur enfant les ajustements parfois nécessaires.

● **les troubles du sommeil de l'enfant ne se traitent pas par des somnifères.** Cette évidence-là est bien dure à admettre pour des parents épuisés qui ne peuvent plus tolérer de nouvelles nuits hachées, et qui voudraient bien se voir prescrire une « potion magique » qui résoudrait instantanément et définitivement le problème. Or les médicaments, nous aurons l'occasion d'en reparler en détail, ne règlent rien et peuvent même aggraver les troubles présentés par l'enfant.

Nous allons donc tenter de répondre aux questions que se posent les parents, les éducateurs, les médecins et personnels de santé sur le sommeil du nourrisson et de l'enfant : parents qui veulent réussir leur « éducation au sommeil », parents et soignants qui voudraient bien comprendre se qui se passe devant un trouble du sommeil déjà constitué et cherchent les moyens d'y remédier.

Cet objectif nécessite une information extrêmement précise sur la physiologie du sommeil et du rêve, les différents rythmes au cours d'une même nuit et leurs modifications en fonction de l'âge de l'enfant, les rythmes circadiens de sommeil et de vigilance, les mécanismes biochimiques du sommeil et de l'éveil, les principales fonctions du sommeil et du rêve... Évidemment, un certain nombre de ces notions pourront paraître arides au premier abord pour des lecteurs non informés. Pourtant elles nous paraissent indispensables à la compréhension de toute la « pédiatrie du sommeil », et nous en avons tenté une synthèse aussi claire et complète que possible. Une information scientifique extrêmement précise n'est-elle pas la condition préalable indispensable à tout débat sur la conduite à tenir devant un enfant qui dort mal ?

Lorsque ces bases auront été soigneusement exposées, nous parlerons de l'apprentissage du sommeil, des petits problèmes des premiers mois, des principaux troubles du sommeil observés chez le nourrisson, l'enfant et l'adolescent, et des moyens d'y remédier. Il sera donc question aussi bien des coliques du nouveau-né que des terreurs nocturnes, des pleurs de nuit lors des poussées dentaires que des accès de somnambulisme du grand enfant, des cauchemars répétés que des enfants « gros dormeurs ». Tous les problèmes minimes ou sévères pourront être abordés, avec leur solution. En effet le sommeil, équilibre biologique fondamental, est un équilibre fragile, qui se construit progressivement dans les premiers mois de vie, selon un enchaînement programmé, corrélé à la maturation cérébrale. Il y aura des périodes optimales pour tel ou tel apprentissage, des troubles simplement liés à un retard d'acquisition, parce que les parents ne comprennent pas ce qui se joue, ou parce que l'enfant ne comprend pas ce que ses parents attendent de lui ; ou parce que ce n'est pas le moment puisque l'enfant est enrhumé ou a perdu son rythme du fait d'un changement extérieur, un voyage par exemple. Il y aura aussi, tout comme chez l'adulte, des troubles qui apparaîtront secondairement chez un enfant jusque-là sans problème, parce qu'il est confronté à un moment de crise ou de détresse, dont l'insomnie ou les cauchemars seront l'une des manifestations... Il est bien évident que le sommeil, comme tous les grands équilibres de la vie, est le reflet de tout l'équilibre de l'enfant, et en particulier de sa sécurité affective et relationnelle. Un enfant qui ne dort pas a peut-être simplement quelque chose à dire à ses parents, et il le dit avec ses moyens à lui, avant même l'âge du langage, ou au-delà du langage...

Dans une troisième partie, nous aborderons les véritables maladies du sommeil : les très rares pathologies correspondant à un problème organique de l'enfant (les apnées du sommeil et la narcolepsie), et la pathologie pouvant survenir au cours du sommeil, avec, en premier lieu, la dramatique question de la mort subite inexpliquée du nourrisson. Bien sûr ces cas sont exceptionnels, mais là encore, une information détaillée nous paraît utile pour les parents ou soignants confrontés à ce terrible problème. Nous tenterons une synthèse sur les causes connues ou envisagées et les moyens thérapeutiques possibles.

Enfin, dans un dernier chapitre, nous reviendrons, pour nos lecteurs les plus curieux, sur les recherches en cours et les questionnements en suspens : sur les mécanismes biochimiques de l'éveil et du sommeil, sur les centres de commande cérébrale des différents états de vigilance, sur les passionnantes questions posées sur la fonction du sommeil et du rêve... Pourquoi dormons-nous, pourquoi rêvons-nous, pourquoi nous réveillons-nous ? Vous verrez que décrire les bases connues sur le sommeil, c'est poser encore plus de questions qu'en résoudre, et que nos interrogations sont loin d'être épuisées.

Le sommeil — sommeil lent et sommeil de rêve, aussi importants l'un que l'autre et en harmonie l'un avec l'autre — est l'une des bases d'organisation de toute notre vie. Un enfant qui dort bien est un enfant qui se réveille bien, qui vit bien, qui va bien. Un enfant qui dort bien est en paix dans sa famille, son milieu, son système de garde quotidien, son voisinage. Un enfant qui dort bien construit son cerveau pour sa vie entière avec un réglage judicieux de ses différentes horloges internes. Un enfant qui dort bien se prépare un sommeil d'adulte de qualité... L'équilibre s'acquiert, se joue, dans la **continuité**.

Il serait d'évidence absurde d'inverser ces données et de voir d'emblée dans des troubles transitoires du sommeil une source d'angoisse injustifiée. L'organisme a toujours de remarquables moyens de compensation et de régulation. Mais ces moyens seront d'autant plus actifs, que l'intervention adéquate des parents sera plus précoce, avant que l'enfant n'ait fixé son comportement, ou que toute la famille ne soit déjà en crise par manque de repos ou par déception devant la difficulté d'assumer un tel enfant.

Ce qui ressort de notre pratique quotidienne, c'est la certitude que les troubles qui paraissent les plus graves, les plus pénibles et déstabilisants pour toute la famille, en particulier l'enfant qui refuse de s'endormir et celui qui se réveille chaque nuit toutes les deux heures, sont les troubles qui se corrigent le plus vite et le plus facilement. Il suffit de comprendre ce qui se joue, et d'y répondre de façon appropriée. Si ce livre vous en apporte les éléments, il aura atteint son but.

Pourquoi et comment
dormons-nous ?

1

Comprendre le sommeil

Savez-vous pourquoi et comment vous dormez ? Savez-vous combien de temps chaque nuit vous dormez profondément, vous rêvez, à quel moment et pourquoi vous vous agitez, à quel rythme se produisent vos alternances de sommeil lent et de sommeil paradoxal, pourquoi, au moment de vous endormir, vous avez froid, et vous vous réveillez en ayant chaud, pourquoi le « coup de pompe » de onze heures du matin, ou l'envie de sieste de début d'après-midi ? Seriez-vous capable de dire de combien d'heures de sommeil vous avez besoin pour être en forme, et à combien de cycles nocturnes, et surtout à des cycles de quelle durée cela correspond ? Quelle est votre heure « naturelle », physiologique, d'endormissement et quels en sont les signes d'approche ?

La manière de dormir, la durée totale nécessaire de sommeil, la durée de chaque cycle sont spécifiques à chaque individu ; cérébralement programmées, sans doute génétiquement organisées, elles évoluent tout au long de notre vie, de la période fœtale à la vieillesse. Or à des questions aussi simples concernant l'un des équilibres les plus précieux de notre vie, personne ou presque ne sait répondre.

Il est frappant de découvrir que l'information sur le sommeil dans notre société est nulle. Ouvrez un livre de biologie des lycéens de terminale scientifique. Les programmes scolaires rendent nos adolescents incollables sur la digestion, la circulation sanguine, les mécanismes de la reproduction et la transmission des caractères héréditaires, le fonctionnement du système nerveux ou les échanges cellulaires, les moyens de défense contre les infections et les mécanismes des réactions immunitaires, voire la théorie de l'évolution et les différents types de microscopes ! Par contre rien, pas un mot, pas une ligne sur le sommeil. Comme si cette fonction était secondaire, sans intérêt. On devient bachelier, à l'heure actuelle en France, en ignorant totalement ce qui se passe dans notre organisme pendant plus d'un tiers du temps de notre vie... Curieuse carence de l'Éducation nationale dont personne ne se plaint !

Personne ne se plaint, en fait, parce que personne ne connaît. Les médecins et pédiatres ignorent encore presque tout du sommeil de l'enfant normal, sur lequel les recherches fondamentales démarrent à peine. Rendez-vous compte : d'Aristote à Piéron en 1913, seules quelques descriptions d'individus endormis avaient été possibles. Il a fallu attendre 1924, la découverte de l'électro-encéphalographie par Hans Berger — E.E.G. qui enregistre les faibles courants électriques émis par notre cerveau au cours de ses différentes activités —, pour s'apercevoir qu'il existe une corrélation entre nos différents états de vigilance et certaines modifications de notre activité électrique cérébrale. Loomis aux États-Unis réalise en 1937 le premier enregistrement E.E.G. nocturne de sommeil, mais c'est seulement vingt ans plus tard que débuteront les véritables études scientifiques des différents états de vigilance chez l'homme. En 1953, Aserinski et Kleitman découvrent le sommeil de rêve et sa traduction électrique ; mais les travaux se succèdent : Dement en 1958 aux États-Unis sur le sommeil de l'adulte et Jouvet à Lyon en 1959 chez l'animal. Depuis cette époque, des dizaines de centres spécialisés pour l'étude du sommeil se sont ouverts, d'abord aux États-Unis, puis en Europe. Des milliers de tracés électro-encéphalographiques ont été enregistrés, en très grande partie chez l'adulte jeune. Ces études ont permis de découvrir que notre sommeil est un état très complexe. Il ne s'agit pas du tout d'une mise en veilleuse de notre activité mentale et physique. Il s'agit d'un réel « état second », aussi varié et complexe à décrire que l'état de veille et où toutes nos fonctions biologiques sont modifiées. Bien sûr, l'activité électrique du cerveau est différente, spécifique des différentes phases du sommeil. Nous les décrirons longuement. Mais, et c'est là le point essentiel à réaliser, le sommeil est une période tout à fait particulière, où toutes nos autres caractéristiques biologiques vont se modifier rythmiquement : la température, le rythme cardiaque et le rythme respiratoire, la pression artérielle, le tonus musculaire, les sécrétions hormonales ont une histoire, une périodicité nocturne, que l'on peut enregistrer, mesurer, doser (cf. chapitre « Pour en savoir plus »).

CARACTERISTIQUES	EVEIL	S. LENT (adulte) S. CALME (nouveau-né)	S. PARADOXAL (adulte) S. AGITE (nouveau-né)
Activité cérébrale (Electro-encéphalogramme)	Activité rapide	S lent léger (1 + 2) / S lent profond (3 + 4) — Activité de plus en plus lente et ample	Activité rapide
Mouvements oculaires (Electro-oculogramme)	Yeux ouverts, mouvements oculaires rapides	Yeux fermés, pas de mouvement oculaire	Yeux fermés, mouvements oculaires rapides
Tonus musculaire (Electromyogramme)	Tonus musculaire important	Tonus musculaire réduit	Tonus musculaire absent. Paralysie
Electrocardiogramme	Rapide, régulier	Lent, régulier	Rapide, irrégulier
Respirogramme	Rapide, irrégulière	Lente, régulière	Assez rapide, irrégulière
Capacité d'éveil		S lent léger = Réveil facile / S lent profond = Réveil très difficile	Adulte = Réveil difficile / Nouveau-né = Réveil facile

Caractéristiques du sommeil enregistré sur les tracés polygraphiques.

L'agenda de sommeil

● *Pratiquement tous les troubles du sommeil peuvent être pris en charge par un médecin généraliste, un pédiatre ou un pédo-psychiatre, mais d'abord et avant tout par les parents. Il suffit souvent de deux ou trois entretiens pour dénouer des problèmes qui, au départ, paraissaient insolubles.*

DATE	24h	2h	4h	6h	8h	10h	12h	14h	16h	18h	20h	22h	Note sur 10	Observations

AGENDA DE SOMMEIL

- Mettre une flèche ↓ pour le coucher, ↑ pour le lever.
- Hachurer les périodes de sommeil.
- Laisser en blanc les périodes de veille.
- Noter dans la colonne "observations" la qualité du sommeil et de l'éveil, les médicaments.
- Marquer en noir les évènements anormaux.

Exemple :

DATE	24h	2h	4h	6h	8h	10h	12h	14h	16h	18h	20h	22h	Note sur 10	Observations
												↓		
Lundi	▨	↓ ▨		↑				▨			↓	▨		Terreur nocturne
Mardi				↑										

● **Au cours du premier entretien,** souvent long, le médecin prend le temps d'écouter l'histoire des parents et de l'enfant, cherche à comprendre avec les parents l'origine des troubles, les principales manifestations. Il explique les caractéristiques du sommeil normal et propose quelques moyens de remédier aux

troubles racontés, sans prescrire, bien sûr, ni sédatifs ni hypnotiques.

Si les troubles sont anciens et peu clairs, le médecin explique surtout comment remplir un agenda de
sommeil, où les parents consigneront pendant au
moins quinze jours les heures du coucher et du lever,
celles des siestes, la durée du sommeil de nuit et de
jour, la place des éveils nocturnes et les événements
particuliers du sommeil : terreurs, somnambulisme,
cauchemars... et de l'éveil : agitation, mauvais caractère, somnolence...

● **Le second entretien** aura lieu quinze jours ou
trois semaines plus tard. Médecins et parents ont,
grâce à l'agenda de sommeil, une vision globale de
ce qui se passe, de l'importance des troubles, de la
fréquence des éveils nocturnes ou des cauchemars.
Très souvent, avant même ce deuxième entretien, les
parents se sont rendu compte que malgré des éveils
nocturnes répétés l'enfant dort suffisamment et sont,
de ce fait, beaucoup moins angoissés. Tous les médecins qui utilisent un tel agenda connaissent son « rôle
thérapeutique spontané » très important.

Dans certains cas, comme dans l'agenda de Xavier,
l'analyse des troubles permet de proposer une modification d'horaire : cet enfant est infernal à l'heure
du coucher et ne s'endort pas avant une heure ou
une heure et demie. Une sieste trop longue aggrave
les problèmes de coucher. Une sieste courte paraît
meilleure, mais le sommeil est trop profond, d'où
l'apparition des terreurs nocturnes en première partie de nuit. S'il ne fait pas du tout de sieste, il est

tellement fatigué et énervé qu'il présente une excitation anormale et des difficultés encore plus importantes au coucher. Devant tous ces signes, il est logique de proposer un horaire de coucher plus tardif,
vers 21 h 30, qui semble le moment d'endormissement spontané.

DATE	24h	2h	4h	6h	8h	10h	12h	14h	16h	18h	20h	22h	Observations
Lundi								↓			↓		← Terreur nocturne
Mardi								↓				↓	Réveil de sieste : on est hébété pendant 10 mm. Coucher du soir déchaîné
Mercredi								↓				↓	
Jeudi							↓				↓		Déchaîné pour le coucher du soir
Vendredi							↓				↓		
Samedi							↓				↓		
Dimanche											↓		Coucher du soir très agité
Lundi							↓				↓		Très énervé toute la journée
Mardi							↓						
Mercredi							↓		↑				Nuit agitée : réveil à 2 h endormi normalement à 4 h Journée très calme
Jeudi							↓						
Vendredi							↓				↓		Journée très calme
Samedi											↓		Très déchaîné de 12 à 22 h Pas moyen de faire la sieste
Dimanche							↓				↓		Mauvais caractère toute la journée avec sa sœur et ses parents
Lundi											↓		N'obéit pas, crie et répond lors des remontrances

Agenda de sommeil de Xavier.

Dans d'autres cas, la lecture de ces agendas permettra au médecin de reconnaître chez l'enfant
insomniaque plus âgé certaines anomalies de l'organisation jour-nuit par avance ou retard de phase,
insomnies qui pourront être traitées par chronothé-
rapie. Nous en reparlerons au chapitre 2, et dans les
descriptions du sommeil de l'adolescent.

Ces agendas permettent également de reconnaître et de suivre le traitement de certaines hypersomnies, ou de suivre le sevrage d'un hypnotique. Nous y reviendrons au chapitre 5.

Enfin, l'agenda pourrait être un excellent outil d'étude du développement du sommeil normal au cours des années, et fournir des renseignements irremplaçables. Cet outil, très précieux pour les médecins puisqu'il permettrait des études longitudinales du même enfant, est aussi pour les parents un excellent moyen de mieux comprendre leur bébé

Agenda d'Alexandre deux jours par mois
au cours de sa première année.

et son évolution. Et puisqu'il s'agit d'un protocole ultra-simple, ne perturbant en rien la vie de l'enfant, la multiplication de ce genre d'études paraît plus généralisable, autorisant un jour des recherches statistiques valables, qui n'ont pas encore été possibles avec les méthodes « lourdes » d'enregistrement.

Ainsi la maman d'Alexandre, bébé en parfaite santé, a rempli une semaine par mois un agenda (dont deux jours typiques ont été représentés sur le schéma) qui décrit à lui seul tous ses horaires jours-nuits de la première année.

2

Nous sommes des êtres cycliques

Tout ce qui vit alterne. Cycle de la naissance, de la maturation et de la mort, cycles des saisons au cours d'une même année, cycles du jour et de la nuit, cycles différents de sommeil au cours d'une même nuit, cycles de la lune, cycles mensuels et mentruels des femmes, cycles longs, bi-annuels ou annuels, alternant là encore des périodes actives et des périodes plus ralenties. Ne sommes-nous pas les enfants de paysans pauvres qui travaillaient l'été, se reposaient l'hiver, avec des bonnes années où la chaleur et l'alimentation étaient abondantes, et des années de disette et de repli ?

Tout ce qui vit alterne des périodes d'activité et des périodes de repos. Cette périodicité existe d'abord chez les végétaux : alternance saisonnière bien sûr, mais aussi alternance journalière bien visible chez certaines fleurs. Ainsi les « belles de jour » ouvrent leurs corolles le matin et les referment le soir, tandis que les « belles de nuit » font le contraire.

Les insectes, les reptiles ont nettement des moments d'activité et des moments de repos. Les poissons s'immobilisent sur le ventre ou sur le côté, à la surface ou au fond de l'eau. Pour tous ces animaux, on parle de « dormance », pas encore de sommeil.

Le sommeil complexe, dans sa forme évoluée, est apparu il y a cent millions d'années avec les oiseaux, mais ce sommeil est encore très différent de notre sommeil humain. Par contre, plus haut dans l'échelle animale, les différents mammifères étudiés — chats, rats, singes — ont des états de vigilance très proches des nôtres. Les animaux chasseurs, les grands fauves, ont un sommeil plus profond que leurs proies, qui, elles, ont une plus large part de sommeil léger. Les animaux chassés ont très peu de sommeil paradoxal, dont la paralysie les rendrait très vulnérables. Les dauphins, eux, ne dorment systématiquement que d'un œil, ou plus exactement d'un cerveau, puisqu'ils alternent des éveils du cerveau droit pendant que le gauche dort, puis l'inverse.

Notre sommeil d'hommes adultes conserve l'empreinte de cette évolution. Nous en retrouvons la trace dans les études de l'évolution phylogénétique des espèces, dans les recherches sur le sommeil des mammifères qui, tel le cochon d'Inde, naissent cérébralement adultes, dans celles sur le développement progressif du sommeil (études ontogénétiques) des espèces qui naissent, comme l'homme, très immatures : raton, chaton, bébé kangourou... Tous ces travaux nous permettent de mieux comprendre notre sommeil, son développement, certaines de ses anomalies. Ils permettent de lever un peu le mystère sur sa fonction. À quoi sert le sommeil, pourquoi dormons-nous ? Questions auxquelles nous n'avons pas encore de vraies réponses.

Dans tout ce chapitre, nous nous attacherons à décrire les différents états de vigilance et les cycles de **l'homme adulte**. Il peut sembler surprenant, dans un livre consacré à l'enfant, de rédiger un chapitre entier sur le sommeil de l'adulte, pourtant cela nous paraît indispensable.

— Indispensable, car le sommeil de l'enfant n'est pas fondamentalement différent de celui de l'adulte, et qu'il sera beaucoup plus facile de le décrire ensuite par comparaison.

— Indispensable aussi, parce que le sommeil de l'adulte est l'aboutissement des modifications progressives des états de vigilance qui se construisent de la période fœtale à la fin de l'adolescence.

— Indispensable enfin, car il n'est pas possible pour des parents de comprendre les éventuels problèmes de leur enfant sans être capables d'abord de comprendre leur propre sommeil et d'en analyser les difficultés.

Pour commencer, quelques définitions

● *Ce sont des notions arides, mais utiles à la compréhension des chapitres qui vont suivre. Elles permettent de décrire toute la série des rythmes qui programment notre vie.*

● On appelle rythmes **circadiens** les alternances, aux environs de 24 heures, de certaines de nos fonctions biologiques, dont le rythme veille-sommeil est l'une des plus importantes. Dans les conditions normales, cette alternance est synchronisée par le rythme jour-nuit, par nos périodes d'activité et de repos.

● On appelle rythmes **ultradiens** des périodes plus courtes, de quelques minutes à quelques heures, qui régulent nos jours et nos nuits. Les cycles nocturnes de sommeil de 1 h 30 à 2 heures, les alternances de sommeil lent et de sommeil paradoxal en sont les témoins, la nuit. Dans la journée, nous alternons des cycles de repos et d'activité, de fatigue et de grande efficacité : phases d'éveil actif au cours desquelles nous sommes très vigilants, et phases d'éveil passif au cours desquelles nous sommes beaucoup moins vifs, beaucoup moins efficaces. Ces rythmes influencent la plupart de nos fonctions biologiques : rythme cardiaque, rythme respiratoire. Ils modulent notre température corporelle, nos sécrétions internes. Ils influencent nos performances physiques et mentales, et nous connaissons bien le creux très net de nos possibilités de 13 ou 14 heures, alors que nous sommes généralement en pleine forme vers 17 heures.

● Notre vie est aussi modulée par des rythmes lents, dits **infradiens**. Le plus classique est un rythme mensuel. Souvenez-vous du très beau film d'Éric Rohmer, *Les Nuits de la pleine lune*, et dans *Kaos* des frères Taviani, de la merveilleuse séquence sur « le mal de lune ».

Ce ne sont pas des inventions de cinéastes. Certaines insomnies sont visiblement rythmées par le cycle mensuel, et les statistiques de criminalité montrent une indiscutable aggravation au moment des pleines lunes !

D'autres rythmes, encore plus lents, saisonniers, bi-annuels, annuels, voire tous les trois ou cinq ans, sont nettement repérables chez certains d'entre nous. Connaissez-vous les syndromes dépressifs minimes survenant pour une même personne chaque année à la même période ? Connaissez-vous l'évidente vulnérabilité des humains en hiver, leur besoin plus important de sommeil, la sensibilité aux infections, alors même que l'invention de l'éclairage artificiel et du chauffage central leur a désappris un besoin physiologique profond de repos. Par contre, notre société vient d'inventer les vacances d'été, repos au moment de notre plus grande capacité de travail, de moindre besoin de sommeil, et de nos meilleures performances physiques et intellectuelles...

Les trois états de vigilance

● *Encore quelques définitions, mais plus connues et beaucoup plus simples. Notre vie d'adultes est faite de la succession de trois états de vigilance, totalement différents les uns des autres, aussi bien dans notre comportement extérieur, visible, que dans leur traduction électro-encéphalographique : l'éveil, le sommeil lent et le sommeil paradoxal.*

● **L'éveil, ou état de veille,** caractérise tous les moments conscients de notre vie, et représente chez l'adulte près des deux tiers du temps. Cet état oscille de façon plus ou moins rapide entre des temps d'éveil actif et des temps d'éveil passif.

— Au cours de l'**éveil actif**, nos yeux sont grands ouverts, brillants, très mobiles, nos gestes fréquents, rapides, précis, notre temps de réaction à toutes les stimulations qui nous entourent est très court, les réflexes sont vifs, notre envie de communiquer et notre facilité pour apprendre sont importantes. Notre cerveau est en alerte et l'activité électrique cérébrale recueillie sur l'E.E.G. est rapide, peu ample. Il nous sera difficile de nous endormir au cours de cette période de veille active.

— À ces états actifs succèdent de façon périodique des **états de veille passifs**. Éveils au cours desquels nos gestes sont plus lents, nos yeux moins vifs, notre temps de réaction à ce qui nous entoure beaucoup plus long. Nous sommes moins bavards, plus distants, plus rêveurs, souvent plus frileux. À ce stade, nous avons envie de nous relaxer, de nous détendre, et il nous est facile de nous « laisser aller », de fermer les yeux et de nous endormir. Nos ondes électriques corticales, lorsque nous avons les yeux fermés, sont régulières, un peu plus amples et plus lentes que lors des états de veille actifs, de 8 à 12 ondes par seconde (activité type « alpha »). Cet état de veille relaxé est une porte ouverte sur le sommeil.

● **Le sommeil lent** est ainsi appelé car il est caractérisé par un ralentissement et une augmentation d'amplitude progressive des ondes électriques corticales. Il est dit aussi sommeil classique, sommeil orthodoxe.

Un adulte s'endort presque toujours en sommeil lent et ce sommeil représente chaque nuit environ

75% à 80% du sommeil total, soit environ 6 heures de sommeil lent pour une nuit de 8 heures. Ce sommeil peut être décomposé en quatre stades de profondeur croissante :

• Le stade I correspond à l'endormissement ou à un état de pré-éveil, périodes au cours desquelles nous sommes « entre deux eaux », pas tout à fait endormis, ni complètement réveillés. Les mouvements corporels se font rares.

• En stade II, nous dormons, mais ce sommeil est léger. Une porte qui claque chez le voisin nous réveillera. Il persiste une certaine activité mentale : rêves flous, plus proches d'une pensée d'éveil que d'images, rêves plus logiques, plus cohérents que ceux du sommeil paradoxal. L'activité électrique est de plus en plus lente. Les stades I et II représentent 50% du sommeil total, soit 4 heures par nuit.

• Les stades III et IV correspondent à un sommeil très profond. La réactivité aux stimulations extérieures est très faible, l'immobilité à peu près totale. Le visage est inexpressif, l'activité mentale probablement très faible. Les yeux sous les paupières fermées sont immobiles (sommeil sans mouvement oculaire des Anglo-Saxons : *non rapid eyes movement sleep* : N.R.E.M.S.). Le pouls et le rythme respiratoire sont lents et réguliers. Par contre, le tonus musculaire est conservé, les muscles restent fermes, le corps à demi plié, les doigts serrés (dormir à poings fermés). S'il nous arrive de nous endormir debout, nous ne nous effondrerons pas. L'activité électrique cérébrale est lente et ample. Ces stades III et IV représentent environ 25% du sommeil total, soit 2 heures par nuit.

ÉTATS DE VIGILANCE
Caractéristiques électro-encéphalographiques

ÉVEIL « ACTIF » : Yeux ouverts, activité rapide peu ample.

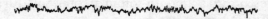

ÉVEIL « PASSIF » : Relaxé. Yeux fermés 8 à 12 ondes par seconde. Activité alpha.

STADE I : ENDORMISSEMENT, SOMMEIL DE TRANSITION : 3 à 7 ondes / seconde. Activité thêta.

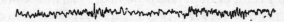

STADE II : SOMMEIL LENT LÉGER. Fuseaux de sommeil et complexes K.

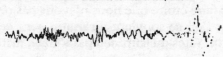

STADES III + IV : SOMMEIL LENT PROFOND 1/2 à 3 ondes par seconde.

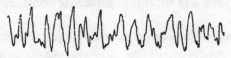

STADE V : SOMMEIL PARADOXAL. Activité rapide et ondes en « dents de scie ».

Aspects électro-encéphalographiques des états de vigilance selon Recht-schaffen et Kales (1968), d'après « Dormir », réalisé par l'Association pour l'étude de la santé mentale et l'Association belge pour l'étude du sommeil, sous l'égide du ministère de la Santé de la communauté belge.

● **Le sommeil paradoxal, ou sommeil de rêve,** succède au sommeil lent. Il en est aussi différent que le sommeil lent est différent de l'éveil. Il a été nommé « paradoxal » par Michel Jouvet, devant le contraste entre un sujet complètement endormi, détendu, et l'enregistrement E.E.G. d'une activité électrique corticale intense, avec des ondes rapides, peu amples, très proches de celles de l'éveil actif. Ce sommeil représente 20 à 25% du sommeil total, soit, lui aussi, près de 2 heures par nuit.

L'activité électrique est le reflet d'une **activité mentale intense**, d'un véritable éveil cérébral, qui correspond au **rêve**. Si l'on réveille un dormeur pendant cette période, dans 80% des cas il raconte une histoire de rêve très précise, très détaillée. Ces rêves sont fugaces, vite effacés de notre mémoire, ce qui peut nous faire croire que nous n'avons pas rêvé. Les rêves dont l'on se souvient au matin sont ceux des dernières minutes du sommeil paradoxal, juste avant notre réveil. En effet, l'éveil spontané du matin survient souvent à la fin d'une phase de sommeil paradoxal.

En sommeil paradoxal, notre visage est le reflet de l'activité onirique. Il est mobile, expressif, plus « social » qu'en sommeil lent. Les paupières sont fermées, mais les yeux bougent très rapidement et ces mouvements sont visibles au travers des paupières (sommeil à mouvements oculaires rapides des Anglo-Saxons : R.E.M.S.). Le pouls et la respiration sont aussi rapides qu'en phase d'éveil, mais plus irréguliers. Il peut de temps à autre exister quelques brefs mouvements corporels, mais, en pratique, la caractéristique de ce sommeil paradoxal est une hypotonie musculaire intense. Nous sommes complètement détendus, étalés, muscles relâchés, doigts ouverts. Endormi en position instable, la tête s'écroule, le corps se laisse tomber. Il existe une véritable **paralysie transitoire** qui, bien sûr, disparaît dès que nous sommes réveillés ou dans une nouvelle période de sommeil lent. Cette paralysie nous empêche peut-être de « passer à l'acte » au cours de nos rêves.

Deux tableaux peuvent résumer ces caractéristiques :

• **Sommeil lent :** visage inexpressif ; respiration lente et régulière ; pouls lent et régulier ; pas de mouvements oculaires ; tonus musculaire conservé ; activité électrique cérébrale de plus en plus lente et ample.

• **Sommeil paradoxal :** visage expressif ; respiration rapide et irrégulière ; pouls rapide ; mouvements oculaires rapides verticaux et horizontaux ; tonus musculaire aboli ; paralysie ; activité électrique cérébrale rapide, intense.

Que se passe-t-il au cours d'une nuit de sommeil ?

• *Notre sommeil d'adulte est, dans les conditions habituelles (civilisation occidentale, travail de jour), essentiellement nocturne.*

— Le besoin de sommeil survient généralement chaque soir à la même heure, annoncé par une sensation de fatigue, de faible activité mentale, de froid.

— Si nous nous couchons au moment où ces signes apparaissent, l'endormissement est rapide. La latence d'endormissement, temps qui s'écoule entre le moment où l'on a décidé de dormir, éteint la lumière, fermé les yeux, et le moment où l'on s'endort vraiment sera brève, généralement moins de dix minutes. Ce paramètre est très important. Il mesure notre capacité d'endormissement.

— Nous nous endormons en sommeil lent, sommeil lent qui va durer en moyenne de 1 h 10 à 1 h 40. D'abord sommeil lent léger puis progressivement de plus en plus profond.

— À la fin de cette phase, nous passons en sommeil paradoxal pour 10 à 15 minutes.

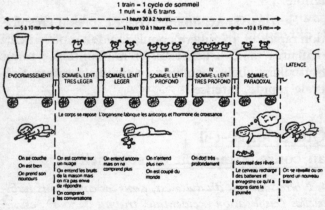

(D'après Samara/Sommeil Primutam. Cradess, 15, rue Pizay, 69001 Lyon.)

— Une nuit complète représente l'enchaînement de 4, 5 ou 6 cycles de ce « train ». La fin du sommeil paradoxal est marquée par une phase de pré-éveil très courte, insensible pour un dormeur normal, mais où l'éveil serait très facile. Puis, si aucune stimulation particulière ne le tire du sommeil, le dormeur enchaîne un nouveau cycle.

● *Quelques points intéressants :*

— La durée d'un cycle est de 1 h 30 à 2 heures.

— La durée exacte d'un cycle est constante pour chacun d'entre nous, remarquablement stable tout au long de notre vie. Un dormeur qui connaît ses rythmes profonds devrait être capable de dire s'il dort par cycle de 90, 100, 110 ou 120 minutes. En pratique, ce n'est pas très facile.

— Si l'enchaînement de sommeil ne se fait pas au cours de la nuit, l'éveil pourra se prolonger pendant la durée normale d'un cycle. Beaucoup d'entre nous connaissent l'éveil de 4 à 6 heures du matin, pour se rendormir ensuite profondément.

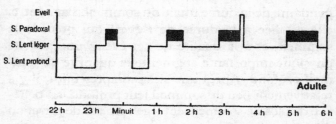

Déroulement temporel d'une nuit de sommeil (hypnogramme).

— La qualité du sommeil se modifie au cours de la nuit. Dans le premier tiers, le sommeil lent est plus profond, plus prolongé : les deux premiers cycles comportent la presque totalité du sommeil lent profond. Le sommeil lent léger et le sommeil paradoxal sont proportionnellement plus importants en fin de nuit. La durée des périodes de sommeil paradoxal s'allonge d'un cycle à l'autre, les dernières phases étant aussi plus intenses, plus riches en mouvements oculaires.

— Même si nous dormons bien, nous nous réveillons la nuit : nous changeons de position environ 3 fois par nuit. Ces « micro-éveils » surviennent généralement en fin de cycle, au moment du passage d'une phase de sommeil paradoxal à une nouvelle phase de sommeil lent. Si ces micro-éveils durent moins de trois minutes, nous n'en gardons en fait aucun souvenir. Ces éveils sont plus longs et plus fréquents après les deux premiers cycles de sommeil, d'où une plus grande fréquence des réveils nocturnes, passé le premier tiers de la nuit.

— La quantité de sommeil lent profond est indépendante de la durée totale du sommeil. Par contre, elle est liée à la durée de l'**éveil** qui précède le sommeil, et à la qualité de cet éveil : une activité physique importante augmente la quantité de sommeil profond. Après une sieste d'après-midi, il y a relativement peu de sommeil lent profond, au bénéfice de plus de sommeil lent léger. En cas de privation de sommeil, par contre, nous rattrapons en priorité notre déficit en sommeil lent profond.

— La durée du sommeil paradoxal est par contre directement liée à la durée totale de notre nuit de sommeil : « Plus on dort, plus on rêve. » En cas de privation de sommeil, les temps de sommeil paradoxal ne se rattraperont que si l'on en a le temps, après que les phases de sommeil lent profond auront pu, elles, se rattraper.

— Enfin le sommeil lent profond diminue avec l'âge, au bénéfice d'un sommeil beaucoup plus léger. De nombreuses insomnies des personnes âgées ne sont, en fait, que des « impressions de mauvais sommeil », de sommeil trop léger, alors même que la durée totale du sommeil est très bonne, voire augmentée.

Les besoins de sommeil

● *Q'entend-on par sommeil normal ? Est-il assez profond, trop léger, trop long, à quelle heure doit-il commencer ? Voilà beaucoup de questions auxquelles on ne peut donner de réponse générale puisque chaque individu dort à son propre rythme.*

Il n'existe en réalité qu'une seule définition du sommeil normal : c'est quand, le matin, nous nous réveillons non seulement avec l'impression d'avoir bien dormi, mais aussi avec celle d'être reposé et en pleine forme.

Ces impressions seront obtenues après des temps différents de sommeil selon les sujets. Nous sommes très inégaux devant le sommeil :

— La plupart d'entre nous ont besoin de 7 h 30 à 8 heures de sommeil, réparties par exemple sur 4 cycles de 2 heures ou 5 cycles de 1 h 30.

— Certains sujets, dits « petits dormeurs », auront besoin de moins de 6 heures par nuit (probablement 4 cycles de 1 h 30). D'autres, beaucoup plus rares,

n'auront besoin que de 4 heures de sommeil pour
être en forme. Ces petits dormeurs représentent environ 5% de la population.

— Par contre, les « gros dormeurs » auront besoin
d'une durée moyenne de plus de 9 heures de sommeil par jour. Ils représentent environ 10 à 15% de
la population.

Ces besoins de sommeil sont probablement innés,
en grande partie déterminés héréditairement. Ils évoluent pendant l'enfance, puis ils restent en général
remarquablement constants après la fin de l'adolescence.

Chronobiologie et rythmes circadiens

● *La chronobiologie est l'étude des rythmes biologiques
auxquels sont soumis les êtres vivants.*

Les différents pics et creux de ces rythmes ne sont
pas distribués au hasard, mais relèvent d'une véritable programmation dans le temps des nombreuses
activités : métaboliques, nerveuses, endocriniennes...
permettant un ajustement de l'organisme au mode
de vie. Cette adaptation n'est pas individuelle, mais
spécifique de l'espèce. Ainsi l'humain, *homo
sapiens*, est un « animal » à activité diurne, et tous ses
rythmes biologiques, son organisation temporelle,
répondent à la nécessité de faire face, physiquement
et intellectuellement, à son activité diurne. Ainsi les
performances du système nerveux (attention, coordination motrice, mémoire), la force musculaire, la
fréquence cardiaque et respiratoire atteignent leur

maximum au cours de la journée. Par contre, d'autres variations biologiques, comme le taux de lymphocytes — cellules blanches du sang qui participent à la défense anti-infectieuse de l'organisme —, sont au maximum au milieu de la nuit.

Un exemple frappant de cette adaptation biologique quotidienne est celui des sécrétions hormonales : l'hormone corticotrope, ou A.C.T.H., a son pic de sécrétion maximum au milieu de la nuit. Elle induit la sécrétion d'hormones telles que la cortisone ou le cortisol, qui ont pour effet d'augmenter les taux sanguins de protéines, lipides, glucides et sels minéraux pour les besoins d'un organisme en activité. Or, les pics sanguins maximum de cortisol se situent au moment de l'éveil. Il y a donc cohérence biologique, le pic d'A.C.T.H. se situant avant celui du cortisol, lui-même se situant avant le pic des performances musculaires, nerveuses, etc., de l'organisme. Il y a donc bien pré-adaptation.

Cette notion d'organisation temporelle a une réelle importance, non seulement théorique, mais aussi pratique. Les accidents de voiture ou d'avion dus à une « erreur humaine » se produisent souvent vers deux ou trois heures du matin, heure où les potentialités physiques, psychiques et intellectuelles des humains sont au plus bas. C'est le moment où les réponses, les réflexes sont les plus lents et les moins adéquats. Le chronobiologiste américain Charles Ehret de Chicago a même rapporté que la gravité de l'accident à l'usine nucléaire de Three-Mile-Island était en grande partie due au fait que la centrale s'était emballée à trois heures du matin. Les ingénieurs et techniciens de garde ont été incapables de prendre en temps voulu les décisions qui s'imposaient.

Autre utilité pratique essentielle de cette chrono-biologie : notre organisme ne réagit pas de la même façon aux médicaments selon l'heure où ils sont ingérés. Pour certaines thérapeutiques hormonales, comme la stimulation du cortisol par l'A.C.T.H., la même dose peut être strictement inefficace à six heures du soir et parfaitement adaptée à sept heures du matin. Autre exemple : la stimulation hypophyso-ovarienne par la L.H.-R.H. n'a aucune efficacité en perfusion continue, même à très fortes doses, et ne marche que si l'on effectue une stimulation de quel-ques minutes toutes les heures. Cette découverte, utilisée maintenant dans le traitement de certaines stérilités, prouve bien que les effets qualitatifs et quan-titatifs d'un traitement hormonal dépendent plus du rythme de sa biodisponibilité que de la dose théori-quement utile.

Les rythmes circadiens de vigilance

● *Au cours des 24 heures, notre vigilance passe par des hauts et des bas, réalisant un véritable tracé sinusoïdal repérable à la même heure ou presque chez tous les humains, dans tous les coins de la planète, et corrélé à l'heure du soleil.*

Cette vigilance est directement précédée par une autre courbe parallèle qui est celle de notre tempéra-ture corporelle. Lorsque la température s'élève, notre organisme se prépare à une phase active, éveillée,

efficace. Lorsque la température baisse, la vigilance
ne tarde pas à diminuer. Nous verrons que toutes ces
notions conduisent à un bon nombre de réflexions
sur les rythmes scolaires imposés à nos enfants :
l'heure des siestes à l'école maternelle, l'heure
habituelle des cours qui ne correspond guère aux
meilleurs moments d'activité intellectuelle, la suppression des classes l'été, meilleure période d'apprentissage que l'hiver. Nous nous reposons et nous
travaillons souvent à contretemps de nos besoins
physiologiques.

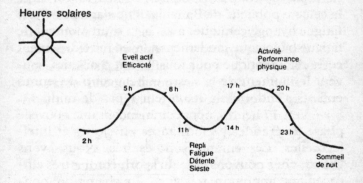

Schématiquement, ce rythme fondamental (en
heures solaires) est formé de :
— une phase active, chaude, entre 5 et 8 heures
du matin ;
— une phase de repli, de fatigue, de faibles performances physiques entre 11 et 14 heures ;
— une nouvelle phase de haute vigilance entre 17
et 20 heures ;

— une phase de fatigue et de très faible vigilance entre 23 heures et 2 heures du matin ;

— la phase la moins active se situe entre 2 heures et 5 heures du matin.

Comment interpréter cette courbe ?

— Le matin au réveil, nous sommes en pleine forme, actifs, efficaces, prêts à apprendre, à mémoriser, à effectuer un travail physique important.

— En milieu de journée survient une phase moins efficace, marquée sans doute pour beaucoup d'entre nous par le « coup de pompe de 11 heures ». Malgré la célèbre publicité de Banania, il ne s'agit pas d'une fatigue hypoglycémique, mais bien d'un moment de fatigue biologique fondamental, avec refroidissement corporel, identique pour tous. C'est, d'ailleurs, souvent le moment de la sieste et beaucoup de jeunes enfants s'endorment *avant* leur repas de midi.

— Vers 17 heures, nous commençons une nouvelle phase de grandes performances physiques et intellectuelles. Les enfants sont excités. Nous avons chaud, nous pouvons faire du sport, étudier très efficacement, apprendre très vite... Le champion mondial de saut à la perche améliorant, le 11 juillet 1988, pour la neuvième fois, son propre record en sautant 6 m 06 à 2 heures (heure locale, soit 18 heures heure du soleil) a déclaré aux journalistes de la télévision : « C'était des conditions météo idéales, et, surtout, la meilleure heure pour sauter. »

Quel dommage que, dans notre société actuelle, nos enfants ne profitent pas de cet excellent moment, trop souvent consacré mollement aux devoirs scolaires, ou encore plus mollement aux feuilletons télévisés. Quant à nous, adultes, ce devrait être le moment de faire du sport, des études, des recherches, au lieu de perdre des heures en voiture dans les embouteillages de retour, ou à préparer le repas du soir.

— Vers 23 heures, nouvelle période de faible vigilance : nous commençons par sentir le froid, nous nous étirons, nous bâillons, écoutons avec moins de lucidité les conversations environnantes, et sommes proches de l'endormissement. Si nous nous endormons, nous dormons en sommeil lent profond (nous l'avons vu p. 39). Si nous continuons à veiller, nous serons « ivres de sommeil », instables sur nos jambes, peu réactifs, nous aurons froid, envie de fermer les yeux. Notre tension artérielle sera basse, notre force physique très diminuée.

— Pourtant, même si nous n'avons pas dormi, tout ira mieux après 5 heures du matin, et si nous tardons encore à nous coucher, nous ne pourrons plus nous endormir. Pour ceux qui ont dormi une nuit normale, vers 4-5 heures le sommeil devient plus léger, plus fragile, plus riche en sommeil lent léger et en sommeil paradoxal. Les éveils sont plus fréquents et parfois perceptibles.

Environ deux heures avant le réveil spontané, la température remonte, les modifications métaboliques liées à la sécrétion de cortisol sont stimulées, et nous nous réveillons en pleine forme.

On dit d'un individu qu'il est **en phase, lorsqu'il vit et travaille aux moments de meilleure per-**

formance, et se repose ou dort dans les moments de faible performance. Cette notion est du plus haut intérêt pour comprendre certaines pathologies du sommeil, que nous aborderons p. 58.

Il existe, par rapport à cette courbe moyenne, des variations possibles d'une ou deux heures, fixes pour un même individu tout au long de sa vie. Nous pouvons donc définir des humains « couche-tôt » et d'autres « couche-tard », selon la position de leur propre périodicité horaire.

Cette courbe, ce rythme fondamental sont retrouvés chez tous les sujets dans les conditions normales : travail de jour, vie à la lumière extérieure, vie sociale régulière. Mais tout n'est pas si simple. Les expériences de « vie hors du temps », en dehors de tout repère temporel (pas de montre, pas d'alternance de jour et de nuit, pas d'horaires de repas réguliers), nous permettent d'aborder les mécanismes très compliqués qui règlent nos différents rythmes : rythmes biologiques et rythmes de sommeil.

Les expériences « hors du temps »

● *Plusieurs études de « vie hors du temps », chez des sujets volontaires isolés dans des grottes ou dans des bunkers, ont été réalisées. La plus connue est celle de Michel Siffre, enfermé dans une grotte pendant plusieurs mois sans aucun repère temporel, ni communication avec l'extérieur. Les découvertes sur les rythmes profonds dans de telles conditions sont tout à fait passionnantes.*

● **Le rythme biologique circadien profond, inné, n'est pas de 24 heures, mais de 25 heures.** Aussi curieux que cela puisse paraître, en l'absence des donneurs de temps (synchroniseurs ou *Zeitgebers* en allemand) que sont les rythmes sociaux et les alternances jour-nuit, le rythme spontané s'installe sur 25 heures. En d'autres termes, les oscillations de la température, de la sécrétion du cortisol, et vraisemblablement aussi les rythmes de sommeil paradoxal, reculent d'une heure toutes les 24 heures. En libre cours, ce rythme reste très stable aux environs de 25 heures.

● **Au début de l'expérimentation, la périodicité du rythme veille-sommeil suit celle de la température corporelle et s'organise sur 25 heures.** Le sujet se lève et se couche en se décalant d'une heure tous les jours par rapport à ses horaires habituels de 24 heures.

● **Au bout de quelques semaines d'expérience, on voit apparaître des anomalies du rythme veille-sommeil.** L'alternance phases éveillées et phases de sommeil se poursuit, et garde une proportion stable de 2/3 d'éveil pour 1/3 de sommeil. Mais ces alternances se dérèglent. Certains cycles « jour-nuit » atteignent 60 heures, d'autres sont plus courts et ne durent que 12 heures environ. Pourtant, pendant toute cette période, le cycle de la température reste stable sur 25 heures. Le sujet vit donc souvent à contretemps de ses rythmes de cortisol et de température. Il dort en phase « chaude », s'active, travaille et mange en phase froide. Il n'existe plus de relation de phase stable entre, d'une part, la température, la sécrétion du cortisol et d'autres constantes biologiques, et, d'autre part, les rythmes éveil-sommeil. Chacun de ces rythmes oscille de façon autonome. On parle alors de **syndrome de désynchronisation interne.**

● *Que dire de ces données ?*

— Le rythme circadien inné est de 25 heures.

— Ce sont les donneurs de temps extérieurs, horaires sociaux, alternance jour-nuit, qui règlent chaque jour notre mécanisme biologique sur 24 heures, envoyant à notre corps et à notre cerveau des signaux qui leur permettent d'adapter nos rythmes internes à notre environnement.

— Les différents rythmes circadiens ne dépendent pas de la même régulation puisqu'ils peuvent se désynchroniser.

Les horloges biologiques

● *Pour expliquer ces faits d'expérimentation, il semble que l'on ne puisse parler d'une horloge biologique unique des rythmes circadiens. Il existe vraisemblablement non pas une, mais deux horloges principales appelées par les chercheurs « oscillateurs ».*

● **Un oscillateur fort,** ainsi nommé car il est peu dépendant de l'environnement et des donneurs de temps. De lui dépendrait la modulation des rythmes de température, de la sécrétion du cortisol, et aussi,

HORLOGES BIOLOGIQUES

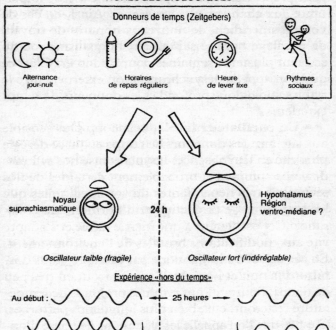

Donneurs de temps (Zeitgebers)

| Alternance jour-nuit | Horaires de repas réguliers | Heure de lever fixe | Rythmes sociaux |

Noyau suprachiasmatique

24 h

Hypothalamus
Région ventro-médiane ?

Oscillateur faible (fragile)

Oscillateur fort (indéréglable)

Expérience «hors du temps»

Au début :   ← 25 heures →

Désynchronisation interne

Alternance jour-nuit de 12 à 60 heures

Alternance jour-nuit de 25 heures

vraisemblablement, du sommeil paradoxal. Comme ces rythmes sont peu soumis aux modifications de l'environnement, on dit qu'ils ont un *caractère endogène prépondérant*. Ils seront donc très stables en l'absence de donneurs de temps, ce que nous avons vu plus haut. Par contre, du fait de ce caractère endogène prépondérant, ils opposeront une inertie importante aux changements extérieurs. Ainsi, en cas de vol transméridien, de nouveaux horaires de travail, de décalage horaire saisonnier, l'organisme mettra souvent plusieurs semaines pour s'adapter. C'est ce que l'on appelle désynchronisation externe, entre le rythme biologique profond et les donneurs de temps extérieurs.

• **Un oscillateur faible,** beaucoup plus sensible aux signaux des donneurs de temps et qui se dérègle plus vite en leur absence. Il synchronise nos rythmes de veille-sommeil et probablement certaines de nos sécrétions très dépendantes du sommeil, telles que les sécrétions de prolactine et d'hormone de croissance. Cet oscillateur a une inertie faible et s'adapte vite aux modifications brutales de l'environnement. En cas de vol transatlantique par exemple, nous dormirons la nuit et nous éveillerons le jour en très peu de temps. Pourtant, nos rythmes profonds de température resteront, eux, bien plus longtemps perturbés. C'est ce que l'on appelle les altérations de phase d'origine externe. Nous y reviendrons.

Les altérations de rythme

• *Ces études chronobiologiques permettent de comprendre toute une série d'anomalies de coordination des rythmes et les difficultés d'adaptation physique et intellectuelle de l'organisme qui peuvent en résulter.*

Les altérations de phase d'origine externe

Ce sont les difficultés rencontrées par les personnes soumises à de nombreux changements d'horaires : vols transméridiens des personnels navigants, horaires de travail variables (les trois huit), et aussi, tout simplement par toute la population lors du changement d'horaire saisonnier : horaire d'hiver et horaire d'été.

Au cours de ces changements, le cycle veille-sommeil se trouve brutalement déphasé par rapport à l'environnement habituel. Le sujet va rapidement adapter sa vigilance : en deux ou trois jours, il se réveillera et s'endormira en fonction du rythme de soleil du nouveau lieu. Par contre, la température corporelle, la sécrétion du cortisol, moins dépendantes de l'environnement, vont mettre beaucoup plus longtemps pour s'adapter aux nouvelles conditions de vie. Et donc pendant plusieurs jours, voire plusieurs semaines, il y aura désynchronisation interne, responsable d'une impression de malaise, d'une fatigue, de difficultés d'endormissement.

Cette période d'adaptation sera plus longue pour les vols transatlantiques Ouest-Est, par exemple un vol de retour États-Unis-France, car ils mènent à une *avance* de l'horaire habituel de sommeil, ce qui est beaucoup plus difficile que de retarder son heure d'endormissement. De même, il sera plus difficile de s'adapter à l'horaire d'été puisqu'il correspond à une avance du coucher de deux heures sur l'heure solaire.

La sensibilité des individus à ces modifications extérieures de rythme est très variable. Certains mettent quelques jours à s'adapter, d'autres plusieurs semaines. Cette adaptation est plus difficile après 35 ans, chez les sujets dépressifs ou ayant des problèmes psychologiques. Elle est aussi difficile chez le jeune enfant : nous y reviendrons.

Les altérations de phase d'origine interne

On peut en décrire deux grands types : les altérations de phase par retard ou avance sur l'horaire, ou des périodicités circadiennes anormales.

● *Les avances de phase* correspondent à des horaires anormalement précoces d'endormissement. Les cas modérés représentent les sujets dits « couche-tôt », sujets « du matin ». Ces avances de phase se voient aussi fréquemment chez les sujets dépressifs, et les personnes âgées. Chez ces dernières, elles peuvent traduire un raccourcissement spontané du cycle de la température corporelle.

● *Les retards de phase* simulent une « insomnie d'endormissement ». C'est un peu le cas extrême des sujets dits « du soir » ou « couche-tard », qui restent en pleine forme très avant dans la soirée, mais qui ont beaucoup de difficultés pour se lever le matin. La courbe de température de ces sujets semble retardée par rapport à celle des gens vivant selon un horaire veille-sommeil classique. Il ne s'agit pas d'un trouble du sommeil, puisque le sommeil est de bonne qualité après l'endormissement, et que sa durée sera normale, d'environ huit heures si le sujet n'est pas obligé de se lever tôt le lendemain. Par contre, ce retard d'endormissement, l'incapacité quotidienne de se coucher avant deux ou trois heures du matin s'accompagnent souvent d'une privation chronique de sommeil, car les horaires de travail ou de la scolarité ne permettent pas au sujet de se lever chaque jour vers 13 heures.

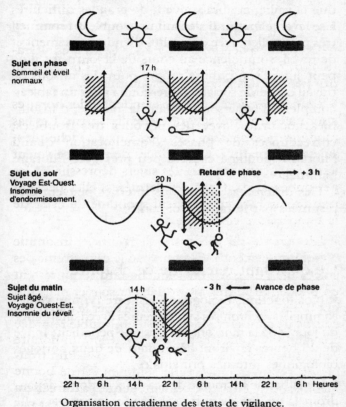

Sujet en phase
Sommeil et éveil normaux

17 h

Sujet du soir
Voyage Est-Ouest.
Insomnie d'endormissement.

20 h

Retard de phase ⟶ + 3 h

Sujet du matin
Sujet âgé.
Voyage Ouest-Est.
Insomnie du réveil.

14 h

- 3 h ⟵ Avance de phase

22 h   6 h   14 h   22 h   6 h   14 h   22 h   6 h Heures

Organisation circadienne des états de vigilance.

● *Les périodicités circadiennes anormales* sont beaucoup plus exceptionnelles. Elles correspondent à un cycle jour-nuit ou un cycle « repos-activité » de périodicité plus longue que 24 heures, par exemple, pour un individu, une périodicité de 27 heures. Ce sujet aura envie de dormir chaque soir trois heures plus tard que la veille, et aura souvent de grandes difficultés à se lever le matin. Il s'ensuit un trouble du sommeil très particulier, avec difficultés d'endormissement et de réveil, somnolence au cours de la journée s'il ne peut suivre son rythme propre pour des raisons de travail ou de vie sociale. Il présentera alors un tableau complexe d'hypersomnie dans la journée, d'insomnies nocturnes, avec des périodes très troublées, entrecoupées de phases d'amélioration quand l'horaire spontané cadre à peu près avec l'horaire habituel.

Ces différentes altérations internes peuvent être résumées par le tableau ci-contre.

Ce qu'il faut retenir de ce chapitre

● Nos fonctions biologiques et notre rythme veille-sommeil, synchronisés sur 24 heures avec l'alternance du jour et de la nuit, ont, en fait, une périodicité innée de 25 heures environ, dépendant de deux horloges biologiques internes principales.

● De la bonne harmonie de ces deux horloges dépendront la qualité de notre sommeil nocturne et celle de notre vigilance diurne.

● L'horloge qui règle les plus importantes de nos fonctions biologiques (température, fréquence car-

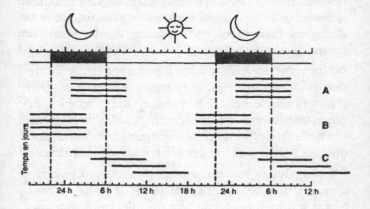

A : Retard de phase : Le rythme a une période de 24 heures mais le sommeil, d'une durée de 8 heures, est retardé de 3 heures par rapport aux horaires habituels (22 heures-6 heures).

B : Avance de phase : Le rythme a une période de 24 heures mais le sommeil, d'une durée de 8 heures, est avancé de 3 heures par rapport aux horaires habituels.

C : Périodicité de plus de 24 heures : Le rythme veille-sommeil n'est plus entraîné sur 24 heures. Il a une période spontanée de 27 heures, il se décale tous les jours de 3 heures sur l'horaire standard.

diaque et respiratoire, tension artérielle, sécrétion de cortisol) est modulée par les donneurs de temps. Mais elle a un fonctionnement assez indépendant de ceux-ci. Elle a un caractère endogène prépondérant. Elle aura donc une inertie importante, s'adaptera lentement, sur plusieurs semaines, aux modifications brutales de l'environnement.

L'autre horloge, régulant notre rythme veille-sommeil, est beaucoup plus dépendante des donneurs de temps, en particulier des facteurs sociaux. Elle est, de ce fait, beaucoup plus labile et s'adaptera donc

vite aux modifications, même brutales, de l'environnement. Elle sera aussi beaucoup plus fragile et se
déréglera facilement en l'absence de donneurs de
temps.

● Nos rythmes veille-sommeil pourront être à contretemps de nos principaux rythmes biologiques. Il en
résultera une sensation de malaise, une fatigue importante, une impression de n'être ni réveillé, ni endormi.
On parle de désynchronisation interne, syndrome dont
on ne connaît pas encore toutes les conséquences.

● Les rythmes veille-sommeil peuvent aussi être à
contretemps de l'alternance du jour et de la nuit.
Notre sommeil nocturne sera troublé, notre vigilance
diurne perturbée.

Pédiatrie du sommeil

3

L'itinéraire-sommeil
des quatre premiers mois de vie

Avant d'aborder l'itinéraire-sommeil, il serait bon de préciser trois points essentiels à la juste compréhension, la bonne utilisation de tout ce que nous détaillerons ensuite ; trois points qui devront rester à l'esprit tout au long de ces chapitres, car ils en sont les modérateurs, les anti-recettes, les fondements absolus, évitant — et c'est indispensable — toute interprétation simpliste, raccourcie, de ce que nous tentons de dire.

● D'abord, **accompagner le sommeil d'un enfant, l'aider à trouver ses rythmes, c'est très simple.** Le regarder au long des semaines chercher ses moments d'éveil, de faim, de repos, son alternance jour-nuit, puis des nuits complètes, puis un horaire quotidien de repos équilibré, est l'une des composantes tranquilles du bonheur de vivre avec lui. C'est au moins aussi simple que de lui apprendre à manger, ou de le regarder évoluer dans sa découverte de lui-même et de son environnement. Un enfant découvre son sommeil tout naturellement, comme il découvre l'équilibre alimentaire, l'idée de se tenir assis, de se mettre à quatre pattes, ou d'ébaucher ses premiers sourires ou ses premiers mots.

Il y faudra, comme pour n'importe quel autre aspect du rôle parental, beaucoup de tendresse, un brin de fermeté, des moments spécifiques de disponibilité, le moins d'angoisse possible, un sacré bon sens et, probablement, pas mal d'humour. Il faudra aussi, parfois, éviter des erreurs, transiger, trouver le meilleur compromis entre ce que l'on sent bon pour l'enfant, adapté à ses rythmes, et les nécessités impérieuses du quotidien, les horaires de travail des parents, les modes de garde, les voyages indispensables, l'entrée à l'école, le bruit dans la rue, ou le partage de la chambre avec d'autres enfants...

Bien sûr, certains parents sont plus angoissés que d'autres, dorment moins bien que d'autres et auront plus de peine pour faire confiance à leur petit dans l'acquisition de ses rythmes fondamentaux. Il y a des familles où règnent en maître les histoires d'insomnies et de peurs, d'autres où les parents n'auraient même pas eu l'idée de se poser la question. Apprendre à se situer soi-même dans cette problématique, se reconnaître comme parent-panique ou comme parent-peinard aidera utilement à faire la part des choses !

● Puisque l'acquisition des équilibres fondamentaux est corrélée à la construction cérébrale, il y a nécessairement **une progression des acquis, une évolution des possibilités et des performances, un calendrier optimal** pour intervenir si nécessaire. La progression dans la qualité des nuits d'un bébé s'effectue au fur et à mesure que sa maturation céré-brale organise mieux son « horloge intérieure », et au fur et à mesure que l'enfant devient moins dépendant de ses horaires alimentaires, parce qu'il se constitue ses propres réserves alimentaires, donc énergétiques, et peut ainsi rester 8 à 12 heures sans manger. Appre-nons à en tenir compte, à choisir le meilleur moment avant de solliciter de l'enfant un changement de comportement. Il est tout aussi aberrant, nous le ver-rons, de laisser pleurer toute une nuit un nouveau-né de trois jours pour qu'il trouve son sommeil, que de se lever six fois par nuit pour répondre aux appels réitérés d'un nourrisson de huit mois. Dans le pre-mier cas, on intervient trop tôt, demandant à l'enfant un exploit dont il n'est pas encore capable. Dans le deuxième, on aurait plutôt oublié d'intervenir, et il est grand temps de s'en préoccuper...

● Dernier point, dernier écueil à éviter : **les enfants ne sont pas tous pareils.** Aucune recette, aucun calendrier, aucune échelle de développement ne peuvent être valables pour tous, ne doivent être suivis à la lettre. Chaque enfant est unique, évolue à sa vitesse, manifeste ses désirs ou son bien-être à sa manière, réagit plus ou moins fortement aux sollicitations. Bref, chaque enfant dort à sa façon.

Certains parents n'auront jamais à se poser le moindre problème. Ce sont les super-privilégiés, dont les enfants savent dormir une nuit complète dès le retour de maternité et ne les dérangeront que deux ou trois fois dans leur vie, au moment d'une grosse fièvre ou d'une indigestion !... Cela existe, mais ce n'est, bien sûr, pas le plus fréquent.

Dans la grande majorité des cas, il y aura un temps plus ou moins long de réveils nocturnes pendant lequel les parents devront s'adapter au rythme de leur enfant.

Enfin il y a des enfants qui, indiscutablement, mettront plus longtemps que d'autres de la même promotion pour se vivre en paix dans leur équilibre de repos et d'activités.

Et puis, qui dit vivant dit changeant. Pour chaque enfant il y aura les bons moments et les moins bons, les périodes idylliques et celles où rien ne va plus, les malaises de l'enfant et les moments difficiles des parents, les vacances sereines et le quotidien infernal, le manque de sommeil à en être nauséeux, et les réveils en chantant... Apprendre à dormir, apprendre à vivre, n'est-ce pas un peu synonyme ?

Toutes ces données, cette mouvance, ne peuvent que tempérer l'attente et l'impatience des parents pendant les premiers mois de vie, mais vont ensuite stimuler, avec calme et décision, les modalités éducatives de leurs interventions. L'enfant ira à son rythme, mais trouvera d'autant mieux son équilibre qu'il se sentira soutenu, guidé, encouragé par les demandes chaleureuses, aimantes, de ses parents. Demandes qui sont pour lui de véritables preuves d'amour, des marques d'attention et de sécurité, et non des exigences insurmontables. Voici donc les principales étapes théoriques des premières années, connues depuis longtemps par la simple observation des enfants, et confirmées par les récentes découvertes de neurophysiologie et de chronobiologie.

Le sommeil du nouveau-né

Il tète vigoureusement, les yeux grands ouverts, ses lèvres aspirant goulûment le lait chaud qui perle aux coins de sa bouche. Il la regarde avec intensité, ses mains s'élèvent lentement comme pour caresser le sein. Les doigts se crispent, s'agrippent. On entend le bruit doux de sa déglutition et des petits ronronnements de plaisir. Pendant plusieurs minutes, son regard ne la quitte pas, il s'applique à téter, activement concentré sur sa recherche du lait et le désir de calmer sa faim. De courts instants, ses yeux se ferment, le mouvement des lèvres ralentit, devient plus léger, les bruits du lait avalé s'espacent. Elle lui parle doucement, l'encourage à poursuivre. Il la regarde à nouveau, réaccélère son mouvement avec un grognement de plaisir. Il remue, cale ses bras et ses jambes, redresse son dos, cherche son regard avec la plus grande attention, puis, à nouveau, se laisse aller contre elle, pesant de tout son poids dans ses bras. Les paupières retombent, la bouche s'arrête, les lèvres en corolle autour du sein ébauchent encore de minuscules mouvements.

Elle se redresse, étire son dos endolori par l'immobilité. Il ouvre à nouveau les yeux, la regarde béatement, resuce goulûment quelques gorgées de chaleur et de lait, puis laisse ses paupières retomber lentement. La bouche ralentit à nouveau, s'immobilise. Les bras retombent, mains grandes ouvertes, doigts déliés, totalement abandonnés dans une merveilleuse impression de bien-être, de détente. Son dos s'est arrondi dans les bras qui le bercent, la tête bascule sur le côté, enserrant toujours le bout de sein que, par instants, les lèvres effleurent d'une caresse. Fascinée par une telle paix, elle n'ose plus bouger. L'enfant se laisse glisser dans une détente satisfaite. Son petit corps est immobile, totalement étalé sur elle. Il semble parti dans un profond sommeil que rien ne pourrait interrompre. Mais, soudain, il ouvre les yeux, les agite en tous sens, les bascule tellement haut que les globes blancs apparaissent. Inquiète, toujours immobile, elle se demande ce qui se passe, pourquoi il est si mou dans ses bras, et pourquoi ce drôle de regard qui plafonne.

Elle hésite à intervenir, n'ose le déranger. Mais les yeux, à nouveau, se ferment. Les lèvres cherchent le sein, ébauchent quelques gestes de succion, cette fois presque imperceptibles. Et soudain, immense, inattendu, jaillit un extraordinaire sourire qui illumine un court instant le visage endormi. Il est plus pâle que tout à l'heure, très profondément immobile, et, pourtant, en le surveillant attentivement, elle voit encore ses yeux bouger derrière les paupières baissées. À plusieurs reprises, il s'agite, ouvre et ferme les yeux sans jamais toutefois fixer son regard, totalement concentré sur son rêve intérieur. Des petits sourires, une moue de dégoût, quelques mouvements de sa langue et de ses lèvres, une détente extasiée, une immobilité étonnante de tout son corps alors que son visage s'anime, un instant fugitif de peur puis une mimique de colère puis, à nouveau, ce fulgurant sourire. Le corps est immobile, relâché. Les bras pendent vers le sol, toujours doigts détendus.

Soudain, il semble moins bien. Il respire plus vite, se replie sur lui-même dans un brusque sursaut de douleur. Il pleure, bras et jambes brusquement repliés, crispés. Pendant plusieurs secondes un sourd gémissement sort de ses lèvres. Il serre les poings, raidit son dos, fait de vigoureux mouvements de succion, comme s'il se rappelait que son repas n'est pas encore terminé. Cette douleur, cet inconfort inexplicables paraissent presque le réveiller. Pourtant, sous les paupières closes, les yeux continuent à remuer, mouvement tout à fait perceptible pour elle qui le regarde. Ensuite, comme si rien ne s'était passé, il se détend à nouveau, relâche ses doigts, sourit vaguement, suçote du bout des lèvres avec ravissement, ouvre les yeux, le regard si loin, absent, ailleurs.

Il y a plus d'une demi-heure qu'il est là dans ses

bras, agité, actif. Elle n'a pas osé bouger, sentant confusément que le moindre mouvement peut le réveiller, ou l'empêcher de s'endormir, elle ne sait pas
trop... Peu à peu, sa respiration ralentit, le petit corps
se reprend, la tête, le cou semblent se redresser légèrement, les poings se ferment, les bras et les jambes
reprennent leur position habituelle repliée. Les lèvres
lâchent le sein que, depuis la fin de sa tétée, il n'avait
pas quitté. Le visage est enfin figé, immobile, inexpressif, détendu. Il dort à poings fermés.

N'est-ce pas ce que dit le dicton ?

Toute cette histoire longuement racontée suffit à
illustrer les bases essentielles du sommeil d'un enfant
nouveau-né. Tout est clairement visible dans ce
scénario. Ceux d'entre vous qui ont vécu les premiers
jours d'un enfant, qui ont pris le temps de regarder,
ont sûrement assisté à des scènes tout à fait similaires. Essayons ensemble, en reprenant les notions
explicitées dans la première partie de ce livre, de
comprendre ce que cela signifie.

Cet enfant **dort** depuis le moment où il a arrêté
de téter activement. **L'enfant nouveau-né s'endort
d'emblée en sommeil paradoxal, en sommeil de
rêve.** Il ne commence pas, comme l'adulte ou
l'enfant plus âgé, par une phase de sommeil lent,
calme, mais par une longue phase de sommeil agité.
Malgré l'apparente agitation du visage, des yeux,
malgré les pleurs, il s'agit d'un authentique moment
de sommeil, indispensable à l'équilibre du bébé, et
qui doit donc être respecté, autant que les moments
de sommeil lent, calme, apparemment plus reposants.

Vous l'avez déjà vu au chapitre 2, **le sommeil de rêve s'accompagne d'une immobilité corporelle, d'une détente musculaire importante.** Le corps est mou, la tête tombe sur le côté, les doigts sont étalés, mains ouvertes dans le vide. Seuls les yeux sont très actifs (sommeil à mouvements oculaires rapides ou R.E.M.S.), et le visage reste expressif avec de nombreuses mimiques retraçant tous les sentiments primaires des humains : la joie, la peur, le dégoût, la tristesse, la surprise, la colère...

À l'inverse, le sommeil lent, qui suit, est un sommeil calme, à respiration lente. Le corps a repris du tonus, s'est replié sur lui-même. Les yeux sont immobiles, le visage est inexpressif.

Pendant une période de sommeil, qui normalement chez un tout-petit qui a bien mangé dure deux à trois heures, **l'enfant va alterner deux à trois phases de sommeil agité, et deux à trois phases de sommeil calme.** L'éveil peut survenir à n'importe quel moment, spontanément, ou lors d'une stimulation extérieure.

Le sommeil paradoxal du tout-petit est particulièrement actif, expressif, avec de multiples mimiques, et même d'authentiques périodes proches de l'éveil. Il ne paraît pas réellement endormi, mais plutôt traversé de moments de malaise, de douleur, et puis aussi d'extase. Il peut carrément pleurer, ou ouvrir les yeux. Parfois même — et c'est l'une des composantes exceptionnelles de ce sommeil agité des premières semaines de vie — le corps, les membres peuvent remuer, dans un geste de douleur ou de repli. (Vous avez peut-être pu observer le même phénomène chez un animal qui « rêve ». On peut voir bouger le bout des pattes et l'entendre gémir, comme s'il rêvait d'un événement violent auquel il voudrait échapper.) L'erreur classique serait de prendre ces mimiques pour des signes d'appel ou de détresse. Aussi agités soient-ils, ces moments sont des moments de sommeil, sans douleur ni panique réelles mais peut-être des « rêves de douleur, rêves de peur, ou rêves de béatitude ». C'est absolument fondamental à comprendre.

L'enfant nouveau-né peut dormir près de 20 heures par jour, et entre 16 et 20 heures à la fin du premier mois. Chaque fois il s'endort en sommeil paradoxal et dort environ 50% à 60% du temps en sommeil de rêve, et 40% à 50% en sommeil lent. Il dort indifféremment le jour et la nuit sans manifester encore le moindre changement en fonction des heures du nycthémère.

Le cycle de sommeil, alternant périodes agitées et moments de sommeil lent, se déroule d'autant mieux que l'enfant est en parfaite sécurité. **Or, que savons-nous de la sécurité d'un tout-petit ?**

La sécurité, c'est d'abord la *satisfaction des besoins fondamentaux*, lorsque la faim a cessé, que l'inconfort des couches mouillées a disparu, que plus rien, dans son corps, ne lui parvient comme sensation douloureuse ou désagréable.

La sécurité, et cela d'autant plus que l'enfant est plus jeune, proche encore de sa vie utérine, c'est de retrouver *les composantes de base de cette « vie antérieure »* : dos arrondi, tête tenue, chaleur, bruits connus d'un cœur contre son oreille, odeur maternelle, mou-

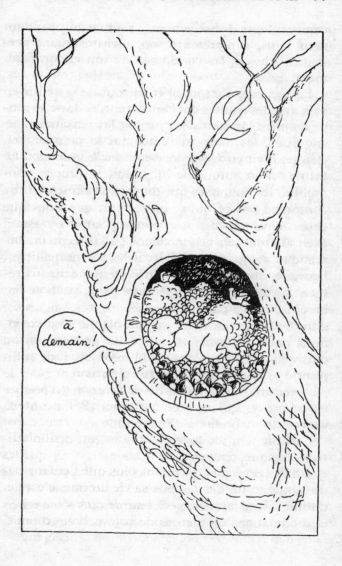

vements lents de bercement... tout ce qui, pendant
neuf mois, a représenté son environnement permanent de vie, les conditions de son endormissement.

La sécurité, c'est aussi et surtout de se sentir en
paix avec les adultes qui l'entourent, et donc *les* sentir en paix. Un tout-petit perçoit les sensations, les
angoisses, les désirs de ceux qui le prennent en
charge. Il vit en *résonance émotionnelle* avec eux. Le
calme serein autour de lui induit sa propre tranquillité, les angoisses qui tournent l'affolent. Il ne
comprend pas ce qui se passe, sent que « quelque
chose ne va pas bien », et pleure pour être rassuré.
Bien sûr, tout cela ne fonctionne pas de façon mathé-
matique, au quart de tour. Il y a des parents paisibles,
heureux, dont les nouveau-nés pleurent désespérément (peut-être tout simplement parce qu'ils en ont
besoin), et des parents énervés, excités, angoissés,
dont les bébés dorment sans problème. Des exceptions pour confirmer la règle ! En pratique, si un
nouveau-né ne peut trouver le sommeil, il ne suffit
pas de le bercer, de lui parler doucement pour le
rassurer, mais il convient de se détendre, d'apaiser
les angoisses qui montent, d'éviter d'être ainsi la
source de « vibrations d'inquiétude ».

Compte tenu de toutes ces données, quelle attitude logique pouvons-nous adopter, vers quelles
conduites pratiques devons-nous tendre, pour aider
un nouveau-né dès les *premiers jours de vie* à bien
dormir, ce qui favorisera évidemment ses acquisitions
et modulations ultérieures de sommeil équilibré ?

● *Première évidence, premières erreurs à ne pas commettre :*

Le rythme de sommeil d'un nouveau-né lui est spécifique, régulé par deux composantes fondamentales : la faim-satiété d'une part, l'horloge cérébrale de la vie fœtale d'autre part. Il avait son rythme utérin de sommeil, programmé par toute une organisation neuronale, rythme autonome, indépendant de celui de sa mère. Il va, en naissant, découvrir la faim, le besoin douloureux, impérieux de se nourrir qui, à intervalles variables, va déjà bousculer son rythme cérébral primaire. Pendant tout le premier mois de vie, l'idéal serait de laisser l'enfant, sans jamais intervenir de façon inconsidérée, trouver son propre rythme d'enfant-né, ajustant à sa manière les moments de faim et les phases encore fœtales de sommeil.

Cela signifie, d'abord, qu'*il ne connaît pas le rythme jour-nuit*, que ses appels peuvent se produire indifféremment à n'importe quelle heure. Malgré la fatigue des parents, il faudrait l'accepter. L'accepter, car l'organisation cérébrale du rythme jour-nuit se fera spontanément, vous l'avez vu, entre la quatrième et la huitième semaine de vie. Un moyen pour passer ce cap : que les parents, ou au moins la mère, se mettent au même rythme que l'enfant, dormant le jour entre chaque tétée, vivant à ses côtés, avec le minimum d'activités extérieures.

Autrefois, les femmes des milieux privilégiés le vivaient bien, qui restaient couchées trois semaines auprès de leur bébé, sans avoir le droit de se lever. Si ces prescriptions avaient un tout autre objectif (la prévention des phlébites et embolies après l'accouchement !), elles avaient un remarquable effet positif sur les premiers jours du bébé, favorisant l'allaitement à la demande et le sommeil spontané. Nous retrouvons exactement les mêmes types de pratiques dans un certain nombre de pays d'Afrique et d'Asie, où la mère, bien entourée par la communauté villageoise, reste au repos de longues semaines, voire plusieurs mois, se consacrant entièrement aux rythmes du bébé. Est-ce un pur hasard si les troubles du sommeil de l'enfant dans nos pays ont décuplé ces dernières décennies, au fur et à mesure que nous nous éloignions de ces comportements que nous osons appeler primitifs ?

Cela signifie aussi que *pendant les deux ou trois premières semaines de vie, en théorie, il ne faudrait réveiller un nouveau-né sous aucun prétexte.* Ni pour le faire manger, ni pour le changer, ni pour le recoucher, ni pour voir si tout va bien, ni pour la visite du pédiatre en maternité, ni pour lui faire connaître ses grands-parents ou le reste de la famille, ni pour l'heure du bain, l'heure du thermomètre, l'heure du biberon, l'heure de la promenade, l'heure des copains ou l'heure des câlins. Il ne devrait y avoir aucune exception à cette loi, aucun compromis. N'est-ce pas à mille lieues de ce qui se pratique partout, tout le temps, dans l'univers des tout-petits, en maternité autant qu'après le retour à la maison ?

Le seul cas pouvant justifier quelques modifications à ce que nous venons d'affirmer, c'est celui des enfants nés prématurément, ou trop petits pour le terme, ou nés dans des conditions obstétricales difficiles, donc les enfants malades ou réellement fragiles. Dans ce cas, bien sûr, la sécurité prime, et il peut être justifié de les réveiller parce qu'ils sont trop fatigués pour émerger d'eux-mêmes, réagiront moins clairement à la faim, risquent de se mettre plus vite en hypoglycémie. Mais ces enfants-là, bien moins nombreux que les autres, sont bien connus des médecins et du personnel soignant. Nous en reparlerons au chapitre suivant.

Pour tous les autres, les enfants qui vont bien, nés à terme, de poids normal, sans souffrance fœtale ou néo-natale, ceux qui dorment dans leur berceau près de leur mère, ou contre elle dans ses bras, ceux-là méritent le respect le plus total. Rien — aucune incidence extérieure de nos horaires et de nos nécessités d'adultes — n'autorise à les déranger. C'est un *respect fondamental* dû à l'enfant et, là, nous avons tout à réapprendre...

Respect aussi de ce temps spécifique entre la mère et son bébé, temps de fatigue, d'écoute, de soins attentifs, à l'heure où le bébé en manifeste le besoin. Une jeune femme à l'heure actuelle devrait oser rester au lit avec son bébé, refusant les visites, refusant de participer aux soins de la maison, au ménage, aux repas, s'offrant des petites siestes lorsque l'enfant s'est endormi, se ménageant les moyens d'un réel repos et d'une vraie disponibilité. Regardez autour de vous, toutes ces jeunes mères qui, huit jours après leur accouchement, font les vitres, les courses, partent en voyage, invitent des amis ou toute la famille, étonnées de leur propre fatigue et de la demande pressante et désespérée de l'enfant. Refuser le rythme de toute notre société pour se mettre à celui de l'enfant pendant quelques semaines est la chance de réussir paisiblement cette adaptation. Combien de pères ont réfléchi avant la naissance à ce temps de récupération, dont toute la famille va avoir besoin, et se sont préoccupés des moyens à mettre en œuvre pour offrir à leur compagne, à l'enfant nouveau-né, ces moments irremplaçables ? Là encore, tout est à réapprendre.

● *Deuxième évidence :*
Respecter le sommeil d'un tout-petit, c'est apprendre à respecter les phases de sommeil agité, donc savoir les reconnaître. Très peu de personnes, dans l'entourage des nouveau-nés, connaissent bien cette réalité du sommeil agité, et il est courant de tout interpréter comme des signes d'éveil, des signes de souffrance, des signes d'appel. Résultat direct, pour consoler l'enfant, pour le rassurer, on le réveille brutalement ! Cela *casse son rythme,* l'empêche de découvrir l'alternance spontanée de sommeil paradoxal et de sommeil lent. L'enfant désapprend qu'à la fin d'un rêve, il peut enchaîner par une période de sommeil lent, et câble dans son cerveau que la fin d'un rêve s'accompagne souvent, ou nécessairement, d'un éveil. C'est là l'une des origines indiscutables des troubles du sommeil des premières années, troubles où l'enfant va se réveiller pendant de longs mois toutes les deux heures, toutes les nuits ou presque, à la fin d'un sommeil paradoxal, tout simplement parce qu'il a branché dans son cerveau cette alternance fausse qu'une période de rêve finit par un éveil.

Par ailleurs, ces réveils intempestifs répétés, provoqués par un adulte qui croit, à tort, nécessaire d'intervenir, gênent le repos normal de l'enfant, le fatiguent, l'empêchent de se retrouver en paix dans ses rythmes propres. Il pleure, ne sait plus où il en est, réclame violemment. Il est tellement fatigué, perdu, qu'il ne sait même plus pourquoi il pleure. Les parents inquiets essayent n'importe quoi, sur n'importe quel horaire. On nourrit l'enfant à contre-temps. Il avale tout car il ne sait plus s'il a faim ou non. Un nouveau-né qui « se sent mal » réagit toujours comme s'il avait faim. C'est une chose à connaître, parce que c'est aux adultes présents d'interpréter correctement les sensations de malaise, et non de le nourrir à tort et à travers. Les pleurs désespérés affolent les parents qui prennent l'enfant, lui parlent, tentent de l'apaiser, et, ce faisant, l'empêchent encore de s'endormir. Il se crée là un véritable cercle vicieux, où les parents, croyant bien faire et pour rassurer leur bébé, nuisent directement à son endormissement. Cette incompréhension aggrave les pleurs du petit, aggrave par contrecoup les réactions des parents qui vont le déshabiller, le changer, le manipuler dans tous les sens pour essayer de comprendre ce qui ne va pas... et l'enchaînement anormal est en piste !

Ces *phénomènes d'hyperexcitation* d'un tout-petit, parce que l'on ne comprend pas sa demande de repos, son besoin de dormir, l'agitation de son sommeil de rêve, sont *extrêmement fréquents*. Il nous faut réfléchir à nos comportements devant un bébé qui s'agite dans son sommeil ou qui peine à s'endormir, et ne pas craindre de le laisser pleurer quelques minutes, plutôt que de rentrer dans un tel cercle vicieux. Il est bien plus néfaste de casser le rythme de sommeil d'un tout-petit que de le laisser pleurer quelques instants sans le consoler. Pour un enfant, même très petit, le besoin de dormir est aussi impérieux que chez l'adulte, et l'inconfort créé en retardant l'endormissement est sûrement bien plus désagréable que celui des hypothétiques 10 grammes de lait dont il aurait encore besoin...

Éviter cet enchaînement de réveils intempestifs, de difficultés d'endormissement, cela veut dire *éviter l'escalade de l'angoisse et des réassurances*. Être parent, c'est apporter la sécurité à l'enfant, donc comprendre son fonctionnement, ne pas culpabiliser au moindre cri, ne pas se précipiter, affolé, au moindre mouvement dans le berceau. C'est peut-être aussi accepter que l'enfant qui cherche à s'organiser au sortir de sa vie utérine puisse avoir quelques difficultés à trouver son rythme et lui laisser le temps, les moyens de s'y retrouver. Lui donner le droit de pleurer un peu !

Intervenir n'est pas toujours l'aider. Savoir se taire, savoir ne pas bouger, résister au désir de le nourrir encore, attendre calmement que l'enfant s'apaise dans son rêve ou se rendorme s'il s'est réveillé, n'est pas le plus facile... Beaucoup de parents interviennent très vite, trop vite, pour se rassurer eux-mêmes sur le bon état de leur enfant. C'est leur peur à eux qui fausse le fonctionnement du tout-petit. Comprendre ce point est l'une des clés de l'équilibre de toute la famille.

● *Troisième évidence :*

Les premières semaines de vie sont une période de transition, un moment d'adaptation du bébé à sa nouvelle vie extra-utérine. Il savait dormir au rythme propre de ses neurones, il doit s'adapter à la faim et au nouvel environnement, apprendre les nouveaux lieux, les nouveaux moments où il peut, et doit, dormir.

Il connaissait l'utérus rond et mobile, il doit apprendre le berceau plat. Il connaissait le mouvement incessant et les bruits tamisés constants, il va découvrir l'immobilité, le silence ou les bruits stridents et hachés de l'extérieur. Il entendait battre le cœur de sa mère, il va découvrir la solitude. Il ne connaissait pas la faim. Il va découvrir cette sensation angoissante, plusieurs fois par jour, et découvrir aussi l'immense plaisir provoqué par son apaisement. Plus les premières semaines seront un temps réel de transition, d'adaptation progressive, plus la découverte de ses rythmes nouveaux sera facile pour lui. Il est capable d'apprentissage, sait se forger de nouvelles habitudes, mais il a besoin de sécurité. Il y a tout un équilibre à trouver pour que cette transition soit la plus douce possible.

En d'autres termes, il convient de lui procurer des moments de plaisir où il s'endort dans les bras de ses parents, et où il pourra rester toute une période de sommeil, et puis ensuite, une autre fois, de le poser dans son berceau au moment où il ralentit sa succion pour qu'il apprenne à s'endormir seul, dans son lit. L'idéal serait de ne pas mélanger les deux scénarios, de ne pas le replacer dans son lit lorsqu'il s'est endormi dans les bras. D'abord parce qu'on risque de le réveiller ; ensuite, et nous le verrons à plusieurs reprises, parce que se réveiller dans un lieu et des conditions différents de ceux de l'endormissement, c'est très désagréable (avez-vous essayé ? Même pour un adulte, c'est très angoissant), et cela peut devenir une cause de troubles du sommeil. Nous en reparlerons.

Un enfant tout petit qui dort lové contre ses parents ne risque rien. Ce n'est pas le gâter de façon scandaleuse que de lui offrir ce plaisir et cette sécurité. Il nous faut oublier les interdits médicaux des dernières décennies sur les risques infectieux courus par l'enfant dans le lit de sa mère et oublier, encore plus, les histoires mythiques de bébés écrasés, étouffés par leur mère parce qu'ils dormaient dans son lit. Tout cela relève d'interdits moralisants qui n'ont rien à voir avec la sécurité. Aucune mère, aussi fatiguée soit-elle, ne dort assez profondément pour étouffer son petit sans s'en rendre compte. Les femmes d'Afrique dorment contre leur bébé pendant plus de six mois, parfois jusqu'au sevrage, sans avoir ce genre de craintes. Toutes les femelles de mammifères dorment contre leurs petits, voire carrément sur eux pour leur tenir chaud, et tout se passe bien. Les mères des civilisations judéo-chrétiennes occidentales seraient donc les seules dangereuses ?

À d'autres moments, l'enfant qui s'endort seul dans son berceau apprend l'autonomie, apprend un équilibre fondamental de lui-même, qui ne dépend plus, ou moins directement, de sa mère. *Le berceau va devenir, doit devenir, l'une de ses sécurités*, un lieu hautement important pour lui, puisqu'il va y passer, pendant la première année de sa vie, plus des deux tiers du temps, et ensuite plus de la moitié. Il en connaîtra l'odeur, le contact du matelas, le doux ou le rêche des draps, le poids des couvertures, le décor coloré lorsqu'il ouvre les yeux, les compagnons en peluche dont il fera plus tard des alliés de son sommeil. Souvent, il cherchera l'un des angles pour caler sa tête, retrouvant spontanément en rampant la sensation de sa tête dans l'utérus, calée dans le bassin de sa mère. S'il recherche cet appui crânien, laissons-le faire. Son crâne est solide, il ne risque rien, même si, au réveil, les dessins des barreaux sont visibles en creux sur sa peau...

Pour lui faire mieux accepter le berceau, trois petits « trucs » à connaître :

Les toutes premières fois, *le bercer doucement en mettant la main sur son dos*, pour qu'il sente l'appui sur son corps, mais le moins longtemps possible, et diminuer cette « aide » au fur et à mesure que les jours passent. Il vaudrait mieux ne pas bercer vraiment, promener le berceau, car il risque de concevoir ce mouvement comme l'une des composantes nécessaires de son endormissement.

Il faut *le laisser s'endormir seul, sans aucune aide extérieure, même s'il pleure un peu*. L'aider systémati-quement à s'endormir, c'est le maintenir dépendant de quelqu'un pour trouver le sommeil. Le prendre dans les bras parce qu'il pleure, c'est lui faire croire qu'il a raison de pleurer, et que le berceau n'est pas un lieu sûr pour lui. Quel dommage de câbler dans son cerveau une telle impression !

S'il semble perdu, ayant de la peine à s'adapter, il est facile de *l'aider en maintenant près de lui un peu de l'odeur de sa mère*, un vêtement porté auparavant par elle, par exemple. L'enfant découvre ainsi son berceau, son nouvel environnement, dans la sécu-rité fondamentale d'une odeur connue. C'est très simple, et souvent suffisant pour que le bébé dorme profondément. Nous verrons plus loin que le même genre de « truc » peut servir lors des voyages, des déménagements, pour faire accepter une nouvelle chambre, ou pour faciliter l'adaptation à la crèche...

Savoir créer une période de transition, cela veut donc dire, tout en douceur **dans le premier mois**, passer des conditions utérines d'endormissement spontané au sommeil dans les bras après une alimen-tation satisfaisante, puis passer du sommeil dans les bras à l'endormissement tranquille dans un berceau. Il n'y a pas de calendrier valable pour tous, de recet-tes pour réussir au mieux cette transition. *Chaque famille inventera à son rythme les moyens et les moments* *de cette évolution,* en sachant toutefois qu'il y a une évolution nécessaire.

Il est bon que la nuit soit différente du jour, que les tétées de nuit soient plus silencieuses, dans un lieu peu éclairé. Si on change l'enfant, il faut éviter de le réveiller totalement, de le manipuler en pleine lumière, de lui « faire froid » sur le ventre. D'ailleurs, il n'est peut-être pas indispensable de le changer plusieurs fois au cours de la nuit. Il est facile de réserver les moments d'intense communication de regard et de dialogue aux repas de plein jour, moments où il pourra s'endormir dans les bras et jouir longuement de la présence de ses parents, et de faire des tétées de nuit de courts épisodes strictement alimentaires dans le silence et l'obscurité. On peut aussi, dans la journée, porter l'enfant ouvert sur le monde extérieur, les fesses bien calées dans les mains, le dos contre le ventre de l'adulte qui le tient, le visage tourné vers l'univers qui l'entoure, et réserver aux moments du soir le chaud arrondi du dos dans les bras câlins. L'enfant percevra très bien la différence. Il saura qu'il y a des moments pour l'éveil et la rencontre, d'autres pour le repos et le silence. Il a besoin de comprendre cette alternance le plus tôt possible, de la sentir dans son environnement avant même que ses horloges internes de température, de rythme cardiaque, de pression artérielle la lui apprennent dans son corps. La cohérence entre ce que l'enfant perçoit, en lui, de ses variations biologiques et, en dehors de lui, des variations de son environnement, est la base de son équilibre naturel de sommeil.

Il serait aberrant pour l'apprentissage d'un tout-petit de ne jamais lui permettre d'être dans les bras, de le poser dans son berceau à la fin de chaque tétée et en l'ayant bien réveillé juste avant pour le changer. Il lui faudrait chaque fois trouver l'apaisement en lui-même, ce qui est bien difficile et insécurisant en arrivant au monde. Ce comportement ne lui permettrait pas de découvrir l'immense plaisir extatique de glisser dans son sommeil de rêve, en pein bonheur d'une tétée, en pleine sécurité de la tendresse de ses parents. La jouissance, le bonheur, cela s'apprend sans doute d'abord comme cela.

Vers la fin du premier mois

● *Vers la fin du premier mois se produit dans la vie du bébé un événement important : il va commencer à **entrevoir la différence entre le jour et la nuit**. Jusque-là, son fonctionnement métabolique paraissait peu, ou pas, influencé par les différentes heures de la journée. S'il mangeait plus le jour et dormait mieux la nuit, ce n'était que pur hasard... et grande chance pour ses parents !*

Vers la quatrième semaine de vie, il lui faut encore beaucoup d'heures de sommeil, mais il va les organiser différemment, maintenant ses éveils réguliers le jour et espaçant progressivement ses repas de nuit. Les cycles quotidiens (circadiens) apparaissent. Et, fait étonnant, cette organisation ne dépend pas du mode de vie de l'enfant, mais réellement d'une de ses **« programmations » intérieures, sans doute génétique.** Nous pouvons en donner plusieurs preuves :

• Cette évolution se produit pour tous les enfants de même âge gestationnel à peu près au même moment.

• Cette évolution est indépendante de la « lumière » jour-nuit. Elle se fait à la même date, ou presque, chez les enfants des pays de soleil et chez les petits Scandinaves qui, en hiver, n'aperçoivent la lumière du jour qu'une heure ou deux. Les bébés de l'hiver ne peinent pas plus que ceux des campings en plein été pour établir cette différence. Il a même été démontré par des chercheurs que des petits animaux (rats) vivant pendant les premières semaines de vie en éclairage artificiel constant, et qui ignorent l'obscurité, trouvent également ce rythme cyclique au même moment.

• Rappelez-vous, ces cycles circadiens ne correspondent pas uniquement à l'alternance éveil-sommeil. Ils moduleront tout le fonctionnement métabolique de l'organisme, les rythmes de la température, celui du pouls et de la tension artérielle, celui des sécrétions hormonales... Comme nous l'avons vu, la température d'un enfant baisse vers 23 heures, reste basse une partie de la nuit, remonte vers 5 heures du matin, redescend en fin de matinée et remonte à nouveau à partir de 15 heures environ.

Les variations du rythme cardiaque surviendront un peu plus tard, vers la dixième semaine de vie. Là encore, le cœur « freine » aux heures biologiques de repos et accélère aux heures d'activité et d'éveil. Ce n'est pas une adaptation progressive à l'effort, mais, au contraire, une sorte de présélection des heures logiques de travail et de repos !

• Cette évolution n'est pas réglée au début par le rythme des tétées et des biberons. Il ne s'agit en rien d'une habitude qui se crée parce que l'on dresse l'enfant à manger plus le jour et moins la nuit. Elle se fait d'elle-même, dans le courant des premiers mois, et certainement de manière très paisible et progressive si l'enfant a vécu en parfaite harmonie avec ses parents sur ses rythmes fondamentaux, et n'a donc pas peur de manquer. Le dressage trop précoce, prôné par la puériculture traditionnelle d'il y a vingt ans, risque plus de brancher dans son cerveau un enchaînement anormal du type : « *faim = peur = pleurs = non réassurance = difficultés d'endormissement* », que de lui apprendre la sécurité de base indispensable à la découverte et à l'évolution de ses rythmes naturels.

Deux signes vont permettre de comprendre que l'enfant atteint ce stade, qu'il commence à ressentir dans son corps les changements cycliques de la journée. Savoir les reconnaître, et non seulement savoir les interpréter, mais trouver le meilleur moyen de réagir, c'est le premier et primordial rôle éducatif des parents.

• **Le premier signe** prouvant que l'enfant commence à entrevoir la différence entre le jour et la nuit est caractéristique. **Vers la fin du premier mois, le bébé va espacer lentement ses repas de nuit.** S'il a vécu en harmonie les premières semaines, spontanément, il va demander à manger un peu moins souvent, là où, auparavant, il réclamait encore toutes les trois heures. Ce ne sera pas régulier, il y aura des nuits meilleures que d'autres, mais la tendance à l'espacement se confirme progressivement. Souvent, il s'organise sur deux demi-nuits, tète en fin de soirée, dort cinq ou six heures sans se réveiller, tète à nouveau vers trois heures du matin, se rendort très vite et ne se réveille qu'au matin. Parfois les deux demi-nuits sont équivalentes ; d'autres fois, l'une de ces périodes est plus courte, ou plus agitée ou plus entrecoupée d'appels que l'autre.

● **Le deuxième signe** est très désagréable pour tous, peut durer près de trois mois, et semble presque inévitable. C'est ce que pédiatres et médecins appellent la **dysrythmie du soir**. Elle s'observe parfois dès les premiers jours de vie en maternité, parfois seulement au bout d'une dizaine de jours. Mais les signes s'aggravent, deviennent très envahissants vers la fin du premier mois et peuvent durer plusieurs heures chaque soir, quand ce n'est pas la moitié de la nuit !

L'enfant qui avait passé une journée calme, avec des horaires presque organisés, se met à pleurer désespérément en fin d'après-midi. Il pleure, il cherche à téter, mange un peu, se calme quelques minutes, se remet à crier, reprend le sein ou le biberon si on le lui présente à nouveau, lâche la tétine en hurlant, ne se calme plus dans les bras, vomit parfois le lait qu'il vient de prendre, s'agite de façon désordonnée. Souvent, il se plie en deux dans un spasme apparemment très douloureux, se redétend, hurle à nouveau, et les parents affolés pensent qu'il a mal au ventre. Au moment des spasmes, l'émission de quelques gaz intestinaux renforce cette idée, et tout de suite on

parle de « coliques ». Rien ne semble pouvoir sortir
l'enfant de cet important malaise. Ni d'être nourri,
ni d'être bercé, promené dans les bras, ni le bain, ni
les massages sur le ventre, ni de lui parler doucement.
Rien. Il réagit à tous les efforts de consolation par
davantage de cris, des signes de faim et de douleur
plus intenses, un désespoir sans bornes...

Les erreurs à éviter à tout prix
sont faciles à décoder

● *L'enfant qui crie ainsi n'a pas faim,* même s'il cherche fébrilement à manger, même s'il avale tout ce
qu'on lui présente, même s'il ne vomit rien de cette
ration supplémentaire, et même s'il semble s'apaiser après ce repas superflu. Toutes les jeunes mères
qui allaitent leur bébé sont persuadées de manquer
de lait en fin de journée, et beaucoup ajoutent un
biberon le soir pour tenter de venir à bout de cet
épisode désagréable. (Et ce doute compromet leur
allaitement parce que, chaque soir, elles se croient,
se vivent « insuffisantes ».) Il n'y a aucune raison, ni
en alimentation au biberon, ni au sein, pour que ce
besoin de manger, ce manque de lait se manifestent
ainsi à heures fixes, les mêmes pour tous les enfants.
Les enfants pleurent, s'agitent, poussés par une programmation biologique dont nous ignorons encore
tout. Il s'agit sans doute de la première manifestation
des phases normales d'hyperactivité, correspondant
à la phase élevée de la température corporelle, elle-
même liée chez l'adulte aux phases actives du cycle
circadien.

Savez-vous qu'à la même heure, les malades dans
les hôpitaux passent, eux aussi, leur moins bon
moment, plein d'angoisse, avec une majoration des
douleurs, et les infirmières du soir le sentent bien,
qui ne savent plus où donner de la tête devant la

multiplicité des appels ? Il ne s'agit pas, comme l'ont avancé certains psychiatres, de la peur de la nuit, puisque les malades comateux, inconscients, s'agitent eux aussi à la même heure. Comme si leur cerveau profond percevait encore quelque chose de ce rythme biologique inconnu, que nous aurions envie d'appeler « coup de lune ».

● *Deuxième erreur à éviter :* ce coup de lune échappe aux moyens habituels de réconfort et de consolation. L'enfant a littéralement « emballé » son système d'éveil et ne sait plus l'arrêter. *La seule façon d'en sortir, c'est de l'endormir. L'erreur serait donc de chercher à tout prix à le consoler,* de le secouer, de lui parler, de le promener, de lui proposer trop à manger au risque de lui donner mal au ventre. On ne peut que l'apaiser, le laisser immobile, dans l'obscurité, sur le ventre de sa mère, le meilleur lieu pour sa sécurité, mais sans lui parler, sans l'aider à sortir consciemment de son malaise. On peut aussi le promener dans un sac kangourou, contre le ventre d'un adulte chaleureux, mais dans un lieu calme et sombre, silencieux, pas dans l'appartement éclairé, devant la télé. On peut encore le baigner doucement dans de l'eau tiède, dans l'obscurité, sans lui parler, sans le remuer, sans le savonner ; un bain pour la détente et l'endormissement, pas un bain pour la toilette. Il faudra alors le reposer dans son berceau quand il s'endort, sans les multiples manipulations de l'habillage, donc accepter de le coucher nu dans une couverture chaude, après l'avoir très doucement séché. On peut encore le poser dans son berceau à plat ventre, car cette position calme souvent les tout-petits, et maintenir un moment la main sur son dos en le berçant très légèrement.

● *Si rien de tout cela ne réussit, le seul moyen efficace pour aider l'enfant, lorsqu'il continue à crier, c'est de le laisser seul, s'apaiser seul.* C'est difficile, très angoissant pour les parents, mais c'est l'unique solution. Plus l'on cherche à calmer l'enfant chaque soir sans succès, et plus les cris du soir sont longs et éprouvants. Les enfants qui, chaque soir, hurlent six heures d'affilée sont indéniablement ceux dont les parents font l'impossible pour les aider à s'en sortir. D'abord parce que l'angoisse et l'énervement des parents devant leur impuissance à apaiser l'enfant ne feront qu'aggraver le problème. Les cris violents d'un enfant sont très secouants pour l'entourage, et peu de parents arrivent à les accepter sans en être eux-mêmes « stressés ». Il est courant en pédiatrie de dire que ces signes cessent dès que l'enfant est hospitalisé, séparé de ses parents, confié à la garde d'infirmières qui n'auront guère le temps de le consoler et se sentent moins personnellement concernées par ses cris. Bien sûr, il n'est pas question d'en venir là. Il suffit de comprendre qu'avec un peu de recul, en laissant l'enfant s'adapter à ce qui se joue en lui, le problème va diminuer puis se résoudre de lui-même. Juste un peu de patience attentive et sereine des parents, et les crises du soir disparaîtront.

Les parents apprendront là l'une des bases de leur rôle éducatif. Il nous faut découvrir qu'être parent, ce n'est pas pouvoir « tout » pour son enfant, qu'il y aura, tout au long de la vie, des moments où l'enfant vivra des problèmes, des soucis, des drames même. Ses parents ne pourront pas toujours l'aider directement. Des moments où ils pourront seulement dire : « Je t'aime, et je te fais confiance pour te sortir de là. » Ce respect de la spécificité de l'autre s'apprend peut-être dès ces premiers épisodes de dysrythmie du soir.

Un dernier point à préciser : *cette adaptation de l'enfant à sa propre horloge intérieure est un mécanisme subtil, très délicat, que des variations intempestives peuvent compromettre pour de longs mois.* Il serait donc logique d'éviter, pendant cette période, les changements fréquents de lit ou de berceau, les absences des parents qui s'occupent habituellement de lui, les voyages qui modifieraient par trop ces premiers rites d'endormissement et, bien sûr, les décalages horaires. Nous en reparlerons.

Entre deux et quatre mois

● *C'est le moment où tout se joue, la période idéale où le bébé va trouver son rythme fondamental, va apprendre à dormir des nuits complètes de 8 ou 9 heures minimum, le moment où les parents vont enfin redécouvrir le bonheur de longues nuits ininterrompues.*

Dormir toute une nuit sans se réveiller, cela signifie que l'enfant approche de la maturité cérébrale de sommeil, a réglé ses horloges biologiques endogènes de température, de système cardio-vasculaire, ses cycles de sécrétions hormonales sur son environnement. Il s'endort maintenant volontiers en sommeil lent et diminue le pourcentage de sommeil paradoxal, pour plus de sommeil lent profond réparateur.

Pour s'éveiller, *il va brancher une « sonnerie d'éveil »* réglée tous les matins à peu près à la même heure, indépendante de la faim, indépendante de l'heure d'endormissement, un système d'éveil pour le plaisir d'être éveillé, pour entrer en communication et participer au monde extérieur. Cette sonnerie se déclenche automatiquement au bout de neuf ou dix cycles de sommeil d'environ une heure chacun, donc au bout de huit à dix, voire douze heures de sommeil.

Le corollaire de cette régulation cérébrale, c'est *la possibilité pour l'enfant de rester éveillé de longs moments dans la journée.* Des moments où il apprend à regarder, à écouter, à appeler, des moments pour le jeu, la découverte, la promenade, l'exploration de ses mains, l'expérimentation de ses exploits vocaux ou de ses mimiques sur son entourage. Évidemment, toutes ces découvertes le fatiguent et il a encore besoin de larges plages de repos chaque jour, en moyenne deux heures dans la matinée, et deux à trois heures l'après-midi. S'il est déjà à quatre repas, ce que les bébés nourris à la demande dans les premières semaines réalisent spontanément avant quatre mois, et souvent dès deux mois, il a presque un horaire de « grand », horaire qui restera sensiblement le même jusqu'au milieu de la deuxième année : éveil en début de matinée, premier repas, une à deux petites siestes dans la matinée, repas vers midi, une longue sieste d'après-midi, un repas en fin de soirée et une longue nuit paisible.

L'équilibre du sommeil de nuit et celui des épisodes diurnes de repos ne sont pas toujours acquis au même moment. Il n'est pas rare de voir des bébés qui ne manifestent aucune difficulté le soir, dorment bien la nuit, mais n'arrivent pas à organiser leurs journées, ne sachant s'endormir au moment où ils sont fatigués, pleurant d'épuisement sans trouver le sommeil. D'autres, très calmes, sont parfaitement réglés tout au long de la journée, dorment à intervalles réguliers, mais soit sont incapables de bien gérer leur endormissement du soir, car les phénomènes de dysrythmie sont encore trop importants, soit n'arrivent pas à établir une longue nuit.

Si un bébé semble en difficulté dans cette période, il nous paraît plus important de l'aider à trouver en premier un équilibre de nuit. Pour cela, éviter de le stimuler systématiquement quand il s'éveille, lui donner un horaire très régulier le jour, vivre avec lui une relation chaleureuse, et tout se règle naturellement. Le sommeil de nuit est primordial. Quand il saura dormir la nuit, toute la nuit, le rythme des journées viendra tout seul, ou presque...

Dormir toute une nuit sans se réveiller, sans manger, cela signifie aussi qu'**il a constitué des réserves énergétiques** et qu'il peut mieux résister à une rupture alimentaire prolongée. Au moment de la naissance, les réserves de glycogène, véritable stockage d'énergie dans le foie et les muscles, sont à peu près nulles. Or ces réserves, libérées en fonction des besoins, servent en permanence à équilibrer la glycémie (taux de sucre dans le sang), qui doit rester constante tout au long de la journée, avec un taux similaire lorsqu'on se trouve à proximité d'une tétée ou plusieurs heures après. Il faut savoir qu'une hypoglycémie touche en premier les organes dits « nobles » : le cerveau, les reins et le foie, organes dont le bon fonctionnement est directement et immédiatement indispensable à la survie. Toute baisse de ce taux, toute hypoglycémie entraîne immédiatement une sensation de faim, et un comportement de recherche de nourriture et de demande angoissée pour parer au plus vite au déséquilibre. C'est le cerveau, touché par la diminution de ses apports énergétiques, qui lance l'alarme et déclenche le réveil. Pendant les premières semaines de vie, l'enfant n'a aucune autonomie de régulation glycémique et le cerveau réagit dès que les réserves baissent, donc en moyenne toutes les trois ou quatre heures. Mais la faim est loin d'être la cause régulière de l'éveil puisque, les bébés en perfusion ou en alimentation gastrique continue se réveillent au même rythme que les autres bébés du même âge.

Il faut environ *huit semaines et un poids de cinq kilos* pour que l'on puisse parler de réserves énergétiques. Bien sûr, certains bébés dorment des nuits entières sans avoir atteint ce poids théorique. D'autres l'ont déjà largement dépassé et crient encore à intervalles réguliers. Ce chiffre n'a qu'une valeur de repère pour moduler notre demande d'adulte : si un enfant n'a pas atteint ce cap et pleure la nuit, il est probablement trop tôt pour lui demander de ne plus manger la nuit. Par contre, un bébé qui a largement dépassé ce stade et réclame toutes les deux heures, toutes les nuits, est sans doute en train de faire fausse route dans son organisation cérébrale de sommeil, et a besoin d'un petit coup de main « éducatif » sans trop tarder.

Au-delà des huit semaines et cinq kilos dont nous venons de parler, le cerveau est moins sollicité par l'hypoglycémie puisque le foie contrôle la régulation du sucre sanguin et permet une autonomie prolongée. C'est le moment où la plupart des bébés passent de six à cinq, puis à quatre repas, approchant déjà du rythme alimentaire qu'ils conserveront toute leur vie. Un des meilleurs signes que l'éveil devient indépendant de la faim, c'est la patience que manifestent, dès ce stade, certains enfants pour attendre leur tétée. Normalement, dans les deux premiers mois, les bébés hurlent pour être nourris dès qu'ils sont réveillés et sont incapables de la moindre consolation tant qu'ils ne tètent pas. Au contraire, après deux mois, petit à petit, ils vont en s'éveillant « avertir » leurs parents par un petit cri que c'est bientôt l'heure de la tétée ou du biberon, mais accepteront sans pleurer d'attendre quelques minutes que le biberon chauffe ou que la maman se prépare. Au bout de quelques semaines, ce moment d'attente du matin deviendra une véritable aire de jeux, de sourires et de communication. L'enfant sait, tout au fond de lui, que ses parents répondront à sa demande de nourriture, il n'a plus peur de la faim, plus peur de manquer, et est tout disponible pour la joie et la rencontre.

Dès qu'un enfant commence ainsi à patienter et à

espacer ses tétées dans la journée, il peut virtuellement ne plus manger la nuit et dormir une nuit complète. Pour l'y aider, quelques petits « trucs » pratiques :

— Le coucher dans son lit dès qu'il commence à s'endormir, dès que sa vigilance baisse, et lui dire clairement : « Bonne nuit, à demain. » Le laisser dans une chambre obscure et silencieuse.

— S'il se réveille la nuit, attendre un peu avant de se précipiter pour le faire manger, lui donner la possibilité de se rendormir de lui-même.

— Ne mettre dans son lit que les objets-compagnons de son sommeil, animal en peluche, doudou... Supprimer progressivement la sucette.

— Ne pas rester à côté de lui dans la chambre. Ne pas lui donner la main, ne plus l'autoriser à dormir au sein. La mère n'est ni une sucette, ni un « objet-compagnon ». Il lui faut absolument apprendre à dormir sans elle ou sans les bras du père.

Nous voyons chaque jour en consultation des bébés de quelques mois qui ne savent s'endormir que dans les bras, et que les parents nous amènent, excédés, parce qu'ils crient désespérément chaque fois qu'ils sont posés dans leur berceau. Ils n'ont pas trouvé cette sécurité fondamentale que devrait être leur berceau. Ils n'ont découvert que la dépendance des bras pour leur endormissement, et ne savent plus s'en passer. Même lorsque la fatigue et l'exaspération des parents sont telles que la relation de bonheur paisible est gravement altérée, ils ont besoin des bras. Ils reçoivent alors de plein fouet l'énervement, l'excitation, l'irritation des parents, et cette irritation à son tour gêne l'endormissement, ce qui aggrave le malaise des parents. Un nouveau cercle vicieux, bien désagréable pour tous. Parents et enfant en sont causes et victimes. Un seul moyen pour en sortir : mettre fermement le bébé dans son lit et le laisser trouver seul son sommeil. Il faut absolument éviter que l'endormissement ne devienne un moment d'inquiétude, une source d'énervement, l'objet d'un chantage instinctif, et mieux vaut un berceau solitaire que les bras de parents excédés. S'il n'y a pas cet immense plaisir réciproque, à quoi sert d'être dans les bras, à quoi rime pour le père ou la mère de « se forcer à vivre ça » ?

Rappelez-vous la phrase bien connue de tous les parents : « Mieux vaut un biberon donné avec amour que le sein donné avec gêne ou réticence. » Pour le sommeil, c'est exactement pareil : *mieux vaut un berceau où l'enfant est posé et bordé tendrement que les bras de parents qui en ont assez et voudraient être ailleurs.*

Assumer cette évidence, c'est le début d'une relation vraie, libre et heureuse, où parents et enfants apprendront à se rencontrer, à échanger pour leur mutuel bonheur, sans peser les uns sur les autres, apprendront à aimer... Aimer, c'est vivre la plus belle relation possible avec « l'autre », et non apprendre à le supporter. En sommes-nous toujours conscients avec un tout-petit ?

Un petit détail qui a son importance. Quand un bébé pleure la nuit, mais sans grande conviction, plus par habitude d'appeler à cette heure-là que par réel besoin de nourriture, quand il semble parvenir au stade où il pourra se rendormir sans manger, il ne faut pas arriver dans sa chambre avec un biberon dans sa poche, préparé à l'avance par sécurité. Il le sentirait très bien et ne comprendrait pas pourquoi ses parents hésitent ou tardent à le lui donner. De même, un enfant allaité par sa mère saisira mieux ce que ses parents attendent de lui si, pendant quelques nuits, c'est son père qui le console et l'aide à se rendormir. L'odorat d'un tout-petit est très fin. Il reconnaît l'odeur du lait près de lui, ou l'odeur de sa mère, synonyme de tétée. Il a besoin de comprendre que le projet est maintenant différent, qu'il peut se passer de nourriture. La transition sera plus facile s'il n'est pas perturbé par une odeur de lait qui raviverait son désir.

Dormir une nuit entière est une victoire de l'enfant sur lui-même, une preuve de son évolution. Cette étape est au moins aussi importante pour lui que la découverte du sourire, de la position assise, de la marche ou du langage. Comme pour les autres acquisitions, ce n'est pas parce qu'il y a été longtemps entraîné, ou tellement puni qu'il a fini par comprendre, qu'il y parvient. Il y parvient parce que en toute sécurité, il peut laisser évoluer, maturer ses rythmes cérébraux. L'admiration, la satisfaction de ses parents, leur contentement chaleureux l'aideront à « fixer » cette évolution, à en faire l'une de ses évidences. Il a besoin d'être encouragé, félicité, remercié. Il a besoin d'entendre le rire et la tendresse de ses parents heureux. *Avez-vous pensé à dire « Bravo » et « Merci » à vos enfants lors des premières nuits de bon sommeil,* avez-vous eu l'idée de leur dire combien vous étiez heureux et fiers d'eux ? Des mots si simples, tellement importants pour l'enfant qui cherche ses repères.

Un dernier petit détail peut aider à réussir cette évolution. La modification des rythmes se produit rarement d'un coup, mais plutôt par paliers, les éveils de nuit devenant lentement plus courts, moins bruyants. Entre le deuxième et le quatrième mois, progressivement, l'enfant va parfois s'éveiller, suçoter son pouce ou pleurer quelques courts instants, et se rendormir spontanément. Il est fondamental que cette séquence puisse se dérouler sans heurts. En d'autres termes, les parents doivent laisser cette liberté à l'enfant et ne plus sursauter au moindre bruit ou mouvement dans le berceau. Il n'est plus question de prendre le bébé dans les bras au premier soupir. Il ne faut intervenir que lorsqu'on est sûr qu'il a vraiment faim et ne pourra se rendormir seul. C'est beaucoup plus facile et clair si, **dès cette période, le berceau n'est pas près du lit des parents, mais dans sa propre chambre, porte fermée**. L'enfant ne risque rien. Rien ne doit le déranger.

Le pire serait de contrarier l'éveil minime et le réendormissement spontané, de peur de cris qui gêneraient les aînés couchant dans la même chambre, le travail du père le lendemain ou les voisins grognons de l'étage en dessous. Être père ou mère, c'est sûrement accepter d'être dérangé quelques nuits supplémentaires pour apprendre à l'enfant à dormir. Les aînés et les voisins ont déjà trouvé leur équilibre de sommeil, ils le retrouveront même après quelques nuits chahutées. *Les enfants nouveau-nés n'ont pas à faire seuls les frais, au détriment de leur équilibre céré-bral, des logements exigus et mal isolés.* Il est toujours possible de mettre le berceau quelques nuits à l'autre bout de l'appartement, ou même dans la cuisine s'il n'y a pas d'autres pièces. L'important, pour le bébé, est d'être libre de faire un peu de bruit sans réveiller personne, et de se rendormir. Quant aux voisins, une parole aimable d'explication, un petit bouquet de fleurs, un sourire, et ils auront bien quelques nuits de patience.

Il est faux de penser que la proximité de ses parents apporte à l'enfant une sécurité. Cela n'est vrai que pour les enfants malades, qui toussent, ou vomissent, ou risquent de s'étouffer, tellement leur nez est bou-ché. Mais ces enfants-là font toujours assez de bruit pour alerter leurs parents, même dans une autre chambre, et, si les signes sont importants, il est tou-jours possible de rapprocher le berceau près des parents, ou que l'un des parents dorme, une nuit ou deux, dans la chambre de l'enfant. Mais autrement, lorsqu'un enfant va bien, il est préférable pour lui de dormir seul. Il ne risque rien. Rien que la proxi-mité de ses parents puisse résoudre. *Il existe, c'est vrai, des bébés qui meurent dans leur berceau, sans aucune cause connue.* Mais, qu'ils soient dans la même cham-bre ou non, les parents ne peuvent l'éviter. Cette disparition se fait au cours d'une phase de sommeil calme, dans le plus profond silence, et aucun signe d'appel n'alertera les parents les plus attentifs, ni les plus insomniaques. La paix de toute la famille et l'évolution de l'enfant ne peuvent être sabordées par l'angoisse obsédante de ce drame imprévisible. Faire un enfant, l'élever, c'est accepter le risque de la vie et de la mort, de la joie et de la souffrance, de la plénitude et du manque. Tout au long des années, les parents vont être confrontés à cette double logique : ouvrir à l'enfant un espace de liberté où il peut évoluer, trouver le juste milieu entre les risques de cette évolution et le risque, bien plus réel, bien plus fréquent, de l'enfermer, de le gêner, de le contraindre, au détriment de son évolution et de sa sécurité. Dans la deuxième année de vie, la sécurité d'un bambin sera de lui apprendre que les voitures existent, qu'elles sont dangereuses, et qu'il ne peut traverser une rue sans risque, donc sans l'aide de ses parents. Ce serait une erreur grossière de l'enfermer pour lui éviter de faire connaissance avec ce risque puisqu'il est évitable. À ce sujet, les parents peuvent intervenir.

Par contre, dans les premiers mois, le risque connu, évitable, c'est celui des troubles du sommeil. C'est là que les parents ont un rôle préventif, un rôle d'aide et d'appui. Le spectre d'une mort subite inexpliquée ne doit pas fausser cet apprentissage. L'angoisse, la terreur des parents n'éviteront jamais rien, mais peuvent compromettre gravement l'équilibre de l'enfant et de toute la famille. Pour dominer cette obsession, seule compte la confiance en la vie, *le bonheur d'être* à ce moment-là, avec cet enfant-là, refuser de se laisser envahir par des craintes inutiles. Accepter la vie telle qu'elle nous est donnée, jouir de chaque journée, de chaque nuit, de chaque sourire. Apprendre le risque de la vie...

Au-delà de quatre mois

● *Normalement, si tout ce que nous venons de raconter s'est déroulé sans encombre, tous les problèmes sont résolus. L'enfant a franchi les différentes étapes de maturation, le rythme haché du nouveau-né, le rythme en libre cours sur 25 heures de la phase intermédiaire. Il arrive maintenant à un sommeil de type « adulte » qu'il gardera, plus ou moins, toute sa vie.*

Un enfant de quatre mois sait dormir : il s'endort calmement, n'a plus besoin d'être nourri avant le matin, ne s'éveille plus en milieu de nuit, ou s'il s'agite un peu, se rendort spontanément sans avoir besoin de l'intervention de ses parents. Toute la famille a retrouvé des nuits calmes. Le couple parental reprend sa juste place, l'enfant s'intègre en douceur dans leur univers, dans le rythme de toute la famille. Abandonnant son rôle de nouveau-né, il devient facilement un nourrisson gai, joyeux, heureux d'évoluer, heureux de vivre, et heureux de dormir.

Il y aura, bien sûr, des périodes plus difficiles que d'autres, des moments de rechute, les jours de maladie, de douleurs, de poussées dentaires. Il y aura les changements de rythme d'un voyage, de l'entrée en crèche, de l'absence d'un des parents. Il y aura la peur de l'abandon vers neuf mois, lorsqu'il se sentira différent de sa mère. Il y aura les nuits agitées des périodes de grandes acquisitions : la marche, le langage, la propreté..., moments où le cerveau engrange à toute vitesse tellement de données nouvelles que le sommeil est un peu moins facile (exactement comme lorsque, beaucoup plus tard, l'enfant préparera un examen difficile). Il y aura les chagrins, les premiers désespoirs d'enfant et le sommeil troublé par des cauchemars.

Mais ces variations et toutes les périodes difficiles ne seront que transitoires et facilement résolues si l'enfant a appris à dormir, s'il possède dans son cerveau le schéma de base d'une bonne nuit. Il a su dormir, il saura retrouver le sommeil...

Pour ceux qui ne savent pas, ceux qui n'arrivent pas à trouver des nuits satisfaisantes, ceux dont les parents n'arrivent pas à vivre — sans savoir pourquoi — l'évolution que nous venons de décrire, il convient de détailler les problèmes qui peuvent survenir, et les moyens de les résoudre. Le chapitre suivant reprendra les différentes difficultés qui peuvent surgir pendant les premiers mois, les questions que se posent les parents au jour le jour devant leur tout-petit. Le chapitre 5 décrira longuement comment vaincre un trouble du sommeil installé, aussi bien chez le nourrisson que chez le grand enfant. Il n'y a pas d'âge pour les troubles du sommeil. Il y a toujours un moyen de les comprendre et une solution.

4

Les 1 001 questions de l'itinéraire-sommeil des quatre premiers mois

> « Dormir n'est pas un petit tour de force,
> il faut y veiller tout le jour durant [1]. »
>
> Nietzsche

Dormir avec un tout-petit, lui apprendre à dormir, peut poser à de jeunes parents un certain nombre de questions sur l'interprétation des malaises ou des difficultés présentés par l'enfant. Tout est tellement nouveau, inattendu. Cet enfant dans son berceau est si différent du bébé imaginé, rêvé...

Il y a le bébé qui dort longtemps, se réveille très peu et donne l'impression de ne jamais manger. Celui qui pleure toute la journée, réclame à manger toutes les dix minutes et se tord de douleur. Il y a celui qui ne dort que dans les bras, celui qui se réveille dès qu'on le pose dans son berceau, celui qui semble n'avoir jamais sommeil, celui qu'une sucette apaise mais qui pleure dès qu'il l'a perdue...

---

1. Cité dans *Ethnologie de la chambre à coucher*, P. Dibie, p. 187.

Nous allons examiner ces multiples situations, tenter d'expliquer ce qui se passe, de savoir comment réagir devant les difficultés, cherchant toujours un juste équilibre entre l'enfant et ses parents, le moyen terme entre une éducation trop rigide nuisible à l'épanouissement de l'enfant, à son équilibre profond, et une incapacité éducative des parents, préjudiciable autant à l'enfant qu'au bien-être de toute la famille.

Trouver le juste milieu entre la sévérité et la non-intervention, entre l'angoisse et l'optimisme, entre l'énervement et la volonté d'offrir toute la sécurité à un petit, c'est un art difficile, un long travail de patience et de communication auquel les parents sont confrontés quotidiennement pendant de nombreuses années, sans avoir jamais été formés à ce métier, sans savoir au début pourquoi cet enfant, leur enfant, réagit comme il le fait... C'est un art qui s'apprend, qui s'apprend dès les premières semaines de vie avec cet enfant. Il serait aberrant de fonctionner en deux temps, un temps pour la tendresse et ensuite, pour redresser la barre, un temps pour la sévérité. Mieux vaut dire l'amour, la tendresse au quotidien, mais dire aussi d'emblée au bébé ce que l'on attend de lui, chercher à être en paix avec lui : le combler d'amour sans le laisser envahir tout l'espace familial, le couvrir de tendresse pour qu'il trouve ses rythmes, pas pour que toute la famille apprenne à le supporter...

C'est cela le métier de parents.

L'enfant qui ne trouve pas son rythme, qui pleure tout le temps

Beaucoup de tout-petits pleurent anormalement pendant les premiers mois de vie, ne sachant quand réclamer à manger, tétant tout ce qu'on leur présente, paraissant avoir mal, ne se calmant que dans les bras, perdus au moindre changement familial, demandant une présence et une disponibilité totales de leur mère, et, même lorsqu'ils les obtiennent, maintenant ce comportement douloureux et exigeant. Il est essentiel de les aider à sortir de ce malaise sans trop tarder, avant que ne se branche dans leur cerveau l'idée que la vie est dure, que les pleurs sont un moyen privilégié d'expression et de revendication, que la sécurité ne vient qu'après le désespoir. Vivre en paix avec un tout-petit, lui donner les conditions pour qu'il soit, lui, en paix, c'est une immense preuve d'amour, et la première des priorités.

Mais qu'est-ce qui fait pleurer un nouveau-né ? Dégageons les principales raisons possibles :

L'enfant qui a toujours faim

Nous avons déjà évoqué au chapitre précédent le comportement des enfants en dysrythmie du soir. Il en est qui paraissent dysrythmiques à longueur de journée ; des enfants inconsolables, qui pleurent après avoir mangé, réclament à nouveau au bout de 10 minutes, jamais rassasiés, jamais paisibles, se réveillant systématiquement moins d'une demi-heure après s'être endormis. Les parents sont épuisés très vite par une telle demande, ne savent comment y répondre, et paniquent à l'idée que leur bébé manque de quelque chose, quelque chose qui, bien sûr, vu le comportement de l'enfant, ne peut être que de la nourriture...

Ils multiplient les tétées, osent augmenter encore les biberons qui pourtant dépassent largement les normes indiquées sur les boîtes de lait ou dans les manuels de puériculture. Malgré cela, le bébé ne se calme pas, ou à peine. La maman qui allaite son bébé est persuadée de manquer de lait ou imagine que son lait n'est pas bon. Elle entre dans l'engrenage des biberons de complément, se sent de moins en moins utile ou efficace pour son petit, frustrée de ne pas réussir un allaitement désiré... Tout le monde s'inquiète, et l'enfant continue à réclamer à manger et à pleurer.

Devant un tel comportement, il convient de se poser deux questions :

— Cet enfant a-t-il vraiment faim ?

— Cet enfant ne mange-t-il pas trop ?

Étudions-les en détail.

● *Cet enfant mange-t-il assez ?*

Cette question est la plus facile à résoudre. Il suffit d'interpréter la courbe de poids des premières semaines et d'évaluer la ration journalière moyenne. Avec ces deux données, et tenant compte qu'il y a dans la nature des gros et des petits appétits, il est simple de se faire une idée de la qualité d'alimentation de l'enfant.

La courbe de poids ne peut s'interpréter que sur

une semaine environ. Les variations au jour le jour ne sont pas significatives, même si l'on tient compte des horaires des selles et d'alimentation. Un bébé en bonne santé et qui se nourrit correctement reprend son poids de naissance avant le quinzième jour, souvent dès le cinquième ou le huitième. À partir de là, la courbe est ascendante, mais pas de façon régulière. En moyenne, la prise pondérale est de 140 à 210 g par semaine. Sur les pages spéciales du carnet de santé, une bonne prise de poids du premier mois amène la courbe au niveau de l'angle supérieur droit du tracé. La courbe fléchit un peu dans le courant du deuxième mois, en moyenne 100 à 180 g par semaine. Elle diminue ensuite progressivement pour n'atteindre que 300 à 400 g au cours du quatrième mois. Le ralentissement est encore plus net entre le cinquième et le huitième mois.

La ration quotidienne normale d'un tout-petit dépend de son poids, et non de son âge, comme le laisseraient croire les indications sur les boîtes de lait ou sur les biberons. Il est facile de mesurer la quantité de lait ingérée par un enfant au biberon, ce qui rassure — d'ailleurs à tort — parents et personnel soignant des maternités. Pour un enfant au sein, mieux vaut se fier à la courbe de poids globale, seule significative. Si l'on veut mesurer le volume des tétées, il faut absolument peser la totalité des tétées sur au moins 24 heures et si possible 2 à 3 jours consécutifs, car les variations quantitatives d'un repas à l'autre sont très importantes. Il faudrait aussi s'assurer que la balance avec laquelle on pèse l'enfant est d'une précision correcte pour les variations pondérales considérées. C'est rarement le cas avec les balances de ménage adaptées au pesage des bébés, et pas toujours le cas des balances louées en pharmacie ou dans des magasins spécialisés. Mieux vaut donc éviter de se fier à une méthode aussi imprécise, et considérer plutôt le comportement global de l'enfant et sa prise de poids hebdomadaire.

Puisque la ration alimentaire dépend du poids de l'enfant, une formule théorique permet de calculer une valeur moyenne. Pour tenir compte de l'appétit de l'enfant, ces rations peuvent être majorées de 20% maximum :

quantité moyenne journalière de lait = dixième du poids corporel de l'enfant + 200 g $\pm$ 2%.

Par exemple, pour un enfant de 4 200 g, la ration alimentaire théorique est de : 420 + 200 = 620 g/24 h.

La ration maximale est de 620 + 125 = 745 g/j.

Évidemment ces chiffres ne sont que théoriques. Ils peuvent varier selon les jours suivant plusieurs paramètres :

• La chaleur, donc la soif, provoquée par le nombre de couvertures dans le berceau, la sécheresse de l'air, la transpiration spontanée de l'enfant ;

• Plus rarement, l'enfant a soif parce qu'il reçoit du lait en poudre trop concentré, ce qui, loin de calmer son appétit (but de l'excès de poudre dans la reconstitution du lait ?), le met en déséquilibre hydrique et le conduit à beaucoup réclamer. C'est donc toujours une erreur de ne pas suivre scrupuleusement les consignes de préparation des laits artificiels ;

• L'appétit de l'enfant n'est jamais un acquis stable mais peut varier beaucoup d'un jour à l'autre, sans aucune pathologie sous-jacente ;

• La consommation énergétique : un bébé calme, qui dort beaucoup, s'agite peu dans son berceau, suffisamment couvert pour n'avoir pas à lutter contre le froid, consomme moins d'énergie que celui qui remue sans cesse, pleure interminablement ou doit lutter contre le refroidissement. C'est évident, comme le grand sportif consomme plus d'énergie en s'entraînant que le sédentaire dans son bureau — une réalité à prendre en compte ;

• La sensation de satiété est l'une des découvertes que l'enfant doit faire au cours des premières semaines de vie. Les tout premiers temps, il peut ne pas savoir où il en est, et réclamer simplement parce qu'*il ne sait pas qu'il n'a plus faim*. Les laits diététiques du premier âge mis au point ces dernières années ont été souvent accusés d'empêcher, par leur composition chimique, la sensation de satiété. Pour les enfants toujours affamés, on peut peut-être choisir des laits moins sophistiqués, à la formule plus ancienne, qui paraissent mieux rassasier les enfants voraces. La satiété est plus facile à découvrir par l'enfant au sein du fait de la variation de composition lipidique du lait maternel du début à la fin de la tétée, mais est moins facile à estimer directement par les parents. Chaque méthode a ses avantages.

Quel que soit le mode d'alimentation de l'enfant, il faut beaucoup de bon sens pour interpréter la courbe de poids et les chiffres de ration, et ne jamais se laisser duper par des chiffres qui ne correspondraient pas au comportement de l'enfant :

— si la courbe est franchement au-dessous de la moyenne que nous venons de décrire, et que l'enfant pleure énormément, n'est jamais rassasié, il a sans doute faim, il faut alors compléter son alimentation pour lui permettre de se calmer et d'avoir une croissance pondérale satisfaisante ;

— si la courbe est toujours au-dessous de la moyenne, mais que l'enfant est très calme, ne pleure pas, ne se réveille pas pour téter, mieux vaut consulter un médecin. Il s'agit peut-être tout simplement d'un enfant à petit appétit et croissance lente, mais mieux vaut s'en assurer. Ou d'un enfant né avant terme, qui ne sait pas trouver son rythme et se fatigue anormalement, ce qui nécessitera une prise en charge alimentaire différente pour l'aider à démarrer. Ou encore du premier signe d'une maladie : un enfant calme qui perd du poids, ou en prend très peu, nécessite un bilan médical rapide ;

— si la courbe de poids est bonne, que l'enfant grossit de façon satisfaisante mais pleure beaucoup, il ne convient pas de le nourrir davantage, mais de comprendre pourquoi il crie : besoin d'être bercé, difficultés à s'adapter à la vie extra-utérine, besoin de sucer, besoin de sécurité, besoin de dormir qui, bien sûr, peut se manifester ainsi, besoin d'être changé, rassuré, caressé, réchauffé, besoin d'être laissé en paix pour pouvoir se calmer tout seul, besoin de pleurer aussi, pourquoi pas, besoin d'avoir le temps de s'endormir en pleurant pour découvrir ce que c'est, sans être immédiatement empoigné par des mains trop inquiètes, bienveillantes mais envahissantes ;

— si la courbe de poids est nettement supérieure à la moyenne, l'enfant est sûrement suffisamment nourri. La question devient alors : n'a-t-il pas des problèmes parce qu'il mange trop ?

● *Cet enfant mange-t-il trop ?*

Il y a pour un tout-petit deux raisons de manger trop : n'avoir pas encore trouvé la satiété (ce que nous avons évoqué au paragraphe ci-dessus) et être forcé à manger par des parents bien intentionnés mais anxieux, qui ne comprennent pas ce dont l'enfant a besoin.

En théorie, il n'y a pas de risques graves à manger plus que nécessaire : une prise de poids trop rapide, un travail métabolique superflu du foie et des reins, des selles molles, voire carrément liquides, parce que le lait en excès n'est même pas absorbé et « ne fait que passer », des urines abondantes pour éliminer toute l'eau ingérée d'où l'inconfort d'être toujours mouillé et d'avoir les fesses irritées par cette humidité permanente. Ce sont, en gros, les seuls inconvénients. S'ils ne durent que le temps de découvrir doucement la satiété, pas de problème. Les bébés nourris au sein ne se prépareront jamais par ce biais une obésité future catastrophique.

Par contre, si l'excès alimentaire est systématique et prolongé, si, malgré la prise de poids très rapide, les parents ne réduisent pas progressivement les apports au bout de quelques semaines, alors peut s'installer un cercle vicieux préjudiciable à la santé de l'enfant. Il croit avoir faim, les parents lui donnent de plus en plus à manger. Cet excès entraîne un inconfort digestif, un malaise diffus. Comme, à cet âge-là, tout inconfort est vécu, traduit comme de la faim, l'enfant réclame toujours davantage... et le cercle vicieux s'enclenche. S'il dure plusieurs mois, l'enfant peut effectivement devenir trop gros et aller tout droit vers l'obésité. Ce n'est pas le plus ennuyeux, car on pourra toujours y remédier par une diététique appropriée. Le plus grave, c'est que, chez un enfant ainsi gavé, trois équilibres fondamentaux sont faussés :

— *il n'a aucune chance de découvrir la satiété, a toujours faim, à n'importe quelle heure du jour et de la nuit, et plus il mange, plus il a faim.* Toute sa vie, il risque de chercher comment satisfaire son appétit, puis comment contrebalancer par des régimes les erreurs que son organisme fait sans cesse par méconnaissance profonde de ses propres besoins ;

— le deuxième risque, très proche du précédent, c'est que *l'enfant branche dans ses circuits cérébraux la notion que tout malaise se règle par « quelque chose qui se mange »*, et que l'enfant — puis l'adulte — ne sache plus reconnaître ses vrais besoins, les causes de ses « mal-être ». Beaucoup d'humains, de n'importe quel âge, mangent quand ils ont soif, mangent parce qu'ils ont sommeil, mangent pour calmer leur angoisse, mangent pour apaiser une douleur ou pour combler un moment d'ennui. Et les ennuis digestifs ou pondéraux qui en résultent ne font qu'aggraver les difficultés. Il est donc essentiel d'éviter cet enchaînement anormal ;

— troisième risque évident : *nourrir un enfant chaque fois qu'il pleure, c'est méconnaître les moments de fatigue, le besoin de dormir.* Si ces interventions se reproduisent souvent, l'enfant se fatigue, dort moins bien, n'a plus les moyens de récupérer par de longues plages de sommeil paisible. Il cherche à manger chaque fois qu'il a sommeil, mélange les signes profonds de son corps entre la faim et l'endormissement, et n'arrive plus à se constituer un rythme veille-sommeil satisfaisant, ce qui peut entraîner au fil des mois des troubles graves du sommeil.

Pour sortir de cet engrenage, il suffit de faire comprendre à l'enfant qu'il a assez mangé, qu'il peut trouver d'autres apaisements. A priori, un enfant de poids normal, né à terme et qui a bien mangé, que ce soit au sein ou au biberon, n'a pas besoin d'un autre repas avant deux à quatre heures. Il n'est jamais justifié, **passé les premiers jours**, de lui reproposer à manger au bout d'une demi-heure, « au cas où il n'aurait pas pris assez ». Se nourrir correctement est l'une de ses compétences, il peut et doit en trouver les rythmes. Au pire, après les premières semaines, s'il n'a pas assez tété et qu'il attend un peu, il comprendra qu'il lui faudra se nourrir davantage au repas suivant. C'est important qu'il apprenne à réguler aussi bien ses horaires que les quantités alimentaires qu'il prend. Et pour le faire patienter, on peut toujours le promener, le bercer, lui parler, le baigner, vivre avec lui un moment de plaisir sous une forme ou sous une autre. Être parent ne consiste pas seulement à jouer un rôle nourricier. Il ne suffit pas de bourrer l'enfant de nourriture pour être une bonne

mère. Il faut lui faire découvrir les limites de ses
besoins pour lui permettre de trouver ses équilibres
profonds de sommeil et d'alimentation. Toute éducation a quelque chose de frustrant pour l'enfant,
mais vise son bien-être personnel. Il n'y a donc pas
lieu de se culpabiliser d'aider l'enfant à se dégager
à temps d'un engrenage contraire à ce bien-être. Être
parent, c'est apprendre à dire non à un appel qui n'est
pas le bon, refuser de nourrir à tort et à travers, mais
consoler et rassurer l'enfant, et le féliciter de savoir
évoluer. Il nous faut sortir des schémas traditionnels
de parents « nourriciers », qui croient avoir « tout fait »
pour leur enfant parce qu'ils l'ont beaucoup nourri.
Vivre en paix avec l'enfant, lui donner une totale
assurance d'être désiré, aimé, entouré, compris ; lui
dire combien toutes ses acquisitions sont source de
bonheur et de fierté pour toute la famille est autrement plus important.

L'enfant qui a besoin de sucer

Un enfant qui semble avoir toujours faim a peut-
être tout simplement envie de sucer. Téter, pendant
les premiers mois, c'est la sécurité fondamentale, c'est
le premier plaisir, le plus primitif. Au-delà de la faim
et de sa satisfaction, l'enfant conserve souvent un
besoin presque rituel, intense, de sucer, de prolonger
de longues heures le mouvement de sa langue et de
ses lèvres. Il y a le plaisir répétitif du mouvement,
le lien utopique ou réel à la mère, la caresse de la
tétine dans la bouche, l'apaisement provoqué par
cette activité rythmique. C'est une réelle conduite
érotique, modulant un authentique plaisir.

Pendant les premières semaines de vie, ce besoin de sucer peut se manifester de diverses manières. La tétée prolongée du bébé au sein qui n'accepte pas de se séparer de sa mère et réclame chaque jour de longues heures de disponibilité pour paraître — enfin ! — satisfait. Le besoin impérieux d'une sucette procurée par les parents, sucette qui devient en quelques jours un instrument indispensable au calme et à l'endormissement. La découverte précoce du pouce, parfois dès les premières minutes de vie. Chez certains nouveau-nés, la forme du pouce prouve à l'évidence qu'il a été largement sucé pendant la vie intra-utérine. D'autres enfants attrapent dès les premiers jours de vie un bout de drap, un morceau d'étoffe, le coin d'un jouet, le col d'un vêtement pour le sucer avec délices. Enfin tous les bébés, même ceux qui ne présentent aucune de ces manifestations, tètent leur langue pendant des heures chaque jour, en jouant, en s'endormant, et même au cours du sommeil. On voit très bien le mouvement des joues et celui de la langue entre les gencives.

Faut-il, ou non, favoriser ce comportement, est-il judicieux de fournir une sucette à un tout-petit pour l'aider à s'apaiser ? La question est souvent posée au cours des consultations pédiatriques. La réponse, évidemment, dépend largement de la personnalité du médecin concerné. Les plus techniciens, ceux qui jugent primordial l'alignement des dents ou la discipline précoce y seront absolument opposés. En revanche, ceux qui pensent qu'un nouveau-né est au monde pour explorer son corps, ses capacités de jouissance, pour profiter au maximum de tout ce que la vie peut lui offrir, en évitant le plus possible les frustrations et les manques, n'auront pas les mêmes interdits. Question de morale et de sensibilité…

Pour nous, la réponse se situe dans un juste milieu. L'idéal serait de laisser l'enfant vivre ce qu'il désire sans intervenir, ni pour favoriser, ni pour interdire un comportement de succion. Son plaisir est à lui, qu'il le module à sa guise, avec ses propres moyens. Les dents ne risquent rien si la succion est modérée au-delà du sixième mois, et la meilleure manière de la modérer est, sans doute, de la laisser totalement libre dans les premières semaines de vie. Si les parents décident de proposer une sucette à leur enfant pour qu'il se calme, c'est une intervention extérieure. Pourquoi pas ? À condition de ne le faire que pour aider l'enfant les tout premiers temps, et de savoir s'arrêter dès que le bébé peut trouver d'autres moyens de se rassurer, de se calmer.

Au-delà de trois mois, il faudrait savoir faire disparaître toutes les sucettes. Premièrement, parce que le risque est grand qu'elles soient utilisées chaque fois qu'on veut faire taire l'enfant, le forcer au silence, et c'est là un comportement éducatif extrêmement suspect… tellement banal qu'on oublie de l'analyser comme tel. Savez-vous qu'en espagnol sucette se dit « tais-toi », et qu'aux États-Unis on l'appelle « pacificateur ». Ces noms ne disent-ils pas d'eux-mêmes l'usage excessif qui peut en être fait ? Ensuite, la sucette pour dormir induit une dépendance de l'enfant envers ses parents, une condition d'endormissement dont ils sont les maîtres ou les garants, et en ce sens, cela peut être à l'origine d'un trouble du sommeil. Chaque fois qu'en dormant l'enfant perdra sa sucette, il peut se réveiller et demander que l'un de ses parents se lève pour la lui redonner. C'est une raison très classique des appels toutes les deux heures chaque nuit au-delà de quatre mois, raison à bien connaître pour savoir l'éviter. Nous y reviendrons longuement au chapitre 6.

Cet enfant subit-il l'influence d'excitants ?

Encore une question à ne pas oublier de se poser devant un enfant agité, qui dort très peu longtemps, a de grandes difficultés à se calmer, à s'endormir, et qui, comme toujours dans ces cas-là, semble avoir faim toute la journée.

Si l'enfant est allaité par sa mère, il est nécessaire de rechercher les excitants pris par la mère, même si ceux-ci ne génèrent chez elle aucune réaction visible.

L'alcool, le café, le thé, le tabac passent dans le lait, auront une action excitante directe sur le bébé et l'empêcheront de dormir. Il serait préférable pour son équilibre neurologique de supprimer totalement ce genre de produits, ou au moins d'en diminuer sérieusement les doses pendant la grossesse et toute la durée de l'allaitement. Ces drogues, que l'on dit douces, agissent directement sur le cerveau et ne sont sûrement pas très indiquées pendant toute la période de construction cérébrale active, donc pendant les deux premières années de vie. Il ne nous viendrait pas à l'idée de mettre du café dans les biberons d'un nourrisson. Pourquoi ne pas prendre les mêmes précautions pour un fœtus ou pour un bébé au sein ? C'est une chose courante, en pédiatrie, que de voir le comportement d'un bébé changer du jour au lendemain, devenir calme et paisible, avoir un sommeil bien plus organisé dès que la mère supprime tout excitant. Si l'enfant est très calme, elle peut s'en accorder de faibles doses. Leur toxicité n'est pas majeure. Par contre, si l'enfant est très agité, il est indispensable de les supprimer, avant même de rechercher une autre cause à son agitation.

Certains *médicaments* peuvent provoquer le même type de réactions : ceux contenant de la caféine, du camphre, de la théophilline, de l'alcool... Les médecins les connaissent bien et, sauf cas de nécessité urgente, ne les prescrivent pas à une femme qui allaite. Il convient donc de toujours rappeler au médecin cet allaitement et voir avec lui s'il n'y a pas une autre thérapeutique possible. La grossesse et l'allaitement sont des périodes où il faut éviter à tout prix l'automédication, la prise non contrôlée de médicaments réputés anodins, car les produits les plus courants, de grande consommation, ne sont pas toujours dénués de risques pour un tout-petit et peuvent le faire réagir de façon anormale. L'aspirine par exemple, produit de base de toutes les pharmacies familiales, peut entraîner de sérieux risques d'acidose, avec excitation et troubles respiratoires chez l'enfant, même si la mère n'en absorbe que des doses modérées. Mieux vaut s'abstenir, ou n'en prendre que lorsque c'est absolument nécessaire, aux doses les plus faibles possibles, pour un temps le plus court possible.

Un autre cas d'excitation médicamenteuse peut s'observer dans les premiers jours de vie, lorsque la mère a pris de façon régulière, en fin de grossesse, des *sédatifs*. On constate une agitation extrême de l'enfant, il pleure sans arrêt, ne peut pas dormir : véritables réactions de « manque », pouvant nécessiter une thérapeutique sédative substitutive, avec diminution progressive des doses pour réaliser un sevrage du médicament. Les bébés de mère droguée auront des problèmes encore plus sévères, d'authentiques « crises de manque » susceptibles d'entraîner une surveillance hospitalière sérieuse. C'est dire à quel point tous les médicaments ou drogues pris par la mère pendant sa grossesse et son allaitement peuvent avoir des conséquences sur le sommeil de l'enfant.

Pour tous les enfants, qu'ils soient nourris au sein ou au biberon, l'excitation peut venir de l'extérieur, des conditions de l'environnement, handicapant le repos et l'acquisition des rythmes spontanés de sommeil.

Il peut s'agir du bruit dans la pièce, si des bébés dorment dans un lieu rempli de personnes bruyantes, devant la télévision, au milieu du brouhaha des conversations et de la fumée des cigarettes. Le tabagisme passif subi par un enfant dont les parents fument autour de lui, ou pire, dans la voiture quand il y est, représente des doses de nicotine qui ne sont pas négligeables et peuvent avoir un effet toxique (troubles respiratoires et apnées) et excitant (agitation et troubles du sommeil). Le bruit des rues, la pollution des voitures, le brouhaha des grands magasins, des aéroports, des stades devraient absolument être évités à un bébé qui va dormir. Ils ne peuvent que nuire à l'endormissement et à la qualité du sommeil.

Il existe, nous le savons, des adaptations au bruit. Une étude faite au Japon, dans la ville d'Itami, en bordure de l'aéroport d'Osaka, le montre. Malgré le vacarme monstrueux des énormes avions de ligne passant à basse altitude au-dessus des maisons, certains bébés dorment calmement, tandis que d'autres présentent d'importants troubles du sommeil. Or, la différence entre ces deux groupes de bébés, c'est que les premiers ont été conçus à Itami, se sont habitués au bruit pendant leur vie intra-utérine, tandis que les mauvais dormeurs ont été « transplantés » à la fin de la grossesse de leur maman ou après la naissance...

On pourrait, en extrapolant un peu les résultats de cette étude, dire qu'un bébé peut globalement dormir dans le bruit habituel de l'environnement familial, au niveau sonore qui a été celui de sa vie intra-utérine. Il est connu, par exemple, que les enfants de familles nombreuses paraissent moins sensibles au bruit que les enfants uniques et acceptent de dormir dans des conditions qui gâcheraient à coup sûr le sommeil des enfants du même âge élevés dans le silence. Les bébés de parents musiciens ne sont guère gênés par la sonorité des instruments ou des disques familiaux. Ils les connaissent depuis avant leur naissance et savent s'endormir au son d'une mélodie. Il n'est donc peut-être pas indispensable de faire un silence complet dans une maison normalement très bruyante pour permettre au nouveau-né — de cette famille-là — d'y dormir. Une simple atténuation du bruit de fond suffit à lui assurer de bonnes conditions de sommeil.

Le bruit n'est pas la source d'excitation la plus importante chez un petit enfant. *La multiplication des sollicitations extérieures* perturbe bien davantage son rythme intérieur et risque d'entraver l'acquisition de ses équilibres spontanés.

Trop solliciter un enfant, c'est lui parler, le remuer, le changer au moment où il semble vouloir s'endormir. C'est se précipiter vers le berceau au moindre mouvement, au plus petit cri, pour s'assurer que tout va bien, au risque de le réveiller en plein sommeil paradoxal. C'est obliger un tout-petit à un trop long moment d'attention et de communication, alors qu'il se fatigue très vite et voudrait « décrocher ». C'est le déranger dans un moment de repos calme pour lui demander de sourire à un visiteur de passage. C'est lui offrir à manger quand il grogne de lassitude. C'est laisser au-dessus de lui, en permanence, un mobile coloré qu'il n'arrive pas à quitter des yeux au moment où il voudrait dormir. C'est le réveiller pour prendre sa température, pour l'emmener à la crèche ou chez sa gardienne après l'avoir baigné et habillé alors qu'il aurait très bien pu y partir endormi et en pyjama, dans son couffin, ce qui lui aurait permis de continuer son sommeil. C'est le réveiller pour aller faire des courses puisqu'on ne peut le laisser seul. C'est l'installer devant la télévision allumée. C'est aussi répondre trop vite à ses demandes, réagir au moindre changement dans son comportement ou dans ses gazouillements, en ne lui laissant pas le temps de préciser sa demande, ni même celui de se rendre compte s'il a, ou non, réellement une demande. Il est facile d'envahir ainsi l'espace intérieur d'un tout-

petit, de fausser sa connaissance de lui-même, ses
perceptions profondes, et de lui désapprendre sans
le savoir la sensation d'endormissement et le besoin
de repos, de lui désapprendre l'autonomie.

Il est donc particulièrement important de savoir
respecter dans toute la mesure du possible (et avec
d'autant plus d'attention qu'il est plus petit) les
moments d'éveil et de somnolence d'un jeune enfant.
Suivre attentivement son rythme personnel, lui donner les moyens d'exprimer tout autant le besoin de
dormir que la faim, la soif, le désir d'être changé ou
celui d'être bercé. Étant donné l'importance du
sommeil pendant les premiers mois de vie, **c'est la
première chose à proposer à un bébé qui pleure
et dont on ne comprend pas la demande.** Lui
donner les moyens de s'endormir, suggérer le silence
et le calme, créer les conditions habituelles de son
endormissement, ne pas céder à la panique. S'il a
besoin de dormir, il s'apaisera progressivement et
trouvera le sommeil, plus ou moins vite, mais avec
ravissement. Si, par contre, il a une autre demande,
il saura la faire clairement comprendre, par des cris
vigoureux caractéristiques qu'il apprendra vite à
exprimer. À nous de lui faire confiance sur sa capacité à entrer dans le langage.

L'enfant qui a mal au ventre
Les coliques du nourrisson

La question qui hante tous les parents lorsque leur
enfant pleure, c'est celle de sa santé. N'y a-t-il pas
quelque chose qui ne va pas, quelque chose qui lui
fait mal ? Comment reconnaître les signes de douleur

des moments de fatigue, ou des appels à la nourriture ? Quelles sont les principales raisons qui peuvent faire souffrir un nouveau-né en bonne santé ? Et ces questions qui tournent au-dessus des berceaux perturbent souvent la mutuelle connaissance de l'enfant et de ses parents. Les grand-mères parlent de « coliques ». L'état intestinal semble anormal, vite inquiétant pour des parents qui le comparent à ce qu'ils connaissent bien : au fonctionnement d'un adulte. La peur de laisser l'enfant souffrir devient source d'interventions, de réveils intempestifs, de sollicitations qui vont gêner son endormissement. Pour éviter cette situation, il convient d'examiner en détail les signes qui permettent de déterminer si un enfant souffre réellement d'un désordre intestinal, et donc de fixer le moment où on pourra utilement l'aider par une thérapeutique appropriée.

Les coliques du nouveau-né constituent probablement la première cause d'inconfort de nos petits. C'est une pathologie extrêmement répandue, qui survient vers la troisième semaine de vie, et peut durer pendant près de trois mois. Elle traduit l'immaturité du tube digestif qui est incapable d'assurer un transit équilibré. Le lait est mal absorbé, même le lait maternel. La pullulation microbienne particulière liée au lait favorise dans l'intestin un milieu acide qui accélère le transit, d'où des selles molles, parfois franchement liquides, une hyperfermentation et une augmentation des contractions intestinales, qui deviennent fréquentes et douloureuses.

Il est difficile à la seule écoute des pleurs de faire la différence entre l'enfant qui pleure pour une dysrythmie du soir, celui qui a faim et celui qui a vraiment mal au ventre. Quelques signes pourtant permettent de faire un diagnostic :

— d'abord, un enfant qui a des coliques a mal à n'importe quel moment de la journée, pas spécifiquement le soir, et pas à heures fixes ;

— les douleurs sont importantes. L'enfant est inquiet, plaintif, recroquevillé sur lui-même. Les spasmes le tirent brutalement de son sommeil, et il pleure franchement, cherchant à manger pour calmer son inconfort ;

— ces signes sont majorés lors des tétées. Parfois, en plein milieu de son repas, l'enfant s'arrête et se met à hurler en rejetant le sein ou la tétine. Parfois aussi, l'heure qui suit le repas est la plus perturbée ;

— l'hyperfermentation se traduit par des gaz multiples, fétides, à l'odeur d'œuf pourri. Les selles sont très variables d'un moment à l'autre, alternant des selles liquides rapprochées et de véritables tableaux de constipation, suivis à nouveau d'une pseudo-débâcle diarrhéique ;

— les faux besoins sont très fréquents : l'enfant semble pousser, chercher à évacuer des selles, mais sans résultat ;

— à l'examen médical, le ventre est tendu, ballonné, sonore si on le tapote, comme un tambour plein d'air. Le massage profond du ventre, réellement douloureux, permet l'élimination de nombreux gaz et soulage l'enfant ;

— enfin tous ces signes varient d'un moment à l'autre de la journée, d'un jour à l'autre, de manière imprévisible, sans rapport direct ni avec des changements alimentaires, ni avec le rythme de vie de l'enfant, ni avec aucun facteur repérable.

Cette variabilité des signes déconcerte les parents. Ils doivent faire face presque en même temps à une diarrhée et à une constipation, à un enfant qui gloutonne puis qui refuse le sein au milieu de la tétée.

Il n'y a pas de traitement radical de ces symptômes, puisque l'origine en est l'immaturité du tube digestif. Le seul traitement absolu, c'est d'attendre l'âge de trois mois où tout alors rentre dans l'ordre !... Toutefois, avant cela, quelques mesures simples peuvent améliorer considérablement la situation, soulager l'enfant et lui permettre de dormir quand il en a besoin, et de trouver ses rythmes :

— d'abord essayer de trouver un équilibre diététique. Refuser de nourrir de façon anarchique, proposer des rations raisonnables et maintenir des intervalles corrects entre les tétées. Éviter de lui donner autre chose que du lait, même du jus de fruits, et attendre que les signes s'améliorent avant de proposer une diversification. Pour l'enfant qui est nourri au sein, éviter dans toute la mesure du possible de compléter avec du lait artificiel, car les nourrissons digèrent plus difficilement deux laits différents. Par contre, contrairement aux croyances populaires, l'alimentation de la mère qui nourrit son bébé n'a pas de lien direct avec les malaises de l'enfant, et elle n'a pas à suivre un régime particulier ;

— le meilleur traitement consiste à aider l'enfant à éliminer ses gaz, car la distension intestinale qu'ils provoquent est très douloureuse. Ainsi, on peut lui masser le ventre (de droite à gauche dans le sens des aiguilles d'une montre puisque c'est le sens du circuit intestinal), le réchauffer, le coucher à plat ventre sur les bras ou sur un coussin ou même sur une bouillotte pas trop chaude, le promener le ventre sur l'épaule de son père pour lui permettre de se replier. L'enfant d'un an ou deux qui souffre de problèmes identiques s'installe dans son lit genoux repliés, fesses en l'air, ce qui en même temps comprime son ventre et facilite l'élimination gazeuse. C'est sûrement une bonne position à proposer à un tout-petit ;

— si les signes sont importants, le médecin peut prescrire deux types de médicaments : des antispasmodiques pour calmer la douleur (ils ont l'inconvénient de ralentir le transit et d'augmenter les faux besoins) et des absorbants des gaz, pour diminuer la distention intestinale. Ces traitements n'agissent que sur les symptômes, et doivent être poursuivis jusqu'à la maturité intestinale du troisième mois. D'où l'importance de choisir des médicaments très doux, non toxiques, et surtout n'ayant aucune action susceptible de gêner la construction cérébrale et l'établissement des rythmes ;

— le plus important est de ne pas céder à la panique, de ne pas rentrer dans le cercle de nourrir n'importe comment, bercer et consoler à tout bout de champ. Il est meilleur de rassurer l'enfant, lui dire que ce n'est pas grave, que ça va passer bientôt, lui masser le ventre, le réchauffer, lui permettre de sucer une tétine, ce qui souvent l'apaise, et ne pas hésiter à le poser dans son lit même s'il crie un peu. Créer un climat calme et rassurant constitue les neuf dixièmes du traitement et représente le plus sûr moyen de voir les signes disparaître dans les plus courts délais. L'escalade des paniques et des réassurances ne ferait qu'aggraver le problème. L'enfant a besoin de comprendre ce qui lui arrive, de sentir que ses parents dominent la situation. C'est une sécurité fondamentale qu'il recherchera souvent pendant toute son enfance et son adolescence. Bonne occasion pour des parents de montrer à leur bébé qu'ils sont en mesure de le rassurer, qu'ils sont là pour ça !

Comment moduler et faire disparaître les repas de nuit ?

● *Nous avons déjà abordé les principales notions de cette question dans l'itinéraire normal de sommeil des quatre premiers mois. Nous allons maintenant préciser comment obtenir des nuits complètes au cas où l'enfant paraît s'y refuser ou ne pas arriver à se passer de nourriture.*

Qu'est-ce qui empêche un enfant de dormir sans interruption la nuit ?

La faim, bien sûr, répondent les parents qui, chaque nuit, entendent pleurer l'enfant et lui offrent de longs moments de tétée ou de multiples gros biberons, qu'il avale intégralement avant de se rendormir paisiblement... jusqu'au prochain appel.

Le problème n'est pas si simple que cela. Un enfant de plus de trois mois et de poids correct (cinq kilos peut-être, six kilos et au-delà, certainement) a suffisamment de réserves pour tenir une nuit entière. Il peut très bien se nourrir de façon satisfaisante dans la journée, prendre largement en quatre repas la ration calorique dont il a besoin. **Il n'a donc pas faim, il n'a pas besoin de nourriture.** C'est tellement vrai qu'il ne sert à rien d'augmenter le repas du soir ou de l'épaissir avec de la farine pour qu'il dorme mieux la nuit suivante. Dans les conseils classiques de puériculture, il est souvent dit que, pour obtenir de l'enfant une nuit complète, il faut d'abord sevrer un bébé nourri au sein, lui donner un gros biberon avec de la farine et qu'il dormira de lui-même les nuits qui suivront. C'est totalement faux. Aussi copieux que puisse être le repas du soir, l'enfant habitué à recevoir son biberon ou sa tétée au milieu de la nuit, ou plusieurs fois par nuit, se sent affamé ; il croit avoir faim, il est incapable de faire la différence entre un désir, une habitude, et un réel besoin. Or l'alimentation, pour être équilibrée, doit répondre au besoin, pas seulement au désir. Plus on mange, plus on a faim, et la plupart des obésités graves de l'adulte sont des obésités d'« entraînement », de conditionnement, nées d'une incapacité réelle, fabriquée dans les premiers mois de vie, à différencier besoin et désir, d'où les très grandes difficultés thérapeutiques ultérieures. Apprendre à reconnaître le plus tôt possible ce qui est réellement de la faim et ce qui n'est que désir de manger est l'un des points essentiels de notre équilibre.

Deuxième problème, que nous aborderons de façon beaucoup plus détaillée au chapitre 6 : l'endormissement-tétée. **Si un bébé s'endort en mangeant, il associe le fait de manger et le fait de s'endormir.** Lors des éveils spontanés de nuit, il cherche à retrouver les deux composantes de ce qu' être son mode d'endormissement : diminution de vigilance et alimentation... et ne peut retrouver le sommeil s'il ne trouve pas à manger. Il est prisonnier de cette double logique. *Ce n'est pas parce qu'il a faim qu'il s'est éveillé, mais parce qu'il ne sait pas se rendormir qu'il a envie de manger.*

Dans cette double logique, la dépendance peut présenter deux aspects. L'enfant peut être dépendant du simple fait de sucer, de téter, et peut se satisfaire, pour se rendormir, de faibles quantités de lait et même d'eau, parfois d'une simple sucette. Il peut, aussi, être dépendant de grandes quantités de liquide, et ne pouvoir se rendormir que s'il a avalé un plein biberon, ou tété sa mère très longuement. Quelle que soit la quantité de lait avalée, l'enfant réclamera un nouveau repas au prochain mini-éveil de nuit, puisqu'il en est dépendant pour se rendormir.

Un enfant qui avale ainsi d'énormes quantités de liquide chaque nuit urine énormément. Ses couches débordent, il est toujours mouillé, son lit est inondé, il a froid, et **l'inconfort provoqué par toute cette humidité le réveille**. Il aura impérativement besoin d'être changé, et sera donc totalement réveillé... Ensuite, pour se rendormir, il réclamera à nouveau une grande quantité de liquide. Le cercle vicieux est évident.

Le plus grave, dans ce circuit excès alimentaires-réveils de nuit, c'est que **l'enfant n'arrive pas à organiser ses rythmes fondamentaux**. Il ne comprend pas le rythme circadien, la différence entre le jour et la nuit, entre la sieste et le repos prolongé de nuit. En plus, l'alimentation à toute heure, donc la digestion à toute heure, compromet ses autres équilibres biologiques : sécrétions hormonales, équilibre du rythme cardiaque, cycles de la température. Il fonctionne en roue libre, toutes ses horloges internes sont déréglées, ce qui peut influer sur sa croissance (mauvaise sécrétion de l'hormone de croissance), sa courbe pondérale (malgré les énormes quantités d'aliments qu'il ingurgite), sur son caractère car il ne sait pas où il en est, et aussi sur son équilibre profond d'humain vivant aux rythmes du soleil et de la lune...

Aider un enfant à trouver un équilibre de nuit est l'affaire de quelques jours, de quelques sollicitations douces et fermes. Si on comprend l'importance de ce que nous venons de dire, la conduite à tenir est claire.

D'abord organiser les repas de jour, 4 à 6 selon le désir de l'enfant, mais avec des intervalles réguliers. Ne plus lui offrir le sein ou un petit complément de biberon au moindre pleur, au moindre malaise. Il n'a pas faim, le sein n'est pas une consolation, manger n'est pas le meilleur moyen de vaincre l'ennui. L'enfant a bien d'autres manières d'être en paix et de se faire plaisir : rire, jouer avec son entourage, essayer de nouveaux sons, de nouvelles mimiques, se faire caresser, aller faire un tour en poussette...

Supprimer les repas d'endormissement et poser l'enfant dans son lit avant qu'il ne s'endorme. D'abord lors des éveils de nuit, puis le soir au coucher, et ensuite à la sieste.

Lui donner un rituel d'endormissement, une position qui sera plus spécifiquement celle du sommeil, un compagnon en peluche toujours présent, un doudou sur le nez, n'importe quoi qui lui tiendra compagnie toute la nuit et qui, pour lui, sera synonyme d'endormissement. Lui dire en le couchant le soir : « bonne nuit », et simplement « à tout à l'heure » au début d'une sieste, pour qu'il entende, même dans les mots, la différence entre les repos du jour et de la nuit.

Éviter au maximum de l'aider à s'endormir en le berçant, en lui parlant, en lui tenant la main, en lui donnant une sucette, toutes choses dont il croira avoir à nouveau besoin au milieu de la nuit et qu'il réclamera pour se rendormir.

Espacer les repas de nuit, le faire patienter en le laissant pleurer et, s'il est très malheureux, en lui frottant le dos, en lui parlant : le premier jour le faire attendre une demi-heure, le deuxième une heure, le troisième deux heures... Cette évolution paraît très rapide, mais vous verrez que l'enfant s'y adapte très bien.

Diminuer progressivement sur quelques jours la quantité de lait qu'il prend la nuit. Si l'enfant est nourri au biberon, il suffit de réduire nuit après nuit la ration proposée dans chaque biberon. Un exemple : si l'enfant avale la nuit 180 g de lait — une ou plusieurs fois par nuit, le principe est le même — diminuer de 30 g chaque fois. La première nuit les biberons seront de 150 g, la deuxième de 120, la troisième de 90... Comme les repas sont de moins en moins fréquents, le volume alimentaire diminue très vite. Comme, de plus, l'enfant est remis dans son lit immédiatement après ce biberon, avant l'endormissement, il désapprend en même temps l'impression de faim à chaque éveil et l'endormissement en mangeant.

Certains bébés sont tellement dépendants de l'énorme quantité de liquide qu'ils avalent pendant la nuit qu'ils n'acceptent pas cette brutale diminution. On peut envisager alors deux étapes : une première où le volume du biberon reste le même, mais où la concentration du lait diminue progressivement (6 mesures dans 180 g d'eau, puis 5 mesures toujours dans 180 g, puis 4 mesures...). L'enfant ne buvant plus que de l'eau désapprend la faim. La deuxième étape consiste à diminuer progressivement le volume. Souvent l'enfant, mécontent de ne boire que de l'eau qu'il n'aime guère, préfère ne plus se réveiller et règle ainsi le problème de lui-même.

Si l'enfant est nourri au sein, le processus est exactement identique. Il faudra simplement diminuer progressivement les durées des tétées et que le père aille, lui, consoler et faire patienter l'enfant au cours de la nuit.

Certaines mères ont beaucoup de mal à supprimer la tétée d'endormissement du soir, redoutant de perdre ce moment de bonheur réciproque avec l'enfant. S'il dort toute la nuit, pourquoi ne pas la lui offrir ? Mais il faudra rester vigilant pour que l'enfant n'en fasse pas une association nécessaire à son endormissement et ne se prépare pas pour plus tard des troubles durables du sommeil. Nous y reviendrons.

Ce qu'il faut redire, c'est que **ce temps d'adaptation est très rapide**. L'enfant apprend à dormir la nuit en moins d'une semaine dans la grande majorité des cas et, bien souvent, en deux à trois nuits. Il a senti la différence, compris ce qui lui est proposé, et s'y soumet de bonne grâce puisqu'il y gagne en équilibre et en disponibilité pendant la journée. Son bien-être augmente et il peut consacrer son énergie à d'autres évolutions, d'autres découvertes, à l'émerveillement de tout son entourage.

Si cet équilibre n'est pas atteint en moins de deux semaines, les parents ont à s'interroger sur leur propre comportement. Ne sont-ils pas en train d'induire, par manque de fermeté des comportements de lutte, d'hésitation et de rejet qui compliquent l'évolution du bébé ? Craignent-ils de trop dominer, d'être moins aimés, d'être source de souffrance ou de trouble pour leur enfant ? Ont-ils bien compris la disproportion entre quelques jours d'incitation douce à une évolution, et des mois ou des années de déséquilibre ? Tout le problème est là.

Les changements de rythme des premiers mois

● *Il est souvent nécessaire de bousculer un enfant pendant les premiers mois de vie, de lui faire subir un certain nombre de changements de rythme consécutifs à l'emploi du temps des parents, des voyages, des vacances, la reprise du travail par la mère, parfois une hospitalisation... Chaque changement, en pleine période de mise en place des rythmes, peut en compromettre la recherche. Il est donc fondamental pour tous, parents, nourrices, soignants des crèches ou des hôpitaux, de se préoccuper de connaître le rythme habituel de l'enfant qu'ils prennent en charge, afin d'éviter les transformations radicales préjudiciables à l'équilibre de son sommeil.*

Si un voyage est nécessaire, l'environnement de sommeil doit rester le même, si possible le même couffin, avec les mêmes draps que la veille, imprégnés d'une odeur que l'enfant connaît déjà. Il faut aussi s'efforcer de le nourrir aux mêmes heures que les jours précédents, sans retarder un repas sous prétexte d'arriver d'abord à l'heure à bon port, sans profiter de l'endormissement inhabituel provoqué par le bercement de la voiture, sans le laisser crier parce que le train entre en gare...

S'il est nécessaire de le réveiller, tenter d'attendre la fin d'une phase de sommeil agité, le choc physique du réveil sera moindre puisqu'il s'agit d'un moment de micro-éveil spontané.

La pire des adaptations pour un tout-petit est celle des **décalages horaires**. Se retrouver brutalement

« à contre-jour, à contre-nuit » est presque impossible à gérer. Son cerveau, tout préoccupé de son horloge interne, ne peut engranger cette transformation supplémentaire inattendue. Pour basculer de 12 heures, il lui faudra beaucoup de temps, temps pendant lequel les parents devront accepter de maintenir les anciens rythmes en les modulant très progressivement pour « rattraper le cours du soleil ». Cet effort ne se justifie que pour un séjour prolongé. Si le voyage doit être de courte durée, une à deux semaines, mieux vaut vivre en conservant les horaires du lieu où l'enfant retournera vivre très prochainement.

Le décalage horaire saisonnier en France ces dernières années pourra poser problème. L'enfant, après 4 mois environ, garde dans son cycle personnel, son horloge interne, l'« ancienne heure », et met du temps à s'adapter. Aux parents d'organiser une transition malgré les contraintes de leur travail, les heures d'ouverture des crèches, des magasins... Y a-t-on assez pensé en instituant ce double système annuel ?

Les vacances familiales ne devraient pas être synonymes de perturbation de rythme pour un petit enfant. Il bénéficiera des aspects positifs : présence continuelle du père et de la mère, disponibilité, bonheur de tous, mais il n'est pas en âge de circuler dans n'importe quelles conditions pour suivre le reste de la famille. Il n'a rien à faire sur une plage, en pleine chaleur, au milieu des hurlements et des rires des enfants qui jouent autour de lui au moment habituel de sa sieste. Il n'est pas question de l'emmener le soir dans un lieu bruyant et très éclairé à l'heure où il s'endort, même si la fraîcheur du soir incite aux promenades et aux rencontres. Que dire des chambres d'hôtel mal insonorisées où il n'est pas possible de le laisser pleurer quelques instants avant qu'il ne se rendorme ? Que dire des maisons de campagne surpeuplées par l'arrivage massif de multiples cousins et cousines, où il n'a plus de lieu personnel pour s'endormir et où il risque de réveiller tout le monde ? Que penser des campings souvent très bruyants jusque tard dans la nuit et où même les enfants de deux ou trois ans dotés d'un très bon sommeil habituel n'arrivent guère à aller se coucher ?

Réfléchir à toutes ces questions, tenter d'inventer un système de vacances satisfaisant pour toute la famille, mais qui ne troublera pas l'acquisition de l'équilibre du tout-petit, nous paraît de la plus haute importance.

L'enfant doit aller à la crèche, ou passer ses journées chez une gardienne. Ces nouvelles conditions interviennent souvent avant l'âge de l'équilibre, donc dans une période vulnérable. Deux précautions s'imposent.

Il serait judicieux que le *changement de berceau ne soit pas radical*, du jour au lendemain, que l'enfant puisse garder quelques points de repère. Mettre des draps « de chez lui » dans le berceau de la nourrice ou de la crèche, le coucher avec un jouet connu, qui séjournait jusque-là dans son berceau familial, laisser près de lui un vêtement ou un foulard porté par sa mère, imprégné de son odeur... Et puis peut-être, pendant quelques jours de « rodage », le coucher dans ce lit dans la journée alors qu'il entend la voix de sa mère dans une pièce à côté, parlant avec la gardienne ou avec l'équipe des puéricultrices de la crèche. Elle expliquera, par exemple, comment elle procède habituellement pour coucher l'enfant dans la journée, pour que les gestes de tous se ressemblent et s'harmonisent. Ces petits détails, bien anodins, peuvent réduire au maximum les difficultés du changement et les risques de perturbation de son sommeil.

Il serait bon que les parents communiquent un **agenda** des dernières semaines de l'enfant, illustrant où il en est dans l'établissement de ses rythmes, analysant s'il a atteint un équilibre de 24 heures, ou s'il cherche encore l'établissement d'un rythme sur 25 heures. Agenda où seraient notés fidèlement chaque moment de sieste ou d'éveil, les heures des repas, les moments de promenade, les moments de pleurs... Agenda tenu tout autant par les parents le soir ou le week-end que dans la journée en semaine par la nourrice ou les puéricultrices de la crèche.

Pendant toute cette période, il serait souhaitable que les personnes qui prennent la responsabilité de s'occuper de l'enfant acceptent de se plier à son rythme jusqu'à ce que l'équilibre apparaisse. L'agenda permettra autant d'harmoniser les comportements des parents et celui des soignants que de déterminer le moment où l'enfant sera effectivement réglé sur 24 heures et pourra rentrer dans le circuit régulier des autres bambins du même âge.

De toute évidence, **un nourrisson hospitalisé** devrait bénéficier de la même qualité d'accueil et de respect de ses rythmes que celui qui va passer ses journées en crèche ou en garderie. La maladie est déjà une difficulté qu'il a à surmonter. Pourquoi lui imposer, en plus, une rupture de rythme qui lui donne raison de ne plus savoir où il est, où il en est ? Quand les services hospitaliers auront appris ce respect fondamental de l'enfant malade, qui est de le laisser dormir à son rythme, sauf cas d'urgence et nécessité absolue d'intervention, la qualité des soins augmentera réellement. Les soignants sont de plus en plus conscients qu'il faut laisser un nourrisson, même gravement malade, s'éveiller et dormir spontanément. Mais les nécessités d'organisation des équipes et les restrictions draconiennes de crédits et de personnel que subissent les hôpitaux depuis quelques années rendent cet impératif de plus en plus problématique. Aux parents d'obtenir, conscients qu'ils sont de l'importance de ce qu'ils demandent, une prise en charge attentive et respectueuse du sommeil de leur petit.

L'enfant malade et le sommeil

● *Toute maladie, même légère, gêne le sommeil. Un gros rhume, une douleur d'oreille, une poussée dentaire, un érythème fessier, une bronchite, une toux quinteuse de trachéite, la soif au cours d'une hyperthermie, tout cela peut modifier le sommeil.*

Pendant l'épisode aigu, évidemment, priorité à la maladie et à son soulagement. Si l'enfant pleure parce qu'il a mal, il ne peut rien apprendre d'autre et a tout à fait besoin d'être consolé et entouré. S'il tousse beaucoup, s'il a beaucoup de fièvre, s'il a mal et risque d'appeler souvent, il y a peut-être lieu de rapprocher son berceau du lit des parents. Mais uniquement pendant le temps réel de la maladie.

Le risque, très courant, est de ne pas discerner le moment où l'enfant va mieux et de continuer à le rassurer, à le bercer comme s'il avait encore mal. Une poussée dentaire peut être douloureuse, mais pas toutes les nuits pendant six mois. Un rhume peut suffire à gêner le sommeil car l'enfant de moins de six mois ne peut que très difficilement respirer par la bouche (si son nez se bouche, il s'étouffe et pleure), mais on entend très bien la différence entre un nez qui ventile et un nez bouché. Une trachéite peut faire tousser l'enfant pendant des semaines, mais c'est une toux banale, non suffocante, qui ne réveille même plus l'enfant et ne lui fait courir aucun risque... Une otite peut le réveiller pendant plusieurs nuits, même si le jour il paraît peu souffrir. En effet, les douleurs d'oreille sont majorées en position couchée et diminuent en position verticale, donc dans la journée. Dans ce cas, il serait préférable de faire voir les tympans au médecin traitant pour adapter au mieux la conduite à tenir. L'otite est pratiquement le seul cas où les parents ne peuvent faire eux-mêmes le diagnostic, donc le seul cas où une consultation médicale pourra utilement les aider. Si les tympans sont normaux, l'enfant peut dormir ou redormir la nuit. S'il souffre encore, il a besoin d'être aidé et consolé. Il vaut peut-être mieux deux ou trois consultations rapprochées, pour bien cerner le problème, que de s'installer pendant des mois dans un trouble du sommeil par incompréhension.

Le difficile métier de parents

Fusion-séparation : la première étape de l'autonomie

Dormir dans les bras, blotti contre l'être aimé, la tête sur son épaule, bercé par le bruit doux du cœur qui bat tout proche et par le souffle régulier de sa respiration, c'est l'un des plus forts symboles de la tendresse, de la sécurité, de l'attachement. Tant d'adultes confrontés à une séparation vivent comme une souffrance insurmontable la solitude des nuits... Le chagrin d'un deuil, n'est-ce pas aussi les nuits vides, silencieuses, la perte de ces moments de tendresse, des bruits familiers de l'autre, de sa proximité ? La redécouverte de nuits paisibles, longues et sereines, dans une solitude enfin acceptée, n'est-elle pas l'un des signes de la paix recouvrée, au-delà de la peine ?

La naissance n'est pas un deuil, mais c'est une séparation : séparation de l'enfant d'avec son placenta, ce bout de lui, ministre des relations extérieures, chargé de tous les liens métaboliques avec sa mère et dont la perte l'oblige à créer d'urgence un autre type de relation et d'échanges avec elle. Séparation de la mère d'avec son enfant « intérieur », celui des perceptions utérines et du rêve, pas toujours remplacé de but en blanc par l'enfant réel, l'enfant dans les bras, avec son corps et son visage d'enfant-né. Il y a dans la naissance pour la mère (et peut-être pour l'enfant, comment l'affirmer ?) toute une ambivalence : soulagement et manque, délivrance et peur de perdre, frustration et admiration, joie de découvrir l'autre et déception de ne plus rêver à lui...

• Les premiers mois de vie d'une mère avec un tout-petit sont imprégnés de cette alternative, partiellement resurgie de son histoire d'enfant, qui retentit — souvent sans qu'elle le sache — sur son comportement avec l'enfant. Bonheur de le garder dans les bras tout contre soi, peur de le perdre, de le laisser s'éloigner, désir d'être encore pour lui « tout l'univers », peur d'être moins utile, moins aimée si l'enfant dépend moins d'elle, incapacité de quitter une relation fusionnelle avec le bébé parce qu'elle le croit, lui, incapable de s'en passer, nécessité de le rassurer pour être soi-même rassurée par l'enfant, crainte de le laisser pleurer car un enfant-rêve ne pleure pas, peur de déplaire à l'enfant, de n'être pas une bonne mère, peur d'être responsable de tout ça... Il nous paraît fondamental de s'interroger sur nos peurs et nos phantasmes à ce niveau, d'en prendre conscience,

avant de chercher des recettes toutes faites sur la
meilleure façon de se comporter.

• L'enfant, lui, connaissait la sécurité utérine, les
bruits, les sons, le mouvement, le balancement permanent, les odeurs amniotiques. Les découvertes de
sa naissance, si riches de sensations nouvelles, le
déconcertent. Il cherche à retrouver les signes d'une
même sécurité, mais s'il sent la force et la tendresse
de ses parents, il est prêt à évoluer. Il est prêt à découvrir de nouveaux lieux, de nouvelles formes d'environnement, un apaisement, à condition de se sentir
aimé et pris en charge comme il en a besoin. L'acquisition de ses rythmes est corrélée au niveau émotionnel de sa mère. Plus elle sera calme et paisible, plus
vite il va s'y retrouver.

• Le père, moins directement remué que sa compagne mais tellement proche pourtant, a un rôle
privilégié de modérateur dans cet équilibre. Il peut
la protéger de la fatigue et des émotions excessives ;
il peut prendre en charge l'enfant pour le bercer, le
coucher, l'aider doucement à s'endormir, découvrant
ainsi, dans les bouleversements de la naissance, sa
place de père. Il représente tout autant la fin d'une
fusion mère-enfant qui était celle de la grossesse,
que l'avènement d'une triangulation, comme dit
Françoise Dolto, *triangle père-mère-enfant*, premier
témoin de la famille, et lieu symbolique où l'enfant
va construire sa personnalité.

Il n'est question ici, comprenez-le bien, ni d'autorité, ni de sévérité qui reviendraient plus à l'un qu'à
l'autre des parents. Il est question d'une famille,
d'une relation amoureuse à plusieurs, parents et

enfants, où chacun cherche sa juste place et en quoi il peut contribuer au bien-être et à l'équilibre de tous. Faire l'impasse de toute cette prise de conscience, et ne parler que de conduite pratique devant un enfant qui ne dort pas nous semble bien dérisoire. Vivre n'est pas une série de trucs auxquels il suffirait de se conformer pour éviter tout problème. Vivre, c'est prendre le risque.

Être parent, c'est éduquer

C'est donc se situer par rapport à l'enfant comme quelqu'un qui sait, quelqu'un qui peut rassurer, quelqu'un dont la présence est en même temps synonyme de sécurité et d'évolution douce et active. Nombre de parents des années 80, attirés par les notions de rythme naturel et d'allaitement à la demande, vont trop loin dans ce sens et ne savent plus comment indiquer à leur bébé le chemin de l'équilibre. Ils font durer, par peur de dire non, des comportements de sommeil ou de nourriture qui sont normaux pour un nouveau-né et tout à fait anormaux et signes de déséquilibre pour un enfant de 4 mois ou plus.

Ce comportement des parents tient à une méprise fondamentale sur leur propre rôle, et sur les réels besoins de l'enfant.

Méprise sur leur propre rôle, car ils se sentent coupables de dire non, de dire à l'enfant qu'il n'est plus l'heure de manger ou de communiquer mais celle de dormir. Ils se sentent responsables du moindre pleur, coupables de ne pas intervenir immédiatement, imaginant, à tort, que c'est leur « travail » d'être là en permanence, de tout résoudre pour l'enfant, de lui éviter la plus petite frustration. Tout cela est faux.

L'enfant souffrira bien plus d'un trouble du sommeil durable que des quelques heures où il va chercher, seul, le sommeil.

Abdiquer toute responsabilité devant le comportement d'un tout-petit pour toujours répondre à sa demande, ne jamais lui dire « non », est dangereux pour la construction de sa personnalité, car l'enfant n'a aucune barrière sur laquelle s'appuyer pour sentir ce que l'on attend de lui.

Laisser percevoir à un bébé qu'il peut obtenir de son père ce qu'il n'a pu obtenir de sa mère, ou vice versa, est une faute éducative grave. Il ne devrait y avoir aucun flottement à ce niveau. L'enfant a profondément besoin de sentir une cohésion totale de ses parents, de savoir qu'il est le fruit d'un projet commun, clair, qui tend à l'équilibre de tous. S'il peut se glisser, dans une discussion, une faille entre eux, il risque de devenir bien vite sujet de discorde, objet de prise de pouvoir de l'un contre l'autre. Toute la famille en souffrira et si, par malheur, une séparation définitive devait en découler un jour ou l'autre, l'enfant garderait la trace, tout au long de son histoire, d'avoir été l'instrument de cette rupture. Ainsi commence le risque psychologique pour lui, et non de pleurer seul quelques instants dans son berceau.

De même, éviter les frustrations pendant les premiers mois de vie n'est guère positif puisque l'enfant n'apprend pas à les accepter, à les surmonter, à en faire une source d'évolution. Plus tard, confronté à une difficulté, il ne saura que passivement en souffrir, sans savoir comment la dominer. *C'est l'une des bases de l'autonomie que d'apprendre à se sortir seul des situations difficiles et à les vivre avec le plus de calme intérieur possible. Cette éducation peut se faire dès le plus jeune âge, et à partir de choses simples comme l'endormissement ou les moments d'alimentation.*

Pour réussir clairement à vivre en paix avec l'enfant, les parents devront donc être à part entière *sujets d'une relation interpersonnelle* profonde et heureuse, et non se comporter comme objets de satisfaction et de réassurance, au même titre qu'une sucette ou un ours en peluche. Ils ne sont pas un instrument qui peut déplaire, qui pourrait être rejeté ou n'être plus aimé. Ces peurs-là sont des peurs d'enfant, pas des peurs d'adulte en relation. L'enfant aime ses parents, d'un amour immense, très solide, non remis en question par les modalités éducatives de son évolution, mais au contraire, renforcé par le bonheur de vivre en paix, en équilibre, et d'évoluer en sécurité.

Méprise aussi sur ce dont l'enfant a besoin. Dans toutes les sensations confuses, agréables et désagréables des premières semaines de vie, l'enfant découvre peu à peu tous les éléments sur lesquels il va fonder sa personnalité et son comportement. Le besoin et sa satisfaction, le désir et le non-désir, le plaisir ou le rejet, la paix et la souffrance, la joie et la tristesse, la tendresse et la solitude, l'évolution et l'envie de revenir en arrière, l'intrépidité et la peur...

Au début, toutes ces notions sont très floues pour lui. Il ne fonctionne qu'en tout ou rien, en bien-être ou mal-être sans plage neutre, sans tolérance possible des mauvais moments. Évoluer, c'est apprendre à relativiser ces sensations primaires, à différencier au fil des jours ce qui est du domaine du besoin et ce qui est du domaine du désir. Nous en avons déjà parlé, mais c'est une notion tellement essentielle qu'il n'est sans doute pas inutile d'y revenir.

Le besoin, c'est tout ce qui est indispensable à la survie ou à l'évolution. C'est la faim, la chaleur, la propreté élémentaire, la relation chaleureuse qui permet à un enfant d'être pris en charge et, donc, d'exister. Un besoin doit être assouvi car il est indispensable à la vie.

Le désir, c'est un « plus », une modulation vivante du besoin qui engendre la dynamique, la création, le rêve, l'imaginaire, le jeu... Pour chacun d'entre nous, la confusion entre ces deux domaines est fréquente. Dans une société d'abondance, où pratiquement les problèmes de besoin ont disparu, nous nous fabriquons très souvent de faux besoins à partir de nos désirs, et nous supportons très mal de les voir échouer puisqu'ils nous semblent être de réels besoins. Un adolescent qui ne peut supporter de ne pas s'acheter la mobylette dont il a envie, l'amoureux qui n'ose approcher de l'être aimé et croit en mourir, la femme qui rêve d'un enfant et se détruit de ne pas le concevoir, l'adulte incapable de stopper une intoxication alcoolique, le bébé qui ne s'endort que dans les bras, tous sont dans le domaine du désir sans le savoir, et sans savoir le gérer, puisqu'ils en souffrent ou s'y détruisent !

L'équilibre, le premier équilibre psychologique, est de savoir différencier ces deux réalités de notre vie :

savoir répondre aux besoins et jouer du désir. Il est indispensable de donner au désir sa juste place, sa place de moteur positif, de source de bonheur, sa place de création imaginaire, apprendre à le vivre, à en jouir sans en souffrir.

Tout cela, l'enfant l'apprend dans les premiers mois à partir de choses simples : la faim, le sommeil, la relation tendre... À nous de l'aider dans cette recherche, pour lui permettre la plus immense découverte qu'il fera jamais sur lui-même...

Pour l'aider, **il faut lui donner le temps de sentir vraiment en lui ce qu'il ressent, puis les moyens de l'exprimer**. Trop de parents réagissent très vite à la demande d'un bébé, devancent même son appel, croyant anticiper ses besoins et lui éviter d'en souffrir. C'est faire peu de cas des possibilités de l'enfant de reconnaître lui-même ce qu'il vit et de le dire. À trois mois, un enfant sait déjà parfaitement reconnaître la faim et l'exprimer de façon spécifique. Si chaque fois qu'un bébé pleure on lui propose à manger, il mélange tout, se dit qu'il avait probablement faim « quand même » puisque les parents qu'il aime lui ont apporté à manger, et il oublie de dire avec ses moyens à lui qu'il avait envie d'aller se promener ou de changer de position dans son berceau. À la longue, il ne prendra plus la peine de rechercher en lui ses propres perceptions, il se fiera à son entourage pour analyser ce qui se passe en lui, devenant ainsi totalement dépendant pour se connaître lui-même, passif devant ses propres désirs qu'il ne contrôle plus et dont il ne saura pas jouer... Sentez-vous à quel point se décide là la réussite ou le repli d'une personnalité ?

Apprendre à un bébé à dire ses désirs, à les moduler, à les vivre ou à les surmonter est le plus beau cadeau que ses parents puissent lui offrir. C'est lui donner le droit, les moyens de se connaître, un pouvoir sur lui-même, pour son contrôle et son équilibre, pouvoir qui lui permettra de devenir, un jour, un adulte libre et responsable. Cela n'en vaut-il pas la peine ?...

5

Le sommeil et l'équilibre : de 6 mois à 15 ans, les variations transitoires du sommeil

> « Un homme qui dort tient en cercle autour de lui le fil des heures, l'ordre des années et des mondes. »
> M. Proust, *À la recherche du temps perdu.*

La vie est mouvance. Un sommeil d'acier, un appétit d'ogre, un bien-être constant n'existent pas. Derrière les belles théories se cachent la réalité remuante de la vie, la recherche permanente de l'équilibre et de la sérénité malgré les troubles passagers, les difficultés, les bouleversements de l'existence ou les grandes angoisses. Certains individus, plus « doués » que d'autres, paraissent osciller un peu moins, mais leurs nuits n'en sont pas moins irrégulières, tout autant que leurs journées.

Les enfants n'échappent pas à cette règle. Quels que soient l'âge et la qualité habituelle du sommeil, il y aura des périodes creuses, des temps difficiles, des insomnies incompréhensibles, ou des moments de somnolence inexplicable... Dès l'âge de 6 mois, âge où le sommeil a atteint son organisation et sa vitesse de croisière, les changements alternatifs seront évidents, même si rien dans l'environnement de l'enfant ou sa relation avec l'entourage ne permet d'expliquer de telles variations.

Il n'y a pas d'équilibre des nuits s'il n'y a pas d'équilibre des journées. L'heure des repas, celle de la promenade, des jeux avec les copains, celle du moment de tendresse et d'échange du soir devraient être relativement stables, ou tout au moins soigneusement réaménagées au moindre trouble du sommeil. Dès qu'un enfant a quelques difficultés de sommeil, il suffit, en effet, de lui organiser un rythme calme et régulier de journée et un coucher paisible pour voir tous les signes disparaître en quelques nuits. La vie est un tout, nos journées conditionnent nos nuits, nos évolutions conditionnent nos journées, le temps qui passe conditionne notre évolution, les saisons, les lunes, les rythmes circadiens modulent le temps qui passe...

Notre existence se déroule dans cette dynamique rythmée et évolutive. Nous vivons bercés par tous les rythmes et cycles biologiques de notre corps et de notre univers, cherchant au cœur de toutes ces influences intérieures et extérieures à réguler au mieux notre être profond. Nous reconnaître mobiles, en perpétuelle recherche, en perpétuel mouvement dans un univers cyclique et changeant est le fond de toutes nos sécurités, donc de nos évolutions. Reconnaître cette mobilité, ces changements dans nos enfants, leur apprendre à en jouer, à en vivre, à en jouir, sans crainte ni rigidité, mais dans la plus grande fluidité heureuse, n'est-ce pas le plus merveilleux héritage éducatif que nous puissions leur transmettre ? Pour cela, inventons-leur quelques intenses moments de communication et des « routines » journalières apaisantes qui leur permettront de jongler au mieux avec les changements en eux et autour d'eux.

Les rites du soir : coucher et endormissement

Aller dormir devrait être le meilleur moment de la journée. Après un moment de vie active et gaie, se glisser dans un lit chaud, bien roulé en boule sous une couette douce, dans un lieu peu éclairé et silencieux, est l'une des formes simples de l'art de vivre au quotidien. La lente diminution de l'attention et des idées, l'esprit qui se met à flotter sur les images de la journée, la sensation frileuse du sommeil qui monte, la respiration qui se ralentit, les yeux qui basculent derrière les paupières encore entrouvertes, la détente musculaire progressive, les retrouvailles avec la position favorite du corps qui s'endort, l'odeur du lit sont les signes de ce bonheur de vivre et de s'endormir. Souplesse du temps, charme du soir, paix.

La base de l'équilibre, c'est la qualité de l'endormissement, donc des conditions du coucher. Pendant des années, le rituel du soir, stable, chaleureux, riche affectivement, moment d'échange et de complicité avec les parents, va être le point d'ancrage du sommeil de nuit et de sa tranquillité. Un enfant qui dort bien est un enfant qui ne craint pas d'aller se coucher, qui s'endort bien, qui se réveille bien le matin.

Si cette base est clairement construite dans la vie d'un enfant, les changements transitoires ou les variations individuelles de rythme ne seront plus que des problèmes minimes, facilement résolus sans intervention particulière des parents ou d'un soignant extérieur.

Pour réussir une telle base, point n'est besoin d'éléments compliqués. Choisir le meilleur moment, offrir à l'enfant un lieu de sécurité, lui apporter un temps spécifique de rencontre et de relation douce, lui donner la nuit, son lit comme des lieux de paix, et cela suffit... Cela vaut sûrement la peine d'y réfléchir.

Le coucher du soir,
c'est d'abord un moment à choisir

Puisque nous sommes des individus cycliques, régulés par toute une série d'horloges intérieures qui nous sont personnelles, le bon moment de l'endormissement ne peut pas être le même pour tous. *Chacun de nos enfants le vit d'abord dans son corps*, au moment où baisse la température du soir, où tombent progressivement l'excitation, la forte vigilance qui y était liée. Pour certains enfants, cette vigilance baisse dès 18 heures, pour d'autres, aucun signe n'apparaîtra avant 20 ou même 21 heures.

Dans la même famille, il n'est pas rare de rencontrer des enfants « alouettes », lève-tôt et couche-tôt, et des enfants « hiboux », couche-tard et lève-tard. Cette donnée est assez fixe pour chaque enfant, puisqu'elle est *liée à la plus profonde de ses horloges intimes, celle de la régulation thermique*. Avoir chaud, c'est être réveillé, actif, tonique, et cérébralement puissant. Le froid qui suit pousse plutôt à ne plus bouger, à se mettre au chaud dans un bon lit, à baisser la lumière et à se laisser glisser dans le sommeil. Il est donc nécessaire de *serrer au plus près le rythme propre de chacun* pour réussir une bonne éducation au sommeil.

Un des points frappants de notre société est que les parents savent tout de la courbe de taille de leur enfant, de l'évolution quasi hebdomadaire de son poids, suivent un compte minutieux de ses acquisitions, mesurent même son périmètre crânien pour se faire une idée sur le développement du cerveau, mais ignorent son cycle de température, son horloge cérébrale thermique. Là encore, même les pédiatres oublient de poser cette question essentielle avant de conseiller des parents sur le sommeil d'un enfant : « À quelle heure se réveille-t-il le matin, à quelle heure du soir manifeste-t-il les premiers signes de fatigue, quelle est l'heure de son pic thermique d'après-midi ? » Armé de ces trois points, il est pourtant simple de déterminer le meilleur moment pour programmer le rituel du soir et le coucher d'un enfant.

Même si cette horloge n'est pas connue, il n'est pas difficile de dépister *les premiers signes d'endormissement* : petit ralentissement de l'activité, impression de froid qui fait se pelotonner l'enfant, envie de sucer son pouce, de se bercer avec son doudou favori, et puis bâiller, bâiller, ce signe trop décrié, oublié, qui a une énorme valeur de détente et de changement de rythme de nos horloges. Paradoxalement, les signes inverses peuvent avoir la même signification : une hyperexcitation, véritable emballement de la phase active de fin d'après-midi, est un signal de fatigue et de moindre contrôle qui doit donc être reconnu pour tel. Si un enfant s'excite anormalement le soir, hurle, crie, saute sur son lit, il a sûrement sommeil, mais lutte contre les signes de fatigue par cette agitation exagérément déployée.

Ces enfants-là auraient intérêt à vivre un moment d'activité sportive ou physique intense en fin d'après-midi : sport, piscine, vélo, marche à pied, puis, environ une heure avant les signes d'emballement, à rentrer calmement à la maison, lire un moment au chaud, se livrer à une activité calme avec l'un des parents, pour ralentir peu à peu le rythme, et laisser monter les signaux d'endormissement. Rentrer de l'école, s'asseoir pour faire des devoirs au moment du plus grand besoin de bouger et de crier, s'affaler

ensuite devant la télévision pour « encaisser » des scénarios de violence, partager un repas avec toute une famille tendue, énervée, toujours devant la télé qui, maintenant, débite des informations inquiétantes, sont autant de raisons de gâcher la qualité du soir, celle du repos et de l'endormissement.

Tant que le moment qui précède le coucher sera un temps de lutte et d'agitation, le sommeil de nos enfants en souffrira. Un temps d'activité physique en fin d'après-midi, puis un temps de repos et de rencontre seraient mille fois mieux appropriés. À nous de les réaliser.

● **Le coucher du soir, c'est aussi un lieu,** lieu de sécurité, toujours le même lit, dans la même chambre, avec les mêmes objets favoris, une pénombre reposante, le silence, la chaise où s'assiéra l'adulte qui vient raconter l'histoire et faire le câlin du soir...

C'est un lieu qui doit appartenir totalement à l'enfant, où il peut apporter ses mille et un trésors, cacher ses animaux en peluche, inviter ou rejeter ses frères et sœurs ou ses parents, choisir dès qu'il saura en marquer les préférences la couleur et la douceur des draps, le nombre de couvertures. Il est seul maître de la position qu'il prendra, des moments dans la journée où il aura envie de s'y replier, d'y rêver, de s'y cacher. Lit-refuge, lit-repaire, lit-repère, là est la sécurité.

Nous devrions apprendre à respecter cette évidence : ne pas remettre à longueur de journée les objets favoris dans le coffre à jouets, ne pas imposer à l'enfant un lit soigneusement bordé dès le matin, interdit de séjour jusqu'au soir, ne pas lui demander ce qu'il fabrique dans les moments où il choisit de s'y poser, ne pas lui imposer pour de fausses raisons d'hygiène ou d'ordre un lit fermé incaccessible, et, encore plus important, accepter toutes les positions qu'il aura envie de prendre au cours de la nuit et ne pas chercher à le « remettre à sa place ». Il n'y a aucun risque à dormir sous les couvertures, ou à quatre pattes, les fesses en l'air dans un coin du lit, ou en travers de l'oreiller. Si l'enfant s'est endormi ainsi, c'est qu'il se sent bien. N'est-ce pas évident ?

Et puis surtout, surtout parce que ce serait beaucoup plus grave, ne jamais menacer un enfant d'aller au lit dans un moment d'énervement, ne jamais le coucher de force pour faire céder une colère ou taire un chagrin. Pas de chantage, du genre : « Si tu ne fais pas telle chose, tu iras au lit. » Il y a dans ces comportements une perversion profonde, une méconnaissance totale des rites du sommeil et des équilibres fondamentaux et, plus dramatique que tout, une véritable prise de pouvoir sur l'enfant dans ce qu'il a de plus secret.

Si un enfant est trop énervé pour retrouver seul son *self-control*, mieux vaut le baigner ou lui mettre un peu d'eau fraîche sur le visage, en l'invitant d'une voix ferme, mais douce, à se calmer. S'il se met en rage et refuse toute communication, on peut lui imposer de rester dans sa chambre jusqu'à ce qu'il se calme : dans sa chambre, mais pas dans son lit. Il aura ainsi la liberté de s'y réfugier s'il en ressent le besoin, ou, au contraire, celle de ne même pas le regarder tant qu'il n'a pas résolu avec lui-même et avec ses parents son problème d'énervement. Dans toutes les négociations entre un enfant en colère et un adulte, seuls doivent prévaloir les mots d'apaisement, les incitations au contrôle et, ensuite, quand l'enfant a retrouvé son calme, peuvent se dire les raisons du malaise et les désirs qui en surgissent.

Ce sont là les conditions absolument nécessaires d'une *éducation positive*, sans menace ni chantage, éducation où l'adulte respecte l'enfant et peut lui apprendre à se sortir d'une situation désagréable pour tous, et où l'enfant apprend en retour à moduler ses émotions et à respecter les adultes de son entourage. Équilibre de vie en société, systèmes éducatifs qui ont pour but l'épanouissement personnel et l'intégration d'un enfant dans son univers familial et social.

Le lit est l'un des points forts dans la vie d'un enfant. Il n'est pas souhaitable à l'heure du coucher qu'il y ait une alternative. La tolérance pour s'endormir dans le lit des parents ou dans le lit d'un aîné est directement à l'origine des troubles du sommeil. Parce que, soir après soir, l'escalade des chantages pour rester plus longtemps dans le lit de l'autre, pour y séjourner toute la nuit, se fera plus pressante. Ensuite, vous l'avez vu, le changement de lit, de conditions d'endormissement après le premier sommeil sont la porte ouverte aux appels répétés puisque l'enfant ne sait plus où il est et veut retrouver à chaque micro-éveil les conditions de son endormissement.

Le lit des parents est un lieu pour les câlins et la tendresse du matin, pour les fous rires des dimanches et les petits déjeuners au lit des matinées fériées. Ce n'est pas un lieu pour dormir, mais un lieu pour se retrouver, heureux après une bonne nuit. La sécurité et la qualité du sommeil de nos petits sont à ce prix.

● **Le coucher du soir est un temps de relation**, un temps spécifique consacré à l'enfant, à chaque enfant dans une famille. Moment de présence d'un ou des parents, moment de dialogue pour raconter ce qui s'est passé dans la journée, pour parler de la nuit qui vient et du repos, pour démystifier les craintes du soir, relativiser les soucis, calmer les angoisses qui surgissent avec la nuit, évoquer le réveil et les charmes du lendemain. Certains signes ne trompent pas quant à la disponibilité que nous pouvons offrir : le simple fait de s'asseoir à ses côtés a sans doute plus d'importance que le temps que nous lui consacrons.

Selon l'âge et la réalité de vie de chaque enfant, la demande sera très différente.

● Vers 6 mois, un bébé aime entendre les mêmes paroles de bonsoir et la même musique douce, toujours la même et très courte, pour s'arrêter avant qu'il ne soit endormi, pour ne pas en faire une association néfaste au sommeil de nuit. Les berceuses chantées par les parents se perdent. Quel dommage, il y en a de si belles ! Dès cet âge-là, la présence dans son lit d'un objet à lui, spécifique de son endormissement est un gage de bonne nuit. Il a besoin, en quittant sa mère, ses parents, de se raccrocher à quelque chose de stable, qui ne le quittera pas, dont il fera le compagnon indispensable de son sommeil. Selon les enfants, toutes les fantaisies sont possibles : un bout de drap à se mettre sur le visage ou à s'enfoncer dans la bouche pour le sucer voluptueusement, un vieux linge favori, choisi pour sa douceur et son goût inimitable, un ours en peluche, une véritable collection d'animaux, un peu de bourre d'une couverture pour se caresser le nez, une mèche de cheveux à sucer...

• Vers 9-10 mois, âge de fréquentes terreurs nocturnes (voir chapitre 7), le rituel du coucher doit être encore plus rassurant, apaisant. L'enfant sait parfaitement la présence et l'absence, sait que ses parents sont indépendants de lui, peuvent le quitter, et cette première crainte d'abandon induit parfois des difficultés transitoires d'endormissement et des pleurs de nuit. Lui dire que, pendant son sommeil, ses parents seront dans le séjour en train de lire ou de bavarder avec des amis, puis dans leur chambre jusqu'au matin, est un excellent moyen de le rassurer. Lisez les berceuses traditionnelles. Leur texte a toujours trait au quotidien de la famille et à l'activité simple des uns et des autres pendant que l'enfant dort. Pourquoi ne pas en inventer, sur l'air de sa mélodie favorite du soir, pour lui raconter sa vie à lui ? Ou alors, pour ceux que le chant a quittés, raconter doucement la nuit qui vient et, ensuite, avant de laisser l'enfant, lui brancher sa musique habituelle.

• Dans la deuxième année, le sommeil se stabilise. La nuit est statistiquement plus longue mais le sommeil est souvent gêné par les grandes acquisitions : la marche, le langage, la propreté. Toutes ces performances représentent d'incroyables évolutions, d'énormes transformations physiques et intellectuelles, uniques dans l'histoire d'un individu. Jamais, à aucun autre moment de notre vie, nous ne serons capables d'engranger autant de découvertes et de connaissances en aussi peu de temps. Il n'est pas étonnant que l'effort cérébral que cela représente entraîne par moment des difficultés transitoires du sommeil, comme, plus tard, la préparation d'un examen, ou une série anormale de changements. Nous y reviendrons.

À cet âge, l'enfant peut se lever de son lit et viendra sûrement, un soir ou l'autre, vérifier si ce que vous avez dit de votre soirée, de votre nuit, est vrai. N'oubliez pas de lui annoncer calmement le moindre changement, de lui dire que, ce soir-là, il sera gardé par une *baby-sitter*, ou par sa grand-mère, ou par ses aînés. Il a besoin de savoir la vérité pour être en paix et ne vous en voudra de vos absences que s'il sent en vous une culpabilité à exploiter. Si vous êtes honnête avec vous-même et avec lui, ce que vous lui direz de votre soirée en le couchant ne pourra que faciliter son sommeil. S'il a envie d'écouter sa musique deux ou trois fois avant de s'endormir, donnez-lui les moyens de la remettre lui-même en route, en lui offrant, par exemple, un jouet dont il suffit de tirer la ficelle pour entendre la mélodie. Même s'il l'écoute plusieurs fois avant de s'endormir, s'il se tient ainsi compagnie jusqu'au moment de son endormissement, pourquoi pas ?

Également, dans cette période, peuvent commencer les histoires du soir. Les petits livres imagés pour enfants sont nombreux et souvent délicieux. L'enfant peut choisir celui qu'il veut entendre, les images qu'il regardera avec bonheur. Il aura peut-être envie de

garder son livre dans son lit comme compagnon de
nuit. Il apprend à sélectionner des images pour enri-
chir son imaginaire, prendre du recul sur le présent
et ce qu'il en perçoit de difficile.

Un des risques de cette période est de laisser
l'enfant être envahi par la routine du soir, de le laisser monter les enchères sur le thème : « Encore un
baiser, encore une histoire, encore un petit baiser,
un petit, le dernier, puis encore un. » Ce chantage,
délicieux au début, doit être contrôlé attentivement
par les parents qui doivent apprendre à dire fermement, quand c'est nécessaire : « Non, ça suffit comme
ça, maintenant tu dois dormir, bonne nuit », et
l'interrompre sans aucune hésitation. L'enfant s'y
retrouvera bien mieux que s'il ne sentait plus les
limites.

• Entre trois et quatre ans, l'enfant commence à
percevoir la différence entre le rêve et la réalité, entre
sa vie et son imaginaire. Il découvre que les cauchemars qui le terrifient ne sont que des rêves et qu'il
ne risque rien. Il découvre aussi que ce qu'il vit arrive
à tous les autres, enfants, adultes. Il aime les histoires de cauchemars, de rêves merveilleux, d'évasions
nocturnes pour des voyages fantastiques. Il élargit
ainsi son horizon. Les histoires variées et colorées
dont il garde le libre choix lui permettent de mieux
réguler, au travers d'événements irréels ou symboli-
ques, ses propres angoisses et ses interrogations sur
lui-même.

• Plus tard viendront les questions du soir, les dia-
logues avec les parents sur le thème de l'école, des
événements de la journée, des désirs ou des difficultés

rencontrées, moments de dialogue toujours aussi importants pour la sécurité du sommeil de l'enfant. Il comprend que l'insomnie existe certaines nuits pour chacun d'entre nous, qu'il est possible d'en faire un moment très actif et efficace, au lieu de la prendre au tragique. Il connaît ses rythmes et sait les moduler. Mais le temps de disponibilité et d'écoute des parents reste capital, même s'il n'est plus indispensable au sommeil.

• Seuls les adolescents préfèrent parfois à ce moment de dialogue un temps de calme et de solitude, pour lire ou écouter leur musique dans leur chambre. Pourtant, même chez les plus grands, on entend encore la petite phrase : « Tu viendras me faire un baiser dans mon lit quand tu iras te coucher ? »

• **Le coucher du soir est un temps de paix.** Parler calmement, dialoguer, laisser venir le « sommeil-ami », rêver lentement de repos en constitue la trame. Aux différentes périodes clés de son évolution, l'enfant cherchera peut-être à provoquer des changements correspondant davantage à ses désirs du moment. Si ces changements ne vont pas dans le sens d'un apaisement, les parents auront la fermeté douce de les refuser, de les gérer autrement. Nous retrouvons là la problématique, déjà longuement exposée, du besoin et du désir dont ils ont la responsabilité éducative. Ne pas transiger sur les besoins indispensables de paix et de sommeil, c'est aider l'enfant à se construire dans ses rythmes essentiels.

Bien sûr, certaines périodes seront plus chahutées que d'autres. Chaque enfant traverse des moments de lutte : lutte pour ne pas aller se coucher, pour ne pas s'endormir, lutte pour rester avec la famille, lutte pour dormir dans les bras du parent bien-aimé... Tout y concourt : la crainte de la solitude, la vie tardive de la famille, l'agitation du soir dans un minuscule appartement, les tensions du moment, la télévision, le désir et la peur. L'image que nous donnons à nos enfants n'est-elle pas qu'être grand, c'est veiller tard le soir ? Il est normal qu'ils nous renvoient ce désir en écho, quand ils se sentent grandir et évoluer.

Les peurs du soir

● *Nous avons tous eu peur le soir. Nous connaissons, à la moindre occasion, des temps où il est moins facile de s'endormir. Peur de ne pas se réveiller le lendemain pour prendre un train, peur de ne pas dormir à cause d'une tasse de café supplémentaire ou d'un événement désagréable dans la journée sont les plus banales et les plus évidentes de nos peurs au quotidien. Oserions-nous dire les autres, nos peurs des soirs d'automne, les accès de jalousie, les moments de dépression ou d'intolérance ?*

La tombée de la nuit, le froid qui monte, les bruits de l'environnement qui se modifient, tous les rites de fin de journée constituent une période de transition souvent délicate. Il est plus difficile de contrôler ses inquiétudes, ses émotions la nuit que le jour. L'immobilité, l'obscurité, la solitude nous rendent vulnérables, font resurgir en nous l'enfant anxieux et fragile qui a besoin de se rassurer.

Nos enfants, eux aussi, voguent d'un soir à l'autre en fonction de leurs expériences et de leurs émotions. Tout ce qu'ils vivent peut influer sur la qualité de leur endormissement. De façon très schématique, tout étant lié, on peut décrire deux grands types d'expériences qui angoissent l'enfant et font naître en lui des peurs du soir : les grandes variations du quotidien et les illusions hypnagogiques.

Les expériences quotidiennes de l'évolution

Les premiers jours de garde d'un bébé, à la crèche ou chez une nourrice, s'accompagnent souvent de troubles du soir. Il découvre l'absence, et à cet âge où son comportement émotionnel est régulé en tout ou rien, absence et abandon sont presque synonymes. Il lui faudra quelques jours pour découvrir les retrouvailles et l'alternance, deux bases de son équilibre ultérieur. Pendant ces quelques jours, il

sera sans doute beaucoup plus « collé » à ses parents
à leur retour et pleurera pour aller se coucher de peur
de les « reperdre ». Ce n'est de sa part ni un chantage, ni un signe de souffrance insurmontable. Il
exprime à sa manière qu'il a perçu le changement
et ne demande qu'à être rassuré sur l'amour que
ses parents lui portent. Dès qu'il s'apercevra qu'il
n'a rien perdu, il pourra découvrir avec bonheur le
nouvel univers dans lequel se dérouleront ses journées.

Au cours de ses premières années, l'enfant va
affronter toute une série de passages difficiles, directement liés à sa propre découverte de lui-même et
à la montée progressive en lui d'émotions inconnues :
la peur du noir, la prise de conscience de ce moment
si particulier où il « coule » dans le sommeil, les premiers sentiments de colère, de jalousie, d'agressivité,
de violence. Il y aura les grandes acquisitions : marche, propreté, langage, mais chacune sera ambiva-
lente : fierté et bonheur d'évoluer, mais peur de n'être
pas encore capable d'une telle réalisation, d'un tel
contrôle. Il y aura aussi les cauchemars et leurs souvenirs, les grandes périodes imaginatives avec leurs
cortèges de monstres et de voleurs, puis plus tard
l'anxiété devant les fortes pulsions sexuelles, les grandes interrogations sur la vie, la mort, la souffrance,
la naissance, et pour certains, Dieu, Satan, l'enfer,
la découverte de la responsabilité, l'élargissement du
champ de conscience et le devenir de l'homme...

Plus tard encore les rythmes scolaires, les rencontres
plus ou moins faciles avec les copains, l'intégration
dans un groupe, les compétitions sportives ou musi-

cales, les amitiés, le bouleversement des premières amours auront leur incidence sur le sommeil.

Tout au long de ces années, la relation que l'enfant noue avec ses parents module également ses anxiétés et donc, directement, ses peurs du soir. Peur d'être insuffisamment écouté, peur de déplaire, peur de ne pas être assez aimé, peur d'envahir, peur de ne plus être le seul enfant, peur de rester unique et trop entouré, peur de n'oser dire qu'il faut plus de liberté pour évoluer, peur de la fragilité trop apparente de certains parents sur lesquels il ne peut compter, peur de la colère qui parfois monte à cause d'eux, peur de n'être pas l'enfant idéal dont les parents auraient pu rêver... Toutes ces interrogations existent. Si elles ne peuvent se dire, l'enfant se sentira coupable de les ressentir et risque de dormir moins bien.

Il est évident que certains événements familiaux douloureux ne pourront qu'aggraver le problème : séparation des parents, divorce, bagarres familiales répétées, maladie d'un proche, deuil, alcoolisme ou violence d'un des parents.

Enfin la télévision apporte indiscutablement à nos enfants un lot de violence et de scènes insoutenables ; images de guerre, de prises d'otages, de destruction, mais aussi films en apparence moins rudes mais qui perturbent plus gravement par les émotions qu'ils suscitent. Certaines histoires de kidnapping, ou des images d'un enfant agressant ses parents sont, à cet égard, particulièrement choquantes.

Les illusions hypnagogiques

Également appelées par les médecins « hallucinations hypnagogiques » (du grec *agôgos* = qui conduit, et *hypnos* = sommeil), il s'agit de toute une série de phénomènes physiques ou mentaux, qui précèdent ou suivent immédiatement le sommeil. Ces phénomènes, que vous avez fréquemment ressentis et que vous allez sûrement reconnaître, sont en réalité très mal connus et presque jamais décrits dans les livres traitant du sommeil.

Ces phénomènes sont normaux, banals, très faciles à expliquer au niveau neurophysiologique. Tout le monde les éprouve et même très souvent. Les personnes calmes et détendues en s'endormant les vivent presque sans s'en apercevoir. Mais certains individus inquiets, déprimés et, de sucroît, mal informés peuvent en faire de véritables sources d'inquiétude. Pour les enfants de 3 ou 4 ans, ils forment une composante indiscutable de leurs peurs du soir, il faudra donc savoir leur expliquer ce qui leur arrive.

● *Les causes neurophysiologiques*

Les illusions du soir surviennent à l'endormissement, au moment où baisse la vigilance et où nous nous laissons partir dans le sommeil. Se laisser partir, cela signifie suppression du système de contrôle de l'état de veille, et donc relâchement de certains mécanismes physiques et, en même temps, diminution des systèmes de défense psychique.

Les illusions du matin surviennent au réveil, représentant une dissociation entre le corps et l'esprit, le corps étant encore en état de sommeil paradoxal (rêve+paralysie motrice) alors que la conscience est déjà éveillée.

La grande caractéristique de ces illusions, et qui les différenciera des terreurs ou cauchemars examinés au chapitre 7, c'est que l'individu est peu vigilant mais conscient, donc critique puisqu'il est réveillé.

● *L'aspect clinique*

Il est extrêmement polymorphe, associant en proportions variables des manifestations physiques et des hallucinations mentales plus ou moins élaborées.

Au niveau du corps, le phénomène le plus connu est le sursaut d'endormissement, détente musculaire brutale, qui fait reprendre pied dans la réalité. Tout aussi étonnant, la perte de tonus de l'endormissement peut donner une impression désagréable de paralysie, d'impossibilité de bouger, de se déplacer dans le lit, voire de crier. Il peut se produire aussi des sensations étranges au niveau des membres, l'impression qu'un bras devient soudain très lourd, ou plus gros que l'autre, ou qu'il s'étire jusqu'au pied du lit, ou qu'il a pris une curieuse position dans le lit, en sens inverse de ses possibilités articulaires. Tous ces signes sont appelés par les médecins « illusions somesthésiques ». Les manifestations physiques sont également sensorielles, par transformations hallucinatoires de la réalité : hallucinations visuelles car les ombres au plafond ont soudain une forme inquiétante ; auditives (appelées acouphènes) : bruit étrange, incompréhensible, où l'on ne reconnaît plus les bruits connus du vent, du lave-vaisselle ou de la chaudière ; illusions olfactives : une odeur désagréable ou inconnue dans la maison ; gustatives : goût curieux dans la bouche. Il y a aussi les sensations tactiles, à la surface de la peau : petits grattouillis, chatouillements pouvant évoquer la présence d'une fourmi, d'une puce ou d'un autre animal dans le lit.

Au niveau de la pensée, la diminution des défenses psychiques produit une montée d'angoisse irraisonnée, des fabulations inquiètes : peur d'un monstre sous le lit, peur d'un voleur derrière le rideau qui a un drôle de pli, peur d'un incendie, d'un accident pendant le sommeil...

Les hallucinations du réveil sont presque toutes des impressions de paralysie : paralysie totale du corps ou paralysie d'un membre que l'on ne peut ramener à sa place. S'y ajoutent parfois des sensations de crampes, de fourmillements désagréables. Étant donné ce que nous avons dit sur l'origine de ces troubles (dissociation éveil-sommeil du corps et de la conscience), ces signes n'ont rien d'étonnant mais sont souvent très angoissants, même pour des adultes qui se demandent s'ils ne sont pas en pleine crise épileptique, ou victimes d'une paralysie consécutive à un accident vasculaire cérébral. Pour l'enfant, l'impression de ne pouvoir ni bouger ni crier est terrifiante.

Inutile de décrire comment l'association « hallucinations physiques et montée de l'angoisse » peut conduire à des « cauchemars éveillés », véritables fables d'endormissement ou d'éveil dont, par moments, nous avons eu l'impression atroce de perdre les rênes. Le simple sursaut du soir n'est-il pas devenu en de multiples occasions une chute épouvantable dans le vide, avec des images de montagne ou de tour d'où l'on était jeté, et la peur horrible de s'écraser en bas... Et l'étirement d'une ombre au plafond, avec un bruit suspect de respiration près de vous dans la chambre, ne vous a-t-il jamais poussé à allumer la lumière pour vérifier, en tremblant plus ou moins, qu'il n'y avait pas un individu dangereux, prêt à vous sauter dessus pour vous dévaliser ou vous violer... Personne n'en parle, mais tout le monde le vit, avec des majorations fantastiques dans les périodes de stress ou de déprime. Nos enfants le vivent, avec moins d'esprit critique et moins de possibilités de contrôle sur la réalité que les adultes. Ils auront donc besoin d'aide pour comprendre ce qui leur arrive.

Comment se comporter devant les peurs du soir ?

Quelle que soit la cause des peurs de l'enfant, la relation d'aide est une relation de réassurance. Le travail des parents est de décoder ce qui se passe et d'expliquer à l'enfant la manière de s'en sortir. En aucun cas, une aide efficace ne peut consister à protéger au premier degré. Protéger, accepter que l'enfant dorme avec eux, dans leur lit, ne résout rien, au contraire. Ce dont il a besoin, c'est d'être compris, entendu... et de dormir, comme d'habitude, dans son propre lit !

L'essentiel de ce décodage se joue à trois niveaux :

• L'enfant est-il réellement terrifié, effrayé au moment d'aller dormir, ou n'a-t-il pas trouvé un bon « truc » pour faire marcher ses parents (au sens propre comme au sens figuré) et les retenir près de lui ? Auquel cas il fait preuve de beaucoup d'astuce, et peut avec humour en être félicité, à condition, bien sûr, d'arrêter le processus immédiatement. Par contre, s'il a réellement peur — on en juge non seulement par ce qu'il dit mais par des signes physiques comme la transpiration, la pâleur, le cœur qui tape, une incapacité à réagir ou à se contrôler —, il aura besoin d'une réelle réassurance avant d'aller dans son lit. Dans cette estimation, les parents se doivent d'être « sages », ce qui veut dire avoir un peu de recul dans leur relation à l'enfant pour ne pas faire intervenir leurs propres craintes, leurs vieux souvenirs d'anxiété d'enfants ou une culpabilité passagère. Le métier des parents est de n'être pas dupes de ce qui se joue, d'y répondre en rassurant et dédramatisant au niveau où l'enfant en a besoin.

• Deuxième question devant un enfant de 3 ou 4 ans : est-il dans une période d'illusions hypnagogiques et est-ce cela qui lui fait peur ? La simple description par l'enfant de ce qu'il ressent ou « voit » en s'endormant permet de faire le diagnostic. La localisation dans le temps, juste à l'endormissement ou juste au réveil, ne peut correspondre qu'à ce trouble-là. Bien se rappeler, aussi, que l'enfant se souvient du matin au soir, ou d'un soir à l'autre, d'une illusion hypnagogique, qu'il a peur que ça recommence et que cette simple peur suffit à gêner l'endormissement.

• Troisième question : l'enfant vit-il, en dehors des soirées, un état émotionnel anormal ? S'il joue, rit, mange, se fait câliner comme d'habitude, les peurs du soir ne sont probablement que passagères, banales dans son évolution. Il n'y a guère de raisons de s'en préoccuper. Si, par contre, tout son comportement journalier en est transformé, s'il réagit avec une violence exceptionnelle de pleurs, de peurs, de repli, d'agressivité, à la moindre phrase négative, au moindre refus, et que ce comportement s'installe pendant plus de 4 à 6 semaines malgré une compréhension ferme et douce des parents, mieux vaudra consulter le médecin traitant pour tenter de décoder sans trop tarder ce trouble psychologique, et ne pas laisser fixer dans la personnalité de l'enfant un état émotionnel incontrôlable qui nuirait à son épanouissement.

Devant toutes les peurs du soir, la conduite à tenir est la même :

• Discuter au cours de la journée des angoisses et des soucis, ouvrir le dialogue, donner à l'enfant l'espace pour dire ce qui le tracasse ou l'agresse.

• Maintenir la régularité des horaires de repas et de coucher, ne pas modifier le rituel du soir ; en particulier ne pas rester plus longtemps que d'habitude à côté de lui, et le laisser absolument dans son lit.

• S'il est vraiment effrayé, lui dire chaque soir qu'il ne risque rien, que ses parents sont là et « assurent » pour lui, qu'il ne peut rien se passer pendant son sommeil. S'il parle de monstres sous le lit, ou de voleurs dans le placard, inutile de partir à leur recherche, ce qui renforcerait chez l'enfant la certitude qu'il avait raison d'avoir peur. Mieux vaut lui dire : « Je suis là, dans la pièce à côté, je surveille, rien ne peut arriver. »

• Expliquer les illusions hypnagogiques, dire que ce ne sont que des « farces du corps qui s'endort », qu'il n'y a aucun risque et que les images de voleur ou de monstre, tout à fait réelles en tant qu'images, ne correspondent en réalité qu'à un cinéma intérieur dont il ne faut pas avoir peur. Il est très important de dire que ces sensations sont bien réelles, de ne pas nier leur authenticité. L'enfant sait très bien ce qu'il ressent et ne saurait faire confiance, pour se rassurer, à des parents qui nieraient cette réalité. Les illusions sont des sensations physiques authentiques, et non des moments de pure imagination, même si l'angoisse qui monte tend à les majorer. L'enfant aime savoir, pour se rassurer, que tout le monde en a, que les images ou sensations peuvent être aussi variées, et qu'il ne risque rien. Surtout, ne pas entrer dans l'illusion, ne pas chercher à déloger le monstre ou le voleur, ou tuer les fourmis sur sa peau. Il ne comprendrait plus rien, et se sentirait encore plus en danger. Pour l'aider, deux moyens :

— lui dire la vérité sur ce qui lui arrive, bien expliquer cette fantaisie cérébrale — ce qu'un enfant, même petit, comprend parfaitement ;

— coucher l'enfant juste avant son heure normale d'endormissement, éviter de le laisser de longues périodes seul dans son lit et dans le noir alors qu'il n'a pas encore sommeil et, s'il réclame une veilleuse pour se rassurer, lui en donner une, et la laisser toute la nuit.

• Ce n'est que dans les cas où un état émotionnel très violent envahit l'enfant et l'empêche de vivre normalement qu'il faudra demander de l'aide. Le faire sans trop attendre. Trop de parents sont affolés devant les angoisses de leurs enfants, mais encore plus terrifiés à l'idée d'en parler à leur médecin traitant ou, plus tard, à un psychologue. Quelques séances de thérapie pour dénouer ce genre de problèmes valent mille fois mieux que de faire durer cette souffrance de l'enfant. Quant aux sédatifs anxiolytiques, ils n'ont normalement aucune place dans une telle situation. Une « petite pilule » n'apprend pas à vivre. Faire croire à un enfant qu'il est possible d'éluder ses difficultés et ses angoisses de cette manière est terrible. Des statistiques récentes montrent qu'un certain nombre de toxicomanies démarrent ainsi, en prenant l'habitude d'un médicament, d'une drogue, au moindre flottement, pour échapper à ses angoisses intérieures. C'est un risque à éviter.

Quelques « fantaisies » du soir

● *Il s'agit de manifestations très fréquentes, banales et pas du tout angoissantes, mais sur lesquelles les parents se posent parfois des questions. Nous les citerons brièvement.*

Les grincements de dents

Également appelés bruxisme, ils surviennent en sommeil lent léger. Ils sont absolument inconscients, indépendants de troubles psychologiques quelconques, mais peuvent se répéter à plusieurs périodes de la nuit, à chaque phase de sommeil lent léger. Malgré le bruit désagréable pour l'entourage, l'enfant ne manifeste aucune gêne, ni aucun trouble. Il s'agit plutôt, là encore, d'un échappement physique pur, d'un gag du sommeil.

Le seul problème éventuel est un problème d'orthodontie. Certains adultes grincent des dents avec tant de force et de manière si fréquente qu'ils les liment littéralement, ce qui réduit leur capacité de couper, mordre et mâcher. Il est parfois nécessaire de mettre des appareils dentaires la nuit pour limiter les dégâts. Mais ce problème n'existe pas chez l'enfant, dont le bruxisme n'atteint jamais cette intensité. Donc, inutile de se poser des questions.

L'enfant qui parle en dormant

Vous le savez, parler en dormant est extrêmement banal, fréquent, à tous les âges de la vie. Cela survient tantôt en sommeil lent léger, tantôt en sommeil paradoxal, au milieu d'un rêve. Les « somniloques » (littéralement : qui parlent en dormant) peuvent tenir de vrais discours, assez cohérents, de plusieurs mots, et peuvent même répondre à quelques questions, ce qui en fait le jeu favori des collectivités d'enfants et d'adolescents...

Aucune gravité, aucune incidence, gag de sommeil absolument pur.

Les balancements rythmiques

Se balancer en suçant son pouce quand baisse la vigilance, se balancer longuement dans son lit au moment de s'endormir, secouer rythmiquement le lit pendant de longues minutes chaque soir et parfois même au milieu de la nuit est extrêmement banal. Certains enfants ont besoin d'une activité rythmique pour s'endormir, et bien des adultes aussi...

Les parents s'alarment parfois d'un tableau plus curieux, celui de l'enfant qui se tape la tête rythmiquement sur le bord de son berceau, ou contre un mur, et cela plusieurs fois par nuit, d'une façon qui paraît interminable. Certains bambins savent même secouer leur berceau de telle manière qu'ils lui font traverser la chambre et taper contre les murs, circulant longuement d'un bout à l'autre de la pièce au grand dam des voisins du dessous.

Ces signes ont mauvaise réputation, même chez les médecins, qui se souviennent que les balancements rythmiques sont les manifestations fondamentales des enfants autistiques ou en grande carence affective. Mais c'est un rapprochement abusif. Ces enfants à gros désordres psychologiques se balancent jour et nuit et sont incapables de communication relationnelle vraie. Rien à voir avec un enfant en parfaite santé mentale, qui joue, rit, parle, et prend plaisir à se balancer uniquement en s'endormant.

Si les balancements sont tellement intenses qu'ils en deviennent gênants, quelques « trucs » simples suffiront à les réduire :

— matelasser le haut du lit pour diminuer le bruit et même, si nécessaire, fixer le lit au sol pour empêcher qu'il soit déplacé. Si le bruit et le mouvement sont moins intenses, l'enfant y prendra moins de plaisir et diminuera de lui-même ses réactions ;

— inutile de coucher un bambin sur un matelas par terre pour lui éviter de se cogner sur les barrières de son lit. Il irait directement choisir le mur le plus proche ;

— lui offrir un bruit rythmique au moment du coucher. Un métronome fait parfaitement l'affaire ;

— favoriser dans la journée le maximum d'activités rythmiques, par exemple la danse, les percussions, la musique, les battements de mains.

Essentiel : inutile de se faire du souci pour un éventuel trouble psychologique. Lui donner le droit de se balancer en mesure autant qu'il en a envie. Ne l'a-t-il pas fait pendant neuf mois sur l'aorte de sa mère ? S'il aime ça et si son comportement relationnel est « tout sympa », laissons-le vivre...

Au cours de l'enfance, le besoin de sommeil n'est pas constant

Les saisons règlent notre vie, tout comme les lunes ou les cycles quotidiens. La lumière et la chaleur de l'été diminuent le besoin de sommeil ; l'obscurité et le froid de l'hiver l'augmentent. D'une certaine façon, nous sommes tous, et nos enfants comme nous, des « hivernants relatifs », sans doute un peu moins ces dernières décennies du fait de la généralisation de l'électricité et du chauffage central, mais nous restons tout de même influencés par ces variations annuelles. De même, le climat du lieu où vit l'enfant modulera ses besoins de sommeil. Inutile donc de tenter d'imposer à un enfant qui dort dans l'année 9 heures par nuit, des nuits de 12 heures au mois d'août sous prétexte qu'il peut et doit récupérer. Le sommeil est un équilibre, il ne se rattrape pas. Irrationnels aussi les systèmes scolaires actuels qui mettent nos enfants en vacances prolongées dans les périodes de meilleur rendement intellectuel et de moindre besoin en sommeil. Quant aux spectacles du soir, tous regroupés dans les villes au cours des mois froids et sombres, impossible d'en faire profiter un grand enfant ou un adolescent sous peine d'une fatigue excessive... Allez trouver un film correct ou une pièce de théâtre à Paris au mois d'août... C'est toute une organisation sociale qui serait à repenser.

Le besoin en sommeil varie beaucoup d'un enfant à l'autre au cours d'une même journée. Dans la même classe, donc dans une tranche d'âge équivalente, certains enfants pourront garder une attention soutenue plusieurs heures consécutives, et d'autres auront besoin à intervalles réguliers de « **pauses-parking** ». Ce sont des moments où l'enfant laisse diminuer sa vigilance, se met en état d'**éveil passif**, ralentit ses ondes cérébrales, sans pourtant s'endormir vraiment. Ces pauses durent généralement entre dix et vingt minutes et sont un merveilleux moyen de reposer un cerveau, de lui redonner tout de suite après une acuité et une précision d'attention qu'il n'était plus en mesure d'assurer. Pour que la pause soit efficace, le corps, la tête ont besoin d'un appui, donc l'enfant se laisse aller sur son bureau, la tête dans ses bras. L'Éducation nationale, qui a tout à découvrir des rythmes naturels des enfants, devrait donner l'ordre aux enseignants de respecter ces moments de récupération. Ils ne sont pas signe de paresse, mais moyen d'augmenter les capacités intellectuelles dans les minutes ou heures qui suivront. Les pilotes d'avion, les chirurgiens, les conducteurs d'automobiles en apprennent la technique pour être performants sur de longues périodes, et on l'interdit à nos enfants qui, eux, la connaissent spontanément et passent en classe entre cinq et huit heures par jour. C'est tout à fait aberrant.

Aussi bien pour les rythmes saisonniers que pour les moments d'éveil passif, **donner la parole à son corps**, le laisser décider lui-même, en fonction des sollicitations et des variations auxquelles il est soumis, des temps de récupération dont il a besoin est l'article premier de la santé ; santé au sens d'Illitch, c'est-à-dire le parfait bien-être physique, psychique et social.

Il serait tellement important de comprendre que nous ne dormons pas parce que nous sommes fatigués, mais que le corps appelle au repos pour éviter de se fatiguer. Il faut le laisser décider librement de ses besoins. Tant que nous n'aurons pas fait de cette évidence une règle de vie, transmise à nos enfants, inutile de s'étonner des multiples maladies qu'ils présenteront.

Le sommeil ne se rattrape pas. Il ne se rattrape pas, il se dérègle. Ne pas dormir au moment où les cycles biologiques de rythme cardiaque ou de température ralentissent, tenter de dormir en pleine activité thermique et cardiaque, c'est peut-être possible de temps à autre pour franchir une étape particulière, mais en faire un mode de vie est une erreur.

Coucher un enfant deux ou trois heures plus tard que d'habitude ne l'empêchera jamais de se réveiller à la même heure que les autres matins. Il saute un ou deux cycles de sommeil et, si son corps résiste, ne dormira pas plus mais sera grognon tout le lendemain, jusqu'à ce que revienne son heure habituelle de coucher. Il faut n'avoir jamais vécu avec un enfant pour imaginer que coucher un enfant très tard le samedi est le moyen de faire une belle grasse matinée le dimanche. Ce que l'on gagne à ce petit jeu, c'est un dimanche infernal.

Interdire à un enfant de faire la sieste pour qu'il tombe de sommeil plus tôt le soir et libère ses parents qui veulent aller au cinéma est tout aussi inutile. Il aura peut-être un moment creux dans l'après-midi, mais ses heures biologiques de température, de sécrétions hormonales et de débit cardiaque étant ce qu'elles sont, l'heure de l'endormissement ne changera guère. Par contre, la fatigue pour n'avoir pas fait la sieste malgré le besoin qu'il en ressentait risque de rendre le coucher beaucoup plus problématique.

En plus, dans les deux cas, le déficit en sommeil peut entraîner des réactions secondaires. Nous avons vu que lors d'une carence en sommeil, c'est toujours le sommeil lent profond qui se récupère en premier, au détriment du sommeil paradoxal. Beaucoup de sommeil lent profond en début de nuit perturbe l'alternance normale des cycles de sommeil lent et de sommeil paradoxal, ce qui est la cause directe des terreurs nocturnes et autres parasomnies que nous verrons au chapitre 7. **Donc retarder le sommeil d'un enfant ou lui supprimer la sieste trop tôt, c'est prendre le triple risque d'un endormissement difficile, de terreurs en début de nuit, et d'une journée gâchée le lendemain.** Inutile d'en dire plus !

Le sommeil de l'adolescent

● *L'adolescence n'est pas une période idéale pour le sommeil. Les troubles sont fréquents, liés autant aux variations du mode de vie, aux problèmes psychologiques de la puberté qu'à des transformations neurophysiologiques spécifiques de cette étape. Plusieurs éléments concourent aux difficultés :*

L'allégement du sommeil lent profond est la première mutation neurophysiologique de l'adolescence. Vous avez vu que le sommeil lent est plus profond chez l'enfant que chez l'adulte. Cette évolution se fait peu après la puberté. La part des stades III et IV au cours du sommeil lent se réduit. Il ne s'agit pas d'une réduction du temps de sommeil lent, mais vraiment d'un allégement, ce qui veut dire que l'éveil sera beaucoup plus facile qu'auparavant.

L'hypersomnie physiologique de l'adolescence est l'autre caractéristique. Elle n'est pas secondaire à une carence en sommeil et existe de façon systématique, même si l'adolescent ne modifie pas ses habitudes de sommeil et de vie. Sa traduction est l'allongement de la durée de la nuit et la réapparition de siestes dans la journée, ce dont l'enfant de 6 à 12 ans, hypervigilant, était carrément incapable. Cette augmentation du temps de sommeil fait souvent dire aux parents ou aux enseignants que les adolescents sont paresseux, alors qu'il s'agit d'un authentique besoin neurophysiologique, lié à la puberté.

Ces deux raisons cérébrales sont largement majorées par les **troubles psychologiques** de l'adolescence.

La puberté, les transformations rapides du corps, les premiers émois sexuels, les premières amours, les rêves de réussite amoureuse, scolaire ou professionnelle envahissent l'espace intérieur. L'angoisse n'est jamais très loin dans cette période de changements radicaux, et le silence, que l'adolescent installe le plus souvent entre ses parents et lui, diminue ses possibilités de réassurance.

Mais l'élément le plus déséquilibrant, c'est le **dérèglement progressif des temps de sommeil**, par conditionnement social. Les soirées entre copains se prolongent tard dans la nuit, quand on ne fait pas systématiquement en fin de semaine le pari de tenir toute la nuit sans se coucher.

Du coup, le lendemain, ils dorment jusqu'en fin de matinée, fonctionnent au radar tout l'après-midi, font même une sieste pour essayer de combler leur déficit en sommeil, et, résultat, ne peuvent s'endormir le soir. Il a été décrit ainsi des « insomnies du dimanche soir » car l'adolescent qui a veillé la nuit précédente, même sans avoir pris du café pour tenir debout le lendemain, ne peut plus trouver le sommeil. Le surlendemain, sa baisse de vigilance, parce qu'il

le Sommeil
de l'Adolescent

s'est endormi trop tard, lèse la qualité de son travail scolaire. Il est donc amené à multiplier les excitants dans la journée pour tenir le coup et donc dormira encore moins bien le soir suivant.

Cette espèce de cercle vicieux est à l'origine d'un dérèglement total des systèmes de sommeil. En période de vacances scolaires, un certain nombre d'enfants se mettent ainsi, sans y prendre garde, en véritable roue libre de sommeil. Ils se réveillent chaque matin un peu plus tard, s'endorment de plus en plus tard, recréant sans le savoir le cycle quotidien de 25 heures des bébés de trois mois et des « explorateurs du sommeil » dans leurs grottes.

Au moment de la rentrée scolaire, le sommeil est totalement anarchique, à n'importe quel moment des 24 heures. Même si l'adolescent se couche à une heure correcte, il ne pourra guère trouver le sommeil, passera des nuits blanches (très mauvais, psychologiquement !) et sera épuisé et somnolent le lendemain.

Pendant toute cette période, l'adolescent vit un dérèglement complet de ses horloges internes de température, de rythme cardiaque, de sécrétions hormonales, qui génère une très grande impression de fatigue, d'épuisement physique, même si la quantité globale de sommeil est correcte. Quand, en plus, la reprise des classes diminue les heures de sommeil, la fatigue devient considérable, d'où difficultés scolaires, mauvais rendement global et, par ricochet, problèmes avec les parents.

Pour essayer de gommer les difficultés dans la journée, beaucoup d'adolescents sont portés à boire de plus en plus de café, à trop fumer, et bon nombre de **dépendances aux excitants**, et parfois à des toxiques plus durs, commencent ainsi. Dépendance dont il sera très difficile de se débarrasser ensuite, car l'organisme n'acceptera pas sans heurts un sevrage pourtant désiré. Parfois aussi, et c'est dramatique, commence ainsi la ronde des somnifères, ce qui ne règle rien et n'apporte qu'une toxicité physique et cérébrale supplémentaire.

Tout ce que nous venons de décrire est suffisamment clair pour que des parents puissent éviter à leur adolescent une telle escalade. Maintenir des horaires réguliers d'éveil le matin, diminuer les cigarettes du soir, n'accepter les nuits avec les copains qu'en période de vacances, cela suffit pour ne pas tout compromettre. Par contre, il n'est pas inutile de voir **comment revenir en arrière, quand le dérèglement est installé** :

• interdire les excitants à partir de midi. Ni tabac, ni café en fin d'après-midi et en soirée ;

• si l'adolescent n'a que le problème de s'endormir un peu tard, vers 23 heures par exemple, mais tous les soirs à la même heure, il faut lui proposer de se lever chaque matin à la même heure, mais de se coucher chaque soir un peu plus tôt, un quart d'heure plus tôt que la veille par exemple, jusqu'au moment où il pourra s'endormir rapidement à une heure plus compatible avec ses besoins physiologiques de sommeil, sans doute vers 21 h 30 ;

• si l'adolescent est carrément déréglé, ne s'endort que passé minuit, et de plus en plus tard, ou même ne va se coucher spontanément qu'à 5 heures du matin, deux impératifs :

— supprimer les soirées interminables du samedi soir et ne les autoriser qu'en période de vacances, tant que le trouble du sommeil a des incidences sur les performances scolaires ;

— lui proposer de se coucher chaque soir **un peu plus tard**. Cela peut paraître tout à fait paradoxal, mais c'est la solution la plus rapide. Il s'agit de laisser ses horaires de sommeil rattraper progressivement ses rythmes circadiens profonds. Se coucher de plus en plus tard va dans le sens de ce qu'il aime, c'est-à-dire se coucher tard, et lui permet de s'endormir chaque fois sans trop de difficultés, ce qui facilite l'évolution des horaires.

Prenons, par exemple, le cas d'un adolescent habitué à se coucher à 3 heures du matin. En moins d'une semaine, et en retardant l'heure du coucher de trois heures chaque fois, on lui fait vivre un « décalage horaire » progressif tout à fait supportable.

Avant le traitement	coucher 3 heures	lever 12 h 30
1re « nuit »	6 h	15 h 30
2e nuit	9 h	18 h 30
3e nuit	12 h	21 h 30
4e nuit	15 h	24 h 30
5e nuit	18 h	3 h 30
6e nuit	21 h	6 h 30

Dès lors, la partie est gagnée. En ayant dormi chaque fois aussi longtemps, donc sans déficit grave de sommeil, l'adolescent a rattrapé ses rythmes. Si on commence le traitement un samedi, seuls les lundi et mardi seront des journées de scolarité gâchées. Dès le mercredi (horaire 18 h-3 h 30), l'adolescent peut retourner au lycée. Deux jours d'absence contre des mois de somnolence. Inutile de préciser ce qui améliorera les résultats scolaires.

Évidemment, le plus gros travail sera de persuader l'adolescent de la nécessité de ce « réglage », de lui faire comprendre à quel point ses troubles du sommeil retentissent sur ses journées et sur ses performances intellectuelles. Aux parents de trouver les arguments qui le convaincront. Sans la conviction de l'adolescent que cette évolution lui sera profitable, inutile d'essayer.

Enfin, un dernier petit point qui a son importance. Quand des adolescents sortent le soir pour aller danser et doivent revenir en voiture, il n'est sans doute pas judicieux de leur dire vaguement : « Ne rentre pas trop tard. » La tentation serait grande de prendre la route au moment de grande fatigue, vers trois ou quatre heures du matin. Nous avons vu que ces heures-là étaient celles de moindre vigilance, de moindre attention, de ralentissement des réflexes, celles du maximum d'accidents sur les routes. Il est préférable d'expliquer les cycles nocturnes de vigilance, puis de proposer soit de rentrer avant une heure du matin, soit d'attendre carrément le réchauffement et la meilleure vigilance de l'aube.

6

L'enfant qui ne veut pas s'endormir seul et celui qui se réveille la nuit : les associations d'endormissement

> « J'ai peur du sommeil comme j'ai peur d'un grand trou noir, tout plein de vague horreur, menant je ne sais où... »
>
> Baudelaire.

Pour un certain nombre d'enfants, les éveils nocturnes, multiples, répétés, proches de ceux des premières semaines de vie, vont se poursuivre pendant des mois ou des années, au prix d'une fatigue et d'une rancœur plus ou moins dissimulées par les parents qui n'en peuvent plus de ne pas assez dormir.

En pédiatrie courante, les consultations pour difficultés du sommeil représentent près de un sur dix des entretiens, et le thème central est presque toujours le même : l'enfant dort mal, ne veut pas s'endormir, réveille ses parents chaque nuit (jusqu'à six ou sept fois par nuit) et, à chaque éveil, ne peut se rendormir sans leur intervention. En pratique, le titre de ce chapitre est faux, car c'est souvent le même enfant qui présente toutes ces difficultés : difficultés d'endormissement et réveils multiples. Par rapport à ce problème typique, les consultations pour d'autres troubles du sommeil sont exceptionnelles.

Nous connaissons des parents dont aucun des enfants n'a su dormir des nuits complètes avant l'âge de 4 ans, des parents qui hésitent à demander comment réagir avant que l'enfant n'ait déjà 9 ou 10 mois, des parents qui se sentent abominablement coupables d'avouer, six mois après la naissance de leur enfant, qu'ils ont sommeil et voudraient dormir. Beaucoup d'entre eux pensent qu'il s'agit là d'une phase normale de la petite enfance, qu'élever un tout-petit vaut bien tous ces désagréments, et surtout, surtout, n'osent pas dire à l'enfant : « Ça suffit maintenant, il faut que tu dormes et nous aussi, tu es assez grand pour dormir sans nous réveiller. » Ils ne se rendent pas compte que, si l'enfant n'entend pas une telle phrase « à temps », il ne comprendra pas ensuite pourquoi ses parents changent de mode éducatif — qu'est-ce qui leur prend soudain ? — et manifestera, c'est sûr, un désaccord violent qui continuera de gâcher le sommeil de toute la maisonnée.

Le tableau peut revêtir divers aspects selon l'âge de l'enfant et ses conditions d'endormissement.

Ce peut être un bambin de 4 mois qui ne s'endort que dans les bras ou en étant bercé activement ; un autre qui s'endort rapidement mais avec une sucette ou un biberon dans la bouche ou une musique sur l'oreiller, et qui se réveille quelques heures plus tard, et plusieurs fois dans la nuit, parce que la sucette est tombée, ou que le biberon est vide, ou qu'il veut à nouveau être bercé ou qu'il n'entend plus la petite musique au-dessus de sa tête...

Quelques mois plus tard, l'endormissement est encore plus difficile, l'enfant ne s'endort que dans les bras et se réveille en hurlant chaque fois que ses parents tentent de le poser dans son lit. Pour éviter la bagarre du soir, les parents commencent à craquer, acceptent que l'enfant s'endorme contre eux devant la télé, ou se couchent à côté de lui dans la chambre et restent des heures à chantonner en lui tenant la main. Malgré tout ce temps passé à l'endormir, l'enfant n'est pas bien, crie la nuit au bout de quelques heures de sommeil, et les parents, cédant d'un cran de plus, le couchent avec eux dans leur lit, réussissant parfois ainsi à gagner quelques nuits de bon sommeil.

Encore un peu plus tard, l'enfant — qui maintenant sait marcher — refuse d'aller se coucher, se relève dix ou vingt fois, refuse de s'endormir, va rejoindre ses parents dans le salon ou dans leur lit, où il s'endort béatement. Si ses parents arrivent à profiter d'un moment de sommeil profond pour le mettre dans son lit, deux heures après, le revoilà debout et hurlant.

Il y a ceux qui s'inventent des peurs étonnantes avec des monstres sous leur lit et des fées dans le placard, et ceux qui en profitent sans être vraiment effrayés, ni avoir fait récemment un cauchemar pénible. Des enfants qui réveillent leur père et, bercés par lui, crient sans relâche : « Je veux maman... » jusqu'à ce que le père aille dormir ailleurs et laisse sa place dans le grand lit au gamin. Et même là, toutes les deux heures, celui-ci s'agite, se réveille, gigote pour déranger sa mère et s'assurer de sa présence. Il y a aussi celui qui sait se faire vomir dès qu'il pleure dans son lit, sachant bien que ses parents n'oseront l'y remettre de peur de le rendre malade et seront dégoûtés par les draps à changer.

Devant tous ces comportements dramatiques, quelle tentation de penser que l'enfant est malade, qu'il souffre d'une maladie du sommeil, qu'il n'est sûrement pas normal de présenter des troubles aussi intenses et qu'il y a médicalement quelque chose à chercher pour expliquer de si mauvaises nuits ! Et s'il n'est pas physiquement malade, il a sans doute un problème psychologique sérieux à dépister. Or la réponse n'est pas médicale, il n'y a pas de maladie à chercher, pas même de raisons de s'appesantir sur des difficultés relationnelles ou psychologiques. La seule anxiété sévère dans cette histoire est probablement celle des parents dépassés par leur bambin. La réponse est beaucoup plus directe et pourrait se formuler en une question : **Qu'est-ce que votre enfant associe avec le fait de s'endormir ? Quelles sont les conditions nécessaires à son endormissement ?**

Pour mieux illustrer cette question, réfléchissons à ce que vit, au cours d'une nuit, chacun d'entre nous. Pour bien dormir, nous avons tous l'habitude d'une chambre avec un lit à une certaine place, la lumière avec l'interrupteur à portée de main, la pendulette remontée pour lire l'heure en cas d'éveil nocturne, l'oreiller sous la tête dans une position bien connue. Savez-vous que nous nous endormons de façon très identique chaque soir, du même côté du lit, dans la même position, l'oreiller au même point sous la tête ? Les couples qui dorment indifféremment à gauche ou à droite du lit sont exceptionnels : habituellement chacun choisit « son » côté, et le rejoint au moment où il s'endort. La présence de quelqu'un ou non à côté de soi est un facteur majeur de l'endormissement : il est presque impossible de dormir à côté d'un inconnu, même en dehors de tout désir sexuel, simplement parce qu'il y a quelqu'un de nouveau près de soi à l'heure de l'endormissement. De même, après un deuil ou une séparation, la seule absence de l'autre — au-delà de la détresse et de la peine — rend l'endormissement problématique. Dans les deux cas, les repères habituels ont changé et, pour retrouver un bon sommeil, il faudra se « refabriquer des habitudes ». Nous aussi, nous sommes soumis au rituel du soir.

Imaginons maintenant que nous nous sommes endormis calmement. Dans la nuit, nous nous éveillons de courts instants, sans même les garder en mémoire, et ces moments d'éveil, nous l'avons vu, sont des moments d'alerte pour vérifier inconsciemment que tout est en ordre, que rien n'a changé dans la chambre depuis l'endormissement. S'il y a une odeur anormale, ou que la chaudière chauffe trop, ou un bruit curieux dans la maison, nous allons nous éveiller pleinement et aller vérifier ce qui se passe. Si, tout bêtement, notre oreiller est tombé du lit (image très suggestive rapportée par Ferber dans son livre), nous allons le rattraper, le remettre juste à sa place sous la tête, et nous rendormir. Si quelqu'un, par blague, a enlevé l'oreiller, le fait de ne pas le trouver simplement à portée de main va nous éveiller totalement ; il nous faut comprendre où il a bien pu disparaître. Inutile d'espérer se rendormir sans l'avoir retrouvé et remis en place.

Si le compagnon n'est plus à côté de soi dans le lit, alors qu'il y était au moment de l'endormissement et qu'il n'a aucune raison connue de se lever au milieu de la nuit, nous allons, c'est sûr, nous éveiller totalement pour chercher ce qui lui arrive. Si nous ne le trouvons pas rapidement, dans le froid et l'obscurité de la nuit, l'angoisse ne tardera guère à nous envahir, c'est absolument certain.

Dernier point : imaginons que nous nous sommes endormis tranquillement dans notre chambre, avec notre compagnon, nos petites habitudes, bien normalement. Du fait de circonstances inconnues, nous voilà transportés au milieu de la nuit dans un lieu étranger, un autre lit, dont nous ne savons rien. Ce sera évidemment la panique : ne plus savoir où l'on est, dans quelle orientation, où est la porte, où est la lumière, où est l'autre... Même si ce cas de figure est rarissime, rappelez-vous simplement l'intensité des cauchemars (que vous connaissez certainement) dans lesquels vous ne savez plus où vous êtes. Ce sont des cauchemars terribles !

Si, enfin, l'un quelconque de ces gags nocturnes se reproduit à plusieurs reprises, nous réveille désagréablement plusieurs nuits d'affilée, nous allons perdre une part de notre tranquillité d'endormissement. De peur de revivre un moment éprouvant au cours de la nuit, inconsciemment, nous serons gênés pour trouver les sommeil, même dans notre lit et dans nos conditions habituelles rassurantes.

C'est tout cela que nous faisons vivre à nos enfants si nous ne savons pas à temps leur donner une sécurité de base de sommeil. La sécurité, c'est-à-dire l'aptitude à s'endormir, seul dans son berceau, dans le calme et l'obscurité, et dans des conditions telles qu'il peut les retrouver seul au cours de la nuit, lors de ses réveils spontanés.

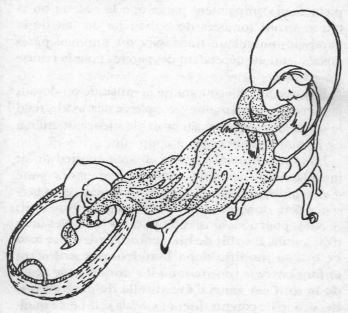

Bercer un enfant, ou le tenir dans les bras, le rend dépendant des bras d'adultes qui le bercent ou le tiennent, ce qu'il cherchera à retrouver au cours de la nuit.

Le laisser s'endormir dans un autre lit que le sien, ou dans une autre pièce, c'est prendre le risque d'une panique nocturne lorsqu'il se réveillera dans des conditions inconnues, inconnues parce que différentes de celles de l'endormissement.

S'endormir en tétant une sucette ou un biberon, c'est être dépendant de cet objet, et donc risquer un plein éveil, simplement parce que la sucette ou la tétine seront tombées de la bouche du fait de la paralysie musculaire transitoire du sommeil paradoxal... et donc dépendant des parents pour la remettre en place.

S'endormir en écoutant de la musique ou devant la télévision, ou dans une pièce pleine de monde, rend le sommeil dépendant du bruit ; le silence du milieu de la nuit l'interrompra à coup sûr.

La mère qui tient la main et reste au pied du lit jusqu'à ce que l'enfant s'endorme devient une sorte d'*objet* indispensable de l'endormissement, et sa présence sera donc nécessaire à chaque éveil de nuit.

Nous pourrions ainsi multiplier les exemples mais c'est inutile. **Il suffit de bien comprendre que tout ce qui se modifie dans l'environnement d'un enfant entre le moment où il s'endort et le reste de la nuit est source éventuelle de problèmes.** Beaucoup de parents disent : « Mais je le berce quelques instants et ensuite il dort sans se réveiller toute la nuit. » Dans ces cas-là pourquoi ne pas lui offrir ce petit plaisir, à condition de rester vigilant et de ne pas le laisser « monter les enchères ». Même si, apparemment, au début, tout se passe bien, il n'est pas inutile de se demander s'il ne va pas, à un moment ou à un autre, ressentir comme une nécessité absolue ce mouvement de son berceau, et donc le réclamer au milieu de la nuit. Les parents seront seuls juges de ce qu'ils peuvent offrir à l'enfant, en sachant qu'il est mille fois plus difficile de revenir sur une « dépendance d'endormissement » que d'instaurer d'emblée de bonnes bases de sommeil.

Le traitement de ces troubles du sommeil dépend d'abord et avant tout de l'âge de l'enfant. Ce qui peut être très simple et rapide entre 4 et 6 mois devient un travail long et pénible, douloureux pour l'enfant et très mal supporté par les parents après 9 ou 12 mois. Ce qu'il faut bien comprendre, c'est que l'enfant réagira d'autant plus fort, d'autant plus mal, que le changement proposé sera plus tardif et qu'il sentira ses parents inquiets, non déterminés. Les hésitations, les retours en arrière, les échecs répétés sont pires que tout. Si des parents débattent de savoir comment faire dormir leur enfant une nuit entière, ce ne peut être que fermement déterminés à réussir, le plus vite possible, et en se donnant l'obligation morale de ne pas craquer en cours de route. C'est un point absolument fondamental.

Deuxième point évident : traiter les difficultés d'endormissement, c'est traiter du même coup les éveils multiples. Pour un bambin de 3 ans, la disparition des combats du soir pour aller au lit va de pair en quelques jours avec de longues nuits calmes. Chez un tout-petit de 5 mois, la disparition des éveils nocturnes prévient l'apparition des bagarres du soir... Cela en vaut la peine ! Reprenons donc en fonction de l'âge le problème de ces troubles et leur solution.

● **Entre 4 et 6 mois,** le problème est relativement simple. L'enfant a déjà l'âge d'un cycle cérébral de sommeil correct, et n'a plus l'âge de manger la nuit. Il suffit donc de lui dire clairement qu'après un grand câlin du soir les parents vont fermer la porte et ne viendront pas au milieu de la nuit. Si l'enfant pleure, il est capital de ne pas intervenir, de le laisser retrouver seul son sommeil. Tout ce que ses parents tenteront pour l'aider va compliquer sa recherche. Au plus, il est possible d'aller dans sa chambre, sans lui parler, sans éclairer, de mettre la main sur son dos pour qu'il sente qu'il n'est pas abandonné, mais sans chercher à l'aider. Il doit absolument atteindre son endormissement lui-même. Que ses cris durent dix minutes ou une heure, quelle importance ? L'enfant qui crie ne risque rien, ni de s'étouffer, ni de se faire des hernies, ni aucun autre danger. Il passe simplement un cap pénible pour apprendre quelque chose d'essentiel à son équilibre ultérieur. L'aider, c'est lui permettre d'aller au bout de sa recherche, donc de se rendormir seul.

Regarder sa montre et dire : « J'irai le prendre dans dix minutes, ou dans une demi-heure s'il pleure toujours » est une aberration. C'est le meilleur moyen d'apprendre à l'enfant que ça vaut la peine de pleurer longtemps, que ses parents finiront par céder.

C'est donc le pousser à pleurer plus fort et plus long-temps au prochain essai. Un risque à ne prendre à aucun prix.

Si l'enfant est encore allaité par sa mère et que l'idée de ne plus se nourrir la nuit n'est pas encore bien claire dans sa tête, il est préférable que la réas-surance de nuit soit faite par le père. La mère auprès du berceau, avec ses seins qui débordent en l'écoutant pleurer et son odeur de lait, est une provocation au repas, pas à l'endormissement. L'enfant comprendra plus vite ce que l'on attend de lui s'il n'est pas confronté à cette difficulté supplémentaire.

Un enfant qui tète une sucette à longueur de jour-née ne peut pas envisager de la laisser la nuit et l'on rentre donc dans la dépendance d'objets dont nous avons parlé plus haut. Il faut d'abord progressivement supprimer la sucette le jour, en consolant l'enfant de sa disparition, en lui parlant, en le faisant rire, en lui offrant un autre mode de communication et de parti-cipation au monde que ce plaisir replié sur lui-même. Ensuite, quand il aura « oublié » la sucette (ce qui est très facile entre 3 et 4 mois, vous en serez étonné), il sera temps de lui demander de dormir sans se réveil-ler, et de lui annoncer que, s'il se réveille, il devra se rendormir seul.

Redisons-le, car c'est un point extrêmement impor-tant : il n'est pas question de craquer sur ce pro-gramme d'apprentissage ; pas question d'« essayer pour voir », et de revenir en arrière parce que l'enfant a réagi trop fort ou a pleuré deux heures d'affilée, ou trois nuits de suite. Si les parents sont sûrs d'eux et tranquilles, nous pouvons les assurer que tout sera réglé en moins de huit jours et souvent dès la première nuit. Par contre, si les parents hésitent, sont en désaccord sur la conduite à tenir, ils devraient réfléchir ensemble au pourquoi de leur attitude : sans doute ont-ils eux-mêmes peur du sommeil, peur de l'abandon. C'est leur problème à eux qu'ils essayent d'éluder. Mieux vaut toutefois, s'ils ne se sentent pas assez solides, attendre encore un peu et choisir un moyen, plus long et moins radical, celui conçu pour les enfants plus grands, que nous allons décrire maintenant.

● **Après 6 mois, et à plus forte raison pour un enfant de 10 ou 12 mois,** il est plus difficile d'imposer une méthode aussi draconienne. L'enfant est habitué, depuis plusieurs mois, à s'endormir dans des conditions de dépendance et à se réveiller plusieurs fois par nuit. Il lui faudra du temps pour modifier ses habitudes et admettre ce que l'on attend de lui. En plus, il est déjà grand, connaît la présence et l'absence, découvre l'angoisse de l'abandon, et pourrait s'affoler et souffrir gravement de ce qu'il ressentirait comme une disparition totale de ses parents.

Le moyen de traiter ses difficultés est une **approche graduelle, avec un maximum de réassurance,** pour faire comprendre à l'enfant qu'il doit s'endormir seul le soir — et dans son lit —, et se rendormir seul au milieu de la nuit.

Pour cela quelques explications :

— bien dire à l'enfant ce que vous attendez de lui, et lui montrer que ce sera bien mieux pour toute la famille, qu'il sera le premier bénéficiaire de l'apaisement de la fatigue et de la tension de ses parents. À 8 mois, l'enfant qui ne parle pas encore comprend tout ce qu'on lui dit, et encore plus ce que l'on ressent près de lui, vous pouvez en être absolument certains. Lui dire ce qu'il va avoir à vivre l'aide à mieux savoir ce qui se joue le soir et la nuit ;

— il faut prévoir un « programme de rééducation » très précis, et le suivre à la lettre, aussi bien pour les siestes de journée que pour l'endormissement du soir et les réendormissements au cours de la nuit ;

— au coucher, lui offrir un moment de tendresse tranquille, de câlins, puis le placer dans son lit, entouré de ses animaux en peluche et de ses « doudous » préférés. S'il paraît s'attacher à un chiffon ou à un jouet en peluche, le lui mettre dans les bras comme compagnon. Réinvestir fortement ce que les spécialistes appellent un « objet transitionnel », qui est un merveilleux moyen de se sentir moins seul dans son lit. Puis calmement dire bonsoir, un dernier baiser, une dernière caresse du bout des doigts, et quitter la chambre ;

— le premier soir, le laisser pleurer cinq minutes sans rien dire, puis retourner dans la chambre, sans éclairer, sans le prendre dans les bras, sans le toucher même pour le recoucher s'il s'est mis debout dans son berceau, lui dire que tout va bien, que vous êtes là, qu'il ne risque rien et qu'il doit s'endormir. Quitter la chambre très vite, ne pas y rester plus de deux ou trois minutes et ressortir. Compter alors un intervalle de dix minutes avant de retourner lui dire qu'il ne risque rien et qu'il doit s'endormir. Là encore, ressortir très vite et attendre chaque fois dix minutes avant d'aller lui parler, cela jusqu'à ce qu'il s'endorme de lui-même. S'il se réveille au cours de la nuit, suivre strictement le même protocole : cinq minutes d'attente la première fois, réassurance très brève sans le toucher, dix minutes d'attente ensuite, autant de fois qu'il le faudra jusqu'à ce qu'il s'endorme, et autant de fois dans la nuit que nécessaire ;

— le lendemain, allonger les moments d'attente. Dix minutes la première fois, quinze ensuite entre les moments de réassurance, et toujours le même programme au cours des éveils de nuit. Pas question de lui donner à manger, de le changer, de le prendre dans les bras. Il doit juste entendre : « Endors-toi, tout va bien, nous sommes là » ;

— le surlendemain, même protocole, mais avec des intervalles encore un peu plus longs, quinze et vingt minutes par exemple ; et cela autant de jours que nécessaire pour que l'enfant désapprenne les luttes d'endormissement et les réveils nocturnes.

Si ce programme est soigneusement suivi, si les parents arrivent à garder cette ferme attitude de tendresse active, en acceptant sans énervement excessif les mauvaises nuits que cela représente pour eux, le problème est réglé — et définitivement réglé — en très peu de nuits. Toujours moins de quinze, souvent deux ou trois, et parfois dès la première nuit. L'enfant comprend que ce n'est pas la peine de se battre, découvre qu'il peut s'endormir seul et accepte sans lutte supplémentaire ce nouveau mode d'endormissement.

Pour certains parents, ce programme peut paraître trop dur, difficile à tenir. Parce que les intervalles sont trop longs ou parce que quitter la chambre est au-dessus de leurs forces. Il est toujours possible de choisir un moyen terme, des épisodes d'une ou deux minutes au lieu de cinq, de s'asseoir au pied du lit sans tenir la main de l'enfant puis, nuit après nuit, éloigner un peu la chaise de son lit. Mais cette tentative est souvent un piège. La multiplication des étapes, comprenez-le bien, améliore surtout l'angoisse et le confort des parents, pas ceux de l'enfant. Pour l'enfant, plus il y a d'étapes, moins il comprend le changement attendu, plus il hésite à accepter ce qui n'est pas franchement exigé par les parents. En plus, ce qui est très grave, il a davantage de chances d'arriver à les faire céder sur le programme prévu. Pour toute la famille, mieux vaut quelques nuits difficiles que des semaines de lutte et de réajustement.

● **Un nouveau problème se pose lorsque l'enfant peut sortir seul de son lit.** Les bases de l'apprentissage sont les mêmes, mais la négociation se complique. Quand ses parents vont le mettre au lit en lui disant de s'endormir, en refusant de rester à côté de lui, il est évident que l'enfant va se lever, traverser la chambre et rejoindre la famille dans le salon. Pour qu'il puisse comprendre ce que ses parents veulent obtenir de lui, la fermeté initiale doit être encore plus grande. Il faut lui dire : « Si tu te lèves, je ferme la porte ; si tu restes dans ton lit, je veux bien laisser la porte ouverte. »

S'il accepte le marché et ne se lève pas, nous sommes exactement dans le cas de figure précédent, et le même programme progressif de pleurs et de réassurance peut être appliqué jusqu'à ce qu'il sache s'endormir seul.

Si l'enfant refuse de rester dans son lit, la négociation va porter sur l'ouverture, ou non, de la porte, en fonction de son comportement. Dès qu'il sort du lit, vous fermez la porte, de sorte qu'il ne puisse pas sortir, mais vous pouvez lui parler à travers la porte pour lui conseiller d'aller se recoucher. Bien entendu, vous aurez écarté de son chemin tout objet dangereux sur lequel il pourrait se blesser. S'il se recouche, vous ouvrez la porte ; qu'il continue ou non à crier, peu importe. S'il refuse de se recoucher, vous comptez une minute, puis vous ouvrez, vous le remettez au lit fermement, vous lui redites que, s'il reste dans son lit, vous ouvrirez et vous repartez. La deuxième fois, vous attendez deux minutes avant de rouvrir la porte et aller le recoucher, toujours avec le même discours ferme. Petit à petit, augmentez le délai de votre intervention : deux, puis trois minutes le premier soir, une minute de plus pour chaque élément du scénario les soirs suivants.

S'il s'endort par terre, laissez-le, ne le bougez surtout pas, couvrez-le légèrement et c'est tout. Par contre, au réveil suivant, dès qu'il sortira de la pièce, replacez-le dans son lit et dites-lui qu'il doit y rester et s'endormir. S'il se relève, vous refermez la porte.

Le but de ce comportement, c'est de lui donner le contrôle de l'ouverture de la porte. Il faut qu'il sente bien qu'il tient les rênes, que la porte sera ouverte s'il reste dans son lit, sera fermée s'il se lève, que c'est donc lui qui commande ce point essentiel.

Pendant tout ce temps d'apprentissage, il a besoin

de savoir que vous êtes juste derrière la porte, que vous entendez ce qu'il fait, que vous réagissez très vite. Ne fermez pas la porte à clé, mais, si c'est nécessaire, tenez le loquet pour l'empêcher d'ouvrir, en lui disant à travers la porte que vous le faites et que vous voulez qu'il retourne dans son lit.

Pendant toute cette période une fermeté sans faille est indispensable. L'enfant sentira bien que vous êtes déterminé dans votre projet et qu'il n'a rien à gagner dans l'escalade de la bagarre. Par contre, s'il vous sent flotter, nul doute qu'il soit capable de tenir pendant des nuits entières, plusieurs semaines d'affilée, jusqu'à ce que vous craquiez. Et il a de fortes chances de vous faire céder, s'il vous sent fragile.

Si, pendant ce programme, l'enfant crie tellement fort qu'il se fait vomir, ouvrez la porte, nettoyez son lit ou le sol, changez le pyjama sans le gronder, puis, imperturbable, reprenez le schéma où vous l'aviez laissé, comme si rien ne s'était passé. Votre bambin sentira que ce n'est vraiment pas la peine d'arriver à une telle extrémité et que l'inconfort est surtout pour lui. Comme il est très intelligent, il ne reproduira pas un geste désagréable pour lui et qui vous laisse indifférent.

● **Une négociation supplémentaire peut se jouer si l'enfant ne dort pas seul dans sa chambre, mais avec un autre enfant.** Le programme dont nous venons de parler est difficilement réalisable avec un aîné qui ne pourra pas dormir pendant plusieurs nuits. Il est donc nécessaire de le faire dormir dans un autre lieu pendant quelques nuits. Pourquoi pas dans la chambre des parents s'il s'agit d'un enfant sans troubles du sommeil ?

Il est possible de dire à l'enfant qui apprend à dormir : « Si tu ne cries pas, si tu ne te lèves pas de ton lit, Pierre — ou Anne — reviendra dormir dans le lit à côté du tien. » C'est un argument qui porte, car l'enfant qui se réveille souvent aime ne pas être seul dans la chambre, et apprécie le retour de l'aîné. Là encore, lui donner le contrôle de ce retour en fonction de son comportement.

● **Aux environs de 3 ans, il est possible d'établir avec l'enfant un programme de nuit,** un véritable contrat, dont il sera l'un des organisateurs et un participant actif. Concevez un agenda de nuit, avec des dessins colorés pour illustrer les bonnes et les mauvaises nuits, et un système de récompense et de valorisation pour les nuits où il arrive à s'endormir dans son lit, sans se lever ni crier, puis, dans un deuxième temps, pour les nuits sans réveil avant le matin. Insistez sur un rituel du soir très tendre et agréable, soyez ferme sur le programme et montrez bien à l'enfant qu'il a tout à gagner, pour lui-même et dans sa relation avec vous, à apprendre l'autonomie de son sommeil. Les grands vont au cirque, par exemple, pas les bébés. Ce peut être une motivation.

● **Toute cette période est un moment difficile pour tout le monde, mais d'abord et avant tout pour l'enfant.** Il a à surmonter une épreuve complexe, et un besoin gigantesque de tendresse, de présence, de disponibilité. Les punitions ou la colère ne feraient que gâcher le travail entrepris. Chaque progrès doit être soigneusement valorisé, repris, positivement commenté.

S'il est de mauvaise humeur dans la journée, ou s'accroche à vous plus qu'auparavant, c'est normal, avec tout ce qui « tourne » dans sa tête, et dans sa

vie. Inutile de lui en faire grief. Il aimera sans doute que vous lui parliez de lui, de son humeur. Vous pouvez lui dire : « Je vois bien que tu es fâché, que c'est dur pour toi, que je te demande quelque chose de difficile. Ce n'est pas toujours simple de devenir grand et de changer d'habitude. Mais je suis là, je t'aime, et ce sera super dès que tu ne seras plus fâché. » Même au cours de la première année, ce genre de dialogue a un sens pour l'enfant et lui donne les repères dont il a besoin pour construire sa personnalité.

● **Puisqu'il s'agit d'une période pénible pour lui, il a besoin de vous, de son environnement familial habituel** pour surmonter les difficultés. Ce n'est pas le moment de partir en voyage, de le confier à une baby-sitter, ou de déménager. Aucun apprentissage n'est possible si d'autres causes de stress interfèrent. S'il est malade, il faudra patienter quelques jours et reprendre le programme le plus vite possible. Choisissez une période de calme et de disponibilité et ne vous lancez pas dans le programme au dernier stade de la fatigue et de l'énervement, ou dans les semaines qui suivent la naissance d'un autre enfant. Les vacances, après plusieurs jours de relaxation, sont un bien meilleur moment.

Tous ces efforts n'ont de sens que s'ils correspondent au désir profond des parents, à leur certitude de faire vivre à l'enfant une phase essentielle de son développement. Si une maman se retrouve seule avec l'enfant et dort avec lui pour se consoler, elle, du départ du père, l'enfant le sent très bien. La réalité évidente est son besoin, à elle, de ne pas dormir seule. L'enfant aura alors toutes les audaces pour refuser un changement dont il sent l'aspect artificiel, né des conseils de l'un ou de l'autre et ne correspondant pas au désir profond de sa mère.

● **Refuser ce programme, ne pas vouloir imposer à l'enfant un changement difficile n'est pas l'aider.** Toute notre vie, nous oscillons en permanence entre nos besoins et nos désirs, et nous ne savons pas toujours les reconnaître, faute de cette éducation positive qui amène un enfant à évoluer, à grandir et à sentir dans les épreuves le soutien aimant de ses parents. Dormir, dormir seul sans la main d'une mère dans la sienne, sans la présence d'un des parents, trouver en soi-même ses propres ressources de sommeil, ne plus dépendre de quelqu'un pour se rendormir la nuit, sont des pas immenses vers l'autonomie. L'autonomie, condition majeure de toute évolution, est un besoin. Le désir de l'enfant, comme de chacun d'entre nous, tend plutôt à ne pas se bousculer, à maintenir un système dont les avantages sont connus, alors que ceux du changement ne sont qu'hypothétiques. Par contre, il comprendra vite que des parents calmes et détendus sont mille fois plus agréables que des parents stressés par le manque de sommeil. Il peut l'entendre ! Aux parents d'avoir assez de persuasion pour que le programme ait vraiment un *sens* pour toute la famille.

● **Enfin, dernière précision, aucun médicament ne peut faciliter cet apprentissage.** Il ne peut se faire que si l'enfant a conscience de ce qui lui est demandé, et l'abrutir, l'empêcher de penser ne fera que compliquer le problème. Sans compter que, s'il ne veut absolument pas dormir, il y arrive même après une dose forte de sédatif, en développant une excitation et une agitation majeures, angoissantes pour lui, car il se débat violemment contre l'effet enivrant du produit. Le résultat obtenu est donc l'inverse de celui attendu : un enfant plus énervé, extrêmement agité, qui n'a aucune chance de s'endormir seul et qui, au lieu de percevoir la demande de ses parents, s'inquiète d'avoir à lutter contre une difficulté imprévue, une sensation nouvelle en lui, qu'il ne comprend pas.

Ne pas donner de médicaments puissants pour le faire dormir doit être la règle absolue. Nous y reviendrons au chapitre 9.

7

Cauchemars et terreurs nocturnes

> « *Le jour est paresseux*
> *mais la nuit est active.* »
> Paul Éluard, *Le dur désir de durer...*

Si un enfant tranquillement endormi se met à
hurler dans son lit, tout le monde dit : « Il a des cauchemars. » Si ces troubles se répètent nuit après nuit,
pendant des semaines, les dictons populaires disent
qu'il y a de mauvais moments à passer, des âges où
les cauchemars sont plus fréquents que d'autres, que
tout cela est normal, et qu'il vaut mieux ne pas laisser
l'enfant s'affoler dans sa chambre, qu'il est préférable de le réveiller totalement, de lui faire raconter son
cauchemar, ce qui lui permettra de l'oublier et de
se rendormir. Si l'enfant se lève la nuit pour rejoindre ses parents, sans doute veut-il se faire rassurer,
et s'il ne sait plus s'endormir ailleurs que dans leur
lit, est-ce toujours la suite logique de ses cauchemars ?
Est-il en train de les faire marcher, en a-t-il vraiment
besoin, que cherche-t-il à dire, est-il anormalement
inquiet et pourquoi ? Que veut-il, qu'est-ce qui se
passe la nuit dans sa tête, alors qu'il s'était endormi
calmement ?

Lorsqu'il s'agit d'un adolescent de 15 ans qui court la nuit dans tout l'appartement, en hurlant, cherchant à fuir, avec un comportement bizarre, inquiet, mais incapable de raconter le moindre rêve, d'expliquer sa cavalcade dans la maison, les parents ne peuvent guère l'aider à se rassurer. Au contraire, tenter de le recoucher, de le faire taire, provoque souvent une agressivité importante. Lorsque enfin il arrive à s'éveiller, il est toujours interloqué de ce qui lui arrive, n'a aucune envie d'expliquer quoi que ce soit, n'a rien à raconter, veut se rendormir et qu'on le laisse tranquille. Pourtant, là encore, fréquemment, les parents parlent de cauchemars, et se demandent comment mieux réveiller leur adolescent pour lui faire dire ce qui lui arrive et, ainsi, l'aider à s'en sortir.

Quand, enfin, un bambin de 4 ans hurle le soir en se couchant en disant qu'il voit des monstres sous son lit ou un voleur derrière le rideau, les parents les plus tolérants parlent de peurs du soir et se posent vite des questions sur son état psychologique quand les troubles se répètent ; alors que les moins tolérants lui proposeront carrément une fessée pour lui apprendre à raconter des bêtises au lieu de s'endormir.

Pourtant, dans ces trois tableaux, il existe une réalité physique, physiologique, une explication de ces troubles. Ces trois tableaux caricaturaux recouvrent des troubles du sommeil différents, des anomalies qui n'ont rien à voir l'une avec l'autre, qui se produisent à des stades opposés des cycles de sommeil, mais facilement confondues par les parents et les médecins qui parlent banalement de « l'enfant qui crie la nuit ».

Pourtant, le traitement, les gestes à faire pour limiter le problème sont radicalement différents. Il est donc capital d'apprendre à les différencier pour adopter une conduite qui aidera l'enfant, quel que soit son âge. Nous allons donc décrire ce qui caractérise ces entités distinctes : les terreurs nocturnes et les cauchemars, en reprenant également dans les illusions hypnagogiques examinées au chapitre 5 ce qui peut prêter à confusion.

Première urgence :
différencier ces trois tableaux

● *Ils sont tellement schématiques que les parents informés peuvent en faire le diagnostic eux-mêmes à partir de la seule allure clinique.*

Les terreurs nocturnes

Il s'agit du plus fréquent et du plus impressionnant de tous les troubles du sommeil. Impossible de passer à côté. Les manifestations de l'enfant alarment toute la maisonnée et, de plus, rien ne semble l'aider. Il hurle, s'agite dans son lit, parcourt la maison, prend des risques, s'il est déjà grand, sans accepter la moindre réassurance. Que lui arrive-t-il donc ?

Cette anomalie du sommeil survient à n'importe quel âge après la constitution des cycles de sommeil de type « adulte » (donc à partir du 5e ou 6e mois de vie), et jusqu'à l'adolescence ou l'âge adulte. Mais la *fréquence est maximale vers 3 ou 4 ans jusque vers 6 ans.* Les moments de grandes acquisitions, de grandes découvertes, d'événements familiaux difficiles ou envahissants peuvent les déclencher. Souvent, dans l'interrogatoire familial d'un grand enfant amené en consultation pour ce genre de troubles, on retrouve d'autres périodes perturbées, périodes où l'enfant a hurlé la nuit, parfois chaque nuit pendant des semaines, sans que personne prenne en compte, puisqu'il se rendormait sans difficulté, ce qui avait été baptisé cauchemars. L'aggravation des symptômes motivera enfin la consultation : l'enfant maintenant se lève la nuit, a un comportement anormal, parle en dormant, urine dans un coin de sa chambre, tient des propos incohérents, se débat si l'on veut le recoucher. Les parents inquiets se décident à demander de l'aide.

Deuxième caractéristique : *ces troubles surviennent en début de nuit, moins de trois heures après le coucher*, souvent à la fin du premier cycle de sommeil profond, une heure après l'endormissement.

L'allure clinique est d'autant plus facile à définir que l'enfant est plus grand. Chez un adolescent de 14 à 17 ans, les signes, s'ils sont complets, sont très évocateurs. À l'inverse, chez un enfant de 8 mois, le diagnostic est rarement correct, faute d'informations.

Plusieurs comportements d'intensité croissante peuvent être décrits, ayant tous la même réalité physiologique d'un *éveil partiel en phase de sommeil profond* :

• dans les cas les plus minimes (1), l'enfant, à la fin d'un cycle de sommeil lent profond, s'agite dans son lit, remue légèrement, ouvre les yeux un instant, mâchonne un peu, marmonne, et se rendort ;

• au degré suivant (2), l'enfant parle en dormant, tient des discours confus de quelques mots. Si on le dérange alors en lui posant une question, normalement il ne répond pas, ce qui fait la différence avec les somniloquies que nous avons vues au chapitre 5 ;

• à un degré de plus (3), l'enfant, au milieu de son sommeil, s'assied dans son lit, avec une expression hagarde, regardant dans tous les coins comme s'il essayait de comprendre où il est, mais en fait il est toujours inconscient. Puis, hébété, il se recouche et reprend instantanément son sommeil, d'ailleurs pas réellement interrompu ;

• les terreurs nocturnes elles-mêmes représentent le degré suivant (4). Elles représentent la plus classique, la mieux décrite de ces manifestations. L'enfant paraît littéralement terrifié. Il pousse des cris déchirants, appelle au secours, les yeux hagards, dans une panique indescriptible. Il transpire énormément, son cœur bat à tout rompre, mais lui parler ou le prendre dans les bras ne change rien. Impossible de le calmer, de le réconforter. En fait, il dort et, dès qu'il se recouche, il reprend son cycle de sommeil comme si de rien n'était. L'éveiller, à ce stade, le met dans un véritable état confusionnel, provoque en lui des réactions neurovégétatives désagréables, d'où angoisse, malaise, qui peuvent directement provoquer une multiplication et une prolongation des épisodes, ou favoriser le passage à un degré plus sévère ;

• le degré suivant (5) est celui du somnambulisme. L'enfant se lève, semble chercher quelque chose, peut allumer la lumière, rejoindre ses parents, ou partir carrément se promener de façon anormale. L'image classique du somnambule en équilibre miraculeux sur le faîte du toit est un mythe, pas une réalité. L'enfant marche de façon hésitante, ne fait que des gestes simples et peut obéir, sans se réveiller, à des ordres simples. Par exemple : « Recouche-toi. » Souvent, sa promenade n'a aucun but décelable. Parfois, au contraire, l'enfant semble se lever pour satisfaire un besoin réel, mais ne le réalise pas, ou mal. S'il va jusqu'au réfrigérateur, semblant avoir faim, il l'ouvre et retourne se coucher sans y avoir rien pris, et laissant la porte ouverte. D'autres fois, il veut uriner, mais se trompe d'endroit, urinant dans une chaussure, dans le coin d'une pièce, voire même, et presque accidentellement, dans les toilettes, sans être vraiment réveillé. Dans tous les cas, il retourne se coucher sans garder le lendemain au réveil la moindre trace, le moindre souvenir de ce qui s'est passé, puisqu'en fait, à aucun moment il ne s'est réveillé ;

• à un degré supplémentaire d'intensité (6), l'enfant, toujours endormi, marche de façon agitée, inquiète. Il court dans sa chambre, parcourt la maison comme s'il cherchait à fuir quelque chose, à s'évader, comme s'il était aveugle et cherchait son chemin en touchant les meubles et les murs, ou comme si une nécessité impérieuse, douloureuse, dangereuse le poussait à agir. Parfois, en plus, il crie, se roule par terre, gémit, donne des coups de pied, pousse des cris perçants. Il peut présenter un comportement de panique absolument majeur, incoordonné, terrifié. L'enfant veut fuir, se précipite hors de sa chambre ou hors de la maison en hurlant. Il peut ouvrir la fenêtre et chercher à sauter par-dessus bord. Il fonce dans les murs, les meubles, dégringole les escaliers au risque de se blesser. Les blessures ne sont pas rares, souvent de simples bleus ou égratignures, mais parfois plus graves. Rien ne peut l'arrêter. Les tentatives pour le calmer aggravent encore les signes. Cet incident peut durer plusieurs minutes, sans réconfort ni amélioration possibles, l'enfant paraissant littéralement possédé. Ensuite, il se recouche dans n'importe quel coin de son lit et continue son sommeil comme si de rien n'était. Il ne se souviendra de rien. Si les personnes de son entourage le réveillent, il est confus, troublé, honteux de son comportement s'il se rend compte de l'intensité des symptômes, angoissé par son cœur qui tape, sa transpiration, les signes de malaise qui l'envahissent et qu'il ne comprend pas, mais il ne peut raconter aucun rêve coordonné, ni se rassurer sur ce qui lui arrive en raisonnant, car il ne garde aucune image de ce qui vient de se produire. Il ne veut que retourner au lit et se rendormir.

Les signes de panique totale et de fuite prédominent chez l'adolescent et le grand enfant, faisant suite d'ailleurs souvent à des manifestations de degré moindre, apparues puis disparues, à d'autres périodes de la vie. Les terreurs nocturnes et les états confusionnels de hurlements peuvent par contre se voir dès l'âge de 6 mois environ. Ils sont très fréquents dans les deux premières années de vie et trop souvent confondus à tort avec des cauchemars. Statistiquement, la plupart des enfants qui crient la nuit dans les deux premières années de vie ont trois chances sur quatre d'avoir des terreurs nocturnes, et non des cauchemars ; 15 % des adolescents présenteront un ou plusieurs accès de somnambulisme ou de terreurs.

Donc, schématiquement, un enfant qui fait une terreur nocturne, c'est :

• un enfant qui s'agite dans les trois premières heures après son coucher ;

• qui a des manifestations physiques de peur : cœur rapide, qui bat fort, transpiration, nausées ;

• qui ne reconnaît pas ses parents, et refuse d'être consolé ;

• qui ne se souvient de rien le lendemain ;

• qui ne comprend rien à ce qui lui arrive si on le réveille, et traverse alors un état confusionnel désagréable.

Les cauchemars

De façon caricaturale, les cauchemars pourraient être définis comme les réveils brutaux de nuit qui « ne sont pas des terreurs nocturnes ». D'abord parce qu'ils sont beaucoup moins fréquents, ensuite parce que **leurs caractéristiques cliniques et neurophysiologiques sont à l'opposé de celles des éveils partiels** de nuit. En reprenant chacun des signes des terreurs que nous venons de décrire et en les regardant « à l'envers », dans un miroir, nous savons tout ou presque des cauchemars :

• il s'agit d'un rêve, d'un mauvais rêve, qui se produit en phase de sommeil paradoxal, donc presque toujours *en fin de nuit* ;

• puisqu'il s'agit d'un rêve, il y a *des images et une histoire parfaitement repérées* par l'enfant. S'il a l'âge de s'exprimer, il va le raconter, de façon très détaillée. Même les tout petits enfants qui parlent à peine vont tenter d'expliquer, en montrant un coin de la pièce, ce qu'ils ont « vu » ;

• malgré l'intensité de sa frayeur, de ses cris, *l'enfant n'a pas, ou peu, de manifestations physiques.* Il ne transpire pas énormément, son cœur est à peine plus rapide, les yeux regardent partout de façon organisée, intense, pour comprendre et se défendre. Il n'a pas de sensation physique de nausées, d'impression de malaise, de choc. Il a seulement peur de quelque chose dont il a clairement l'image, l'imagination, l'imaginaire, dans sa mémoire ;

• à la fin de l'épisode de rêve, si la sensation est vraiment très intense, ou si c'est l'heure normale de son lever, l'enfant va se réveiller et, parce que le souvenir est très présent, très pénible, angoissant, il va se mettre à hurler, à courir chercher du réconfort. Cela signifie donc qu'*il est pleinement réveillé lorsqu'il pleure* et veut se faire rassurer, veut être consolé. Il reconnaît parfaitement ses parents, se niche dans leurs bras, ne veut plus les quitter, exige de dormir dans leur lit et, même là, met du temps pour s'apaiser. Rien à voir avec l'enfant confus, hébété, à moitié endormi des terreurs nocturnes, qui rejette ses parents, ne les reconnaît pas et continue à hurler ;

• comme la frayeur est très intense et bien mémorisée, *l'enfant a peur de se rendormir, peur de se recoucher seul,* peur de retrouver ce cauchemar dans son lit. Cette angoisse peut s'étaler sur plusieurs nuits ou plusieurs semaines, rendant le coucher difficile, acrobatique : l'enfant s'accroche au cou de ses parents, ne veut pas être posé dans son lit, se relève vingt fois pour aller dans celui des grands, refuse de gagner sa chambre, veut garder la lumière... Il dit clairement, à son niveau de langage, qu'il a peur, vraiment peur. Ce n'est pas le même genre de comportement que celui de l'enfant qui « fait marcher » ses parents. Celui-là sait moduler ses demandes pour obtenir le maximum de bénéfices de la situation, mais n'a pas réellement peur.

Donc, schématiquement, un cauchemar, c'est :
• occasionnel ;
• en fin de nuit ;
• l'enfant est totalement réveillé et a très peur ;
• les manifestations physiques sont minimes ou absentes ;
• il sait ce qui lui a fait peur et peut raconter l'histoire, les images de ce mauvais rêve ;
• il s'en souvient longtemps ;
• il reconnaît ses parents et veut être consolé.

Les illusions hypnagogiques

Nous les avons vues au chapitre 5, mais reprenons rapidement leurs caractéristiques pour ne pas risquer de confondre :
• elles surviennent à l'endormissement, au moment où la vigilance commence à baisser et où l'enfant se contrôle un peu moins bien, donc en tout début de nuit ;
• l'enfant est encore pleinement réveillé mais n'arrive pas à faire la part de ce qui est réel et de ce qui est son imagination ;

- il a peur et veut être rassuré ;
- les manifestations sont variées, physiques (sursauts, impression de bras mort, ou de membre très long, très gros...) ou imaginaires (monstres, voleurs...).

Deux situations peuvent prêter à confusion et empêcher cette reconnaissance pourtant théoriquement évidente :

— quand l'horaire d'appel est douteux, que l'enfant est très petit, ne peut rien raconter, s'accroche à ses parents et se calme vite dans leurs bras ou leur lit, on peut avoir un doute. Mais, s'il s'agit d'un cauchemar, il en garde le souvenir et reste inquiet, agité, perplexe dans les jours qui suivent. Il se replie sur lui-même, hésite à jouer, taraudé par les images angoissantes qu'il n'a pas encore réussi à « trier et ranger » dans sa tête. Il rit moins facilement, le changement d'humeur ne fait aucun doute et peut même évoquer une maladie en incubation ;

— parfois l'enfant, à son réveil d'un cauchemar, est impressionné par l'angoisse de ses parents. Il allait se faire rassurer et il les trouve paniqués, atterrés par ses cris, agités devant sa propre peur. Personne pour le consoler, personne pour lui dire calmement que ce n'est rien, que ce n'était qu'un rêve. Les adultes autour de lui tremblent, pleurent, le serrent convulsivement dans leurs bras, le forcent à manger. Du coup, il a encore plus peur, ne sait à qui ni à quoi se raccrocher pour diminuer sa propre frayeur. Il a la sensation qu'il se passe quelque chose de vraiment très grave puisque ses parents ne contrôlent plus, ne comprennent rien et ne l'aident pas. Ce sont le comportement, l'agitation des parents qui le paniquent encore plus, et il peut se mettre à hurler de façon désordonnée, confuse, hagarde, se jetant en arrière dans les bras, ne faisant plus confiance à personne. Et, bien sûr, ce non-contrôle, cette confusion peuvent être secondairement pris à tort pour une terreur nocturne. Or là, par contre, il est réellement effrayé, a réellement besoin d'être rassuré, consolé. Il lui faudra du temps pour se calmer, jusqu'au moment, où, enfin apaisé, il pourra dormir.

Caractéristiques neurophysiologiques

● *Sur l'électro-encéphalogramme, tout différencie ces trois troubles du sommeil. Impossible de les confondre.*

Les illusions hypnagogiques surviennent pendant l'endormissement (stade I). Nous n'y reviendrons pas.

Les terreurs nocturnes, quelle que soit l'intensité des manifestations, surviennent de façon subite, dans une phase de sommeil lent très profond, au stade IV du sommeil lent, peu de temps avant que l'enfant ne présente, ou plutôt ne rate, sa première phase de sommeil paradoxal. Il se retrouve totalement endormi, mais actif, dans une phase de sommeil sans rêve, donc sans mémorisation. Il n'est pas en train de rêver, puisqu'il peut bouger, parler, se lever, courir, se défendre (alors que nous avons vu que le sommeil de rêve s'accompagne d'une paralysie motrice totale). Il est en état intermédiaire d'éveil moteur de sommeil profond, et ne sait rien de ce qui lui arrive.

Ce qu'il faut absolument comprendre, c'est qu'il ne s'agit pas de rêves, qu'il n'y a pas de raisons imaginaires qui conduisent l'enfant à cette agitation. *Ce qui est libéré, c'est la capacité de bouger, de se mouvoir, en plein sommeil.* L'exemple que l'on pourrait donner, c'est celui d'une voiture qui s'est déplacée en pleine nuit. Le rêve serait l'emprunt de cette voiture par un chauffeur ivre qui a roulé avec en pleine nuit, mais ne l'a pas remise à la bonne place. *L'éveil partiel, c'est une voiture dont le frein à main a lâché*, et qui a glissé sans conducteur au bas de la pente, sans aucun contrôle. Si la pente est douce, elle s'arrêtera calmement au bord du trottoir ; si la pente est raide, elle peut se fracasser contre un mur ou un pylône, à l'ahurissement du conducteur habituel qui arrive après coup et ne comprend pas ce qui s'est passé. Ce frein à main qui lâche est presque physiologique, banal, à certaines phases de la maturation cérébrale, et tous les individus en ont des manifestations minimes ou plus intenses, à un moment ou à un autre de leur vie de sommeil. C'est la répétition des symptômes, leur violence, et les interventions intempestives des parents qui, seuls, poseront problème.

Si on force un individu à se réveiller en terreur nocturne, il est hagard, confus, hébété, somnolent, n'a rien à dire, et veut se rendormir. S'il s'agite et devient agressif, c'est en raison de l'inconfort de ce réveil brutal intempestif : il ne sait pas pourquoi il s'est partiellement réveillé, pourquoi il est dans cet état-là : cœur qui bat très vite, sueurs, impression de malaise imminent ; et c'est là une source d'angoisse inconsciente, d'où les cris, l'expression hagarde du visage, les signes plus ou moins graves de frayeur. En fait, son activité mentale est nettement ralentie par son processus de sommeil et il a de grandes difficultés à raisonner, aligner des idées et faire le point sur ce qui se passe.

C'est un peu l'état que ressent un adulte brutalement réveillé par une sonnerie de téléphone alors qu'il dormait depuis moins d'une heure. Il va être confus, ne sachant plus où il est, ni ce qui lui arrive, gêné pour coordonner ses idées et répondre correctement à l'appel. S'il doit s'habiller rapidement pour sortir, il a des chances de mettre son pull à l'envers, ou d'oublier sa chemise. Selon les individus, cet état de confusion durera quelques courtes secondes, ou au contraire plusieurs minutes. Ceux qui peinent le plus pour se réveiller disent : « Je dormais si profondément... » En plus, les signes physiques sont intenses, avec tremblements, nausées, tachycardie... Les médecins qui font des gardes de nuit le savent bien : les appels de début de nuit sont les plus difficiles, et les réactions physiques du réveil sont parfois horribles.

Les points communs d'un réveil à ce stade, entre l'enfant et l'adulte, c'est la lutte intérieure pour ne pas se réveiller complètement, un important malaise physique et une irrésistible envie de se rendormir sans délai.

Les cauchemars surviennent, eux, pendant une phase de sommeil paradoxal. Comme il y a plus de sommeil paradoxal en *deuxième moitié de nuit et vers* *le matin*, les cauchemars sont des manifestations tardives, à partir de deux ou trois heures du matin jusqu'à l'heure normale du lever.

Puisqu'il s'agit d'une phase de sommeil paradoxal, *l'enfant ne fait aucun mouvement pendant le cauchemar*, il ne se lève pas en dormant, il ne manifeste rien. Son corps est littéralement « débranché » de son activité mentale onirique, paralysé, et il ne peut pas bouger. L'enfant qui fait un cauchemar aura peu de réactions physiques décelables. Pour lui, c'est l'*image* désagréable qui prédomine, pas le choc physique.

Pourquoi de telles manifestations ?

Les cauchemars

Nous rêvons tous, toutes les nuits, plusieurs fois par nuit, et ces rêves ne comprennent sûrement pas tous des images de tendresse, de beauté, de douceur et de paix. Les rêves sont un moyen de régler, de « digérer » les acquis et les difficultés de la journée, d'en faire le tri, de prendre du recul. Chaque nuit, nous métabolisons ainsi, sans nous en rendre compte, nos moments de bonheur et nos découvertes intéressantes ou désagréables. Les seuls souvenirs sont liés au réveil en fin de rêve, soit parce que la violence du rêve a provoqué l'éveil, soit, beaucoup plus couramment, parce que le rêve, bon ou mauvais, s'est produit dans le dernier cycle de sommeil, juste avant l'éveil spontané.

Les cauchemars existent chez tous les enfants de

façon occasionnelle et *sont particulièrement fréquents entre 1 et 6 ans*, période où les acquisitions, les découvertes sont très actives.

Les terreurs nocturnes

Elles sont beaucoup plus électrophysiologiques, phénomène d'échappement cérébral au moment du passage trop rapide d'une phase de sommeil lent profond à une phase de sommeil paradoxal.

Jusque vers 6 ans, c'est un trouble extrêmement fréquent, traduction clinique d'une phase de maturation cérébrale, où le cerveau a construit ses cycles de sommeil, mais où les stades IV de sommeil calme, non-R.E.M., sont très profonds, bien plus que chez l'enfant plus grand et que chez l'adulte. À la fin de ce stade, l'éveil normal, permettant la transition vers le sommeil paradoxal qui suit, est impossible ou incomplet. L'enfant n'arrive pas à émerger de l'emprise de son cycle IV de sommeil et rate le passage en sommeil paradoxal.

Normalement, avant 6 ans, seule la maturation cérébrale est en cause, et il n'y a pas de problème physique ou émotionnel sous-jacent. Plus tard, lorsque les signes perdurent chez le grand enfant et l'adolescent, les problèmes psychologiques associés sont parfois évidents et pourront nécessiter une thérapie spécialisée.

Qu'il s'agisse **de cauchemar ou de terreur**, certaines circonstances vont également les favoriser :

• Les moments de séparation d'avec la mère ou les parents : crèche, mise en nourrice, garderies, hos-

hospitalisation de l'enfant, arrivée d'un nouvel enfant dans la maison...

• Les grandes acquisitions de la deuxième année : la marche, le langage, la propreté.

• Parfois, une frayeur peut être le facteur déclenchant : l'enfant perd sa mère, dans un magasin et se croit perdu. Ou alors la mère s'absente pendant quelques jours et il la croit disparue. Ou encore les parents ont une violente altercation devant lui et cela l'affole. Ou même les parents font l'amour pas très loin de lui et ce qu'il en perçoit lui paraît violent et dangereux. Les frayeurs peuvent aussi rôder dans l'environnement : les animaux inconnus, la peur d'une guêpe après une piqûre, les voitures bruyantes et rapides de la rue, une empoignade avec un copain pour un jouet ou un morceau de pain.

• À partir de 3 ans, l'enfant est confronté à de fortes pulsions sexuelles et agressives. Il a envie de pouvoir aimer le parent de sexe opposé, d'évincer celui de même sexe que lui, et ses pensées sont très angoissantes, d'autant plus angoissantes si les parents entrent dans le jeu, acceptent de s'éloigner l'un de l'autre pour plaire à l'enfant, le laissent trop prendre la place « entre eux » et non avec eux.

• L'enfant vit parfois de grandes crises de jalousie. Le voyage d'un des parents, l'arrivée d'un nouveau bébé dans la maison, l'hospitalisation de la mère pour cette naissance, les premiers vrais jeux collectifs avec d'autres enfants du même âge peuvent lui faire croire qu'il est moins aimé, moins désiré, et il peut développer une très grande violence intérieure qui le perturbe beaucoup et ressortira la nuit sous forme de cauchemars.

• Également à partir de 3 ans, l'enfant est confronté avec la découverte de la mort, cette réalité incontournable dont il n'arrive pas à définir les limites. Il peut craindre de mourir à tout moment, mais surtout quand il s'endort, quand il « se sent partir » dans le sommeil. Pour lui, pendant toute cette période, la mort est une notion confuse, vaguement synonyme d'immobilité, d'absence. En cas de deuil dans son entourage, le silence observé par les adultes sur ce sujet, le fait de cacher à un enfant les réalités de l'enterrement, des cimetières, aggravent son impression qu'il peut lui aussi disparaître brutalement à n'importe quel moment et n'être plus aimé. C'est terrifiant.

• Après 6 ans, la plupart de ces grandes interrogations sont apaisées. L'enfant entre dans une période plus tranquille, appelée phase de latence. Les terreurs nocturnes et les cauchemars deviennent beaucoup plus rares. Leur persistance chaque nuit, ou plusieurs fois par semaine, doit alors poser problème.

Conduite pratique
devant ces différents troubles

• *Là encore, tout oppose les terreurs nocturnes et les cauchemars. L'enfant en éveil partiel n'a besoin que de continuer son sommeil, quelle que soit l'intensité des signes qu'il présente. Par contre, l'enfant qui fait un cauchemar a besoin d'être rassuré.*

Devant une terreur nocturne ou toute autre manifestation d'un éveil partiel brutal

Pendant un éveil partiel, modéré ou brutal, l'enfant est encore pratiquement endormi, non conscient, ne rêvant pas. À la fin de l'épisode, il retombe dans le sommeil sans transition, sans angoisse, sans difficulté. Puisqu'il dort, il ne mémorise rien, ne sait même pas que quelque chose a pu arriver dans son sommeil et n'a pas du tout envie de le savoir. Du coup, il n'a pas peur, aucune angoisse particulière, et n'a aucun besoin d'être consolé ou rassuré. Il n'a aucune idée de la raison pour laquelle on le réveille, de ce qu'il

ne pas ouvrir avant demain matin

vient de manifester, et ne demande qu'à poursuivre calmement sa nuit de sommeil, pour lui pas vraiment interrompue.

La conduite pratique devant de tels phénomènes découle de ce que nous venons de dire et doit vous paraître maintenant évidente. On pourrait, et on devrait, la résumer en une phrase que les parents colleraient sur la porte de la chambre de l'enfant pour s'obliger à réfléchir avant d'aller « l'aider » :

NE PAS INTERVENIR,
ACCEPTER DE NE RIEN FAIRE.

C'est la seule et unique solution pour que l'enfant ne souffre pas de réveils inutiles et brutaux qui casseraient ses rythmes. C'est la meilleure réponse que des parents attentifs peuvent apporter à leur petit. Cela peut paraître dur à entendre, car il semble impossible, quand les signes sont importants, de laisser l'enfant, seul, dans un tourbillon d'une telle violence. L'immobilité, la non-intervention paraissent épouvantables et pas du tout une aide. Pourtant, c'est la seule chose à faire, la seule chose dont l'enfant ait besoin. Prendre le recul nécessaire pour ne pas s'alarmer là où ce n'est pas utile est le plus grand service à rendre à l'équilibre-sommeil de nos petits. Confondre systématiquement une terreur avec des cauchemars est une erreur lourde de conséquences, car réveiller l'enfant et le consoler sont les pires choses à faire : elles risquent d'aggraver les signes et de faire durer le trouble.

S'il s'agit d'un tout-petit, de moins de 2 ans, il faut vraiment le laisser crier dans son lit, ne pas le prendre dans les bras, attendre sans bouger qu'il se calme, puis, simplement, le recouvrir lorsqu'il s'est apaisé. À cet âge-là les promenades et accès somnambuliques sont exceptionnels, il n'y a donc pas de risques d'accident. Le seul rôle des parents, et il est fondamental, sera d'assurer à l'enfant une quantité suffisante de sommeil de nuit, avec des horaires très réguliers. Cette seule amélioration des conditions de sommeil entraîne le plus souvent à très court terme une diminution, voire une disparition, des symptômes.

L'erreur classique, à éviter à tout prix, serait de s'inquiéter, de vouloir apaiser ou maintenir physiquement l'enfant et, bien pire, de se fâcher contre lui. Se réveiller brutalement en pleine nuit pour se trouver nez à nez avec des parents furieux, énervés, qui proposent une fessée, est sûrement un très grand traumatisme pour un enfant. Puisqu'il ne sait pas ce qui lui arrive et croyait dormir sans problème, la violence incompréhensible de ses parents l'agresse, l'affole. Il ne sait pas pourquoi, ni comment la contrôler, comment se protéger. Il a vraiment peur, mais est trop confus, trop endormi pour analyser ce qui lui arrive. Le choc psychologique est donc majeur et peut laisser des séquelles difficiles à contrôler plus tard.

Si les parents prennent l'enfant, qui s'apaise dès qu'il est dans les bras ou dans leur lit, et se rendort sans délai, c'est, là encore, qu'il ne faisait pas un cauchemar. Une fois de plus, il s'agissait d'un éveil partiel et l'intervention des parents, malgré sa douceur et son apparente efficacité, est intempestive : elle doit être évitée.

Les parents se doivent donc de prendre leurs distances par rapport aux signes présentés par l'enfant et ne pas se laisser troubler par le fait qu'il crie, hurle, jette ses couvertures, et semble très mal. L'enfant n'a pas besoin d'eux, l'enfant est en « roue libre de sommeil ». Mieux vaut fermer la porte et le laisser se débrouiller avec ses cycles intérieurs et leur régulation.

S'il s'agit d'un plus grand enfant ou d'un adolescent, le rôle des parents est un peu plus complexe, du moins en dehors des épisodes nocturnes.

— *La nuit,* la conduite à tenir est la même : ne pas intervenir, ne pas réveiller, ne pas chercher à maintenir physiquement, ne pas se fâcher, ne pas s'inquiéter. La seule chose à contrôler est le risque d'accidents. Si l'enfant quitte son lit, il faudra enlever de la chambre les meubles aux angles dangereux et tous les objets avec lesquels il pourrait se blesser en tombant dessus, ou en se cognant. Si les troubles sont majeurs et que l'enfant quitte sa chambre, il faudra peut-être vérifier les portes et les fenêtres, pour parer à une sortie dangereuse, et surveiller de près, en n'intervenant que si l'enfant court un risque imminent.

— *Dans la journée,* trois points aussi essentiels les uns que les autres :

• Procurer à l'enfant un maximum d'heures de sommeil et avec des horaires réguliers. Si les signes apparaissent vers 4 ans, au moment de la disparition de la sieste, il sera indispensable de la maintenir, peut-être en la prolongeant un peu ou en en modifiant l'horaire. Le but de cette manœuvre, c'est que l'enfant, moins fatigué le soir, aura moins besoin de

sommeil lent profond et passera ainsi plus facilement
en sommeil paradoxal.

• Le deuxième élément important, c'est de ne pas
l'interroger sur ce qui lui arrive, de ne pas tenter de
le faire raisonner, de ne pas lui demander d'expliquer, ni en pleine nuit, ni le lendemain, ce qui a bien
pu lui arriver. Il n'en a pas la moindre idée, nous
l'avons vu, mais il nous paraît fondamental de le
redire. Il est donc totalement inutile de lui demander
pourquoi il a crié au secours, ou pourquoi il a jeté
un objet par terre ou uriné dans ses bottes. Découvrir
en se réveillant ce qui s'est produit la nuit est déjà
un traumatisme. Avoir à en rendre des comptes est
insupportable. Il faut absolument dédramatiser les
signes de nuit, ne pas lui donner l'occasion de se
retrouver en pleine nuit devant ses parents dans une
situation embarrassante ou ridicule, dont il prendra
conscience parce qu'on le réveille, alors que normalement, en se rendormant, il en aurait perdu tout
souvenir. La connaissance de cette face cachée de
lui-même, cette zone sombre où il ne se contrôle plus,
la répétition des questions à ce sujet peuvent beaucoup l'inquiéter. Il se demande qui il est, pourquoi
un tel fonctionnement. L'impression d'« inconnu
incontrôlable », d'échappement à soi-même peut lui
apparaître comme une forme de folie, donc comme
un événement très angoissant.

• Troisième point essentiel : expliquer à l'enfant
les raisons physiques qui provoquent ce genre de
symptômes. En reprenant les schémas électro-encéphalographiques, il est très facile de lui dire qu'à un
moment précis de son sommeil, il se produit ce

curieux phénomène, qu'il n'y est, lui, pour rien, qu'il n'est pas fou et que ce non-contrôle temporaire n'est qu'un « gag physiologique » de son sommeil, dont il n'est pas plus responsable que d'une crampe ou d'un sursaut musculaire. Cette simple explication calmera bien des angoisses.

Ce qui frappe dans le suivi de grands enfants présentant ce genre de troubles, c'est la tranquillité apparente des journées, contrastant avec les difficultés nocturnes. Les parents parlent d'enfants très calmes, au très bon rendement scolaire, presque trop sages le jour, agréables, prêts à rendre service, qui ne se fâchent jamais, montrent peu leurs sentiments, se contrôlent beaucoup. Leur non-contrôle nocturne, lorsqu'on leur en fait grief, en est d'autant plus insupportable. C'est évident.

Parfois, il s'agit d'enfants vivant une réalité difficile et qui « prennent sur eux » pour la dominer, sans rien en dire. Deuil récent, séparation des parents, difficultés scolaires ou affectives. L'enfant n'en parle jamais directement, de peur d'aggraver ses difficultés avec ses parents ou ses professeurs, pour ne pas raviver le chagrin de ceux qu'il aime, ou par peur profonde d'exprimer ce qu'il ressent et d'encourir leur réprobation. Il est donc amené à se taire, à assumer un contrôle au-dessus de ses moyens et manifeste la nuit à quel point cela le perturbe.

L'aider c'est ouvrir le dialogue à distance de la nuit et, dans des moments de calme et d'intimité, l'amener à dire ce qui le préoccupe, lui proposer de prendre un peu de recul par rapport aux exigences de ses professeurs ou aux demandes de ses parents.

L'assurer qu'il est aimé, que tous les efforts qu'il fait sont reconnus et admirés, lui donner des occasions de sport, de loisirs pour défouler un peu ses tensions, l'aider à formuler un chagrin ou les idées négatives sur lui-même qui l'envahissent. La seule prise en charge vraiment utile se joue en ces termes-là.

Si la patience attentive des parents ne suffit pas, l'aide d'un psychothérapeute peut tout à fait se justifier et il ne faut surtout pas hésiter à la proposer et à l'accepter. Pour toute la famille, c'est une décision qui fait peur. Toute remise en cause de soi-même ou d'un équilibre familial est angoissante mais, devant des terreurs nocturnes intenses et répétées, c'est la solution sur laquelle il serait trop dommage de buter, pour l'avenir psychologique de l'enfant. Car c'est cela l'enjeu...

Un dernier point à préciser : pour tous les signes que nous venons de décrire, les médicaments sont néfastes. Aucun sédatif, aucun somnifère ne peut résoudre le trouble. Il peut, à la rigueur, l'étouffer, le masquer un moment, mais les signes repartiront de plus belle à l'arrêt du traitement et seront encore plus difficiles à juguler. **L'abstention thérapeutique médicamenteuse doit donc être la règle.** Il ne peut exister que deux exceptions très restreintes : éviter les blessures dans les cas extrêmement violents, en attendant que la prise en charge psychologique déjà entreprise commence ses effets, et permettre, à titre exceptionnel, à un enfant vivant des signes sévères de dormir une nuit ailleurs que chez ses parents sans qu'il se retrouve dans une situation délicate, et ne soit soumis, ensuite, aux railleries traumatisantes d'adultes ou d'enfants indiscrets. Vous le voyez, les médicaments ne seront que des palliatifs très limités, à ne donner que dans des occasions rarissimes, soigneusement contrôlées par les parents et le médecin traitant. Dans ces quelques cas, les médicaments les plus adaptés sont les benzodiazépines, sédatifs puissants, non hypnotiques, qui permettent une cédation des symptômes sans trop matraquer les cycles normaux de sommeil. Mais, répétons-le, ils ne doivent être donnés qu'à titre tout à fait exceptionnel et pour le plus petit nombre de nuits possible. Le « petit sirop du soir pour qu'il ne braille pas cette nuit et nous laisse tranquilles » est une énormité que des parents responsables ne peuvent en aucun cas se permettre, quel que soit l'âge de l'enfant.

Conduite à tenir devant des cauchemars

Un appel de fin de nuit, un enfant pleinement réveillé, réellement effrayé, jamais confus quelle que soit l'intensité de sa frayeur, qui raconte son rêve, a peu de réactions physiques, fait sûrement un cauchemar. Il a besoin d'aide.

Ce qu'il faut bien comprendre, c'est que les cauchemars, tout comme les rêves, sont normaux, absolument indispensables à l'enfant pour grandir et évoluer. Les phases où ils sont plus fréquents, plus intenses, font partie du processus normal de l'évolution. Pendant les premiers jours de vie, le nouveauné a de très longues périodes de sommeil paradoxal, avec des mouvements et des mimiques du visage qui en authentifient la réalité. Mais il est impossible de dire quelles sortes d'images, de sensations peuvent alors le traverser. À quoi peuvent bien rêver les nouveau-nés ou les bébés dans le ventre de leur mère ? Nous ne le saurons sans doute jamais, et peut-être que c'est mieux ainsi.

Vers un an, l'enfant commence à dire ce qui le tracasse, à raconter les images qui défilent dans ses cauchemars. Plus il grandira, plus il arrivera à en préciser les thèmes et l'intensité, racontant du même coup ses principaux soucis, et les inquiétudes qui l'assaillent. D'abord images simples, presque du quotidien, puis peu à peu symbolisées, élargies à des créatures imaginaires plus ou moins monstrueuses ou extravagantes.

Comment prendre en charge un enfant qui fait des cauchemars, comment l'aider à s'en sortir ? La réponse dépend bien sûr de l'âge, mais le point essentiel, valable pour tous, c'est que *l'enfant a besoin, terriblement besoin d'être rassuré*. Il est pleinement éveillé, mais voit encore les images terrifiantes qui l'ont tiré du sommeil. Sa mémoire est très précise, bien présente, et il est réellement effrayé.

Pendant les deux premières années de vie, l'enfant ne peut pas analyser la notion de rêve. Pour lui, tout ce qu'il voit, tout ce qu'il a dans sa tête est réel. Lui dire : « Ce n'est rien, ce n'est qu'un cauchemar » ne l'aide absolument pas. Il voit encore ce qui lui a fait peur, il sait que cela lui est arrivé dans son lit, il a peur que cela recommence. En même temps, comme il est bien réveillé, il sait que ses parents sont là, qu'il peut s'agripper à eux, se blottir dans leurs bras, demander à faire le tour de la pièce, ou même demander à finir la nuit contre eux dans leur lit. Si la panique du cauchemar est grande, pourquoi pas ? Il risque d'être beaucoup trop mal pour pouvoir se rendormir seul dans son lit. Ce dont il a besoin, c'est de parents calmes, apaisants, qui lui disent et lui répètent qu'il ne risque plus rien puisqu'ils sont là. Ce serait une erreur de nier la réalité de ce qu'il vient de vivre. Il sait qu'il a vu quelque chose d'effrayant et, donc, ne comprendrait pas que des adultes lui disent : « Il n'y a rien, il n'y a rien eu du tout, recouche-toi et rendors-toi. » Il veut simplement entendre : « Je suis là, tout va bien, tu ne risques rien ; contre moi, tu peux te rendormir. » Plus ce genre de phrase pourra être exprimé doucement, calmement, plus il sentira la paix de ses parents, et plus vite il pourra sortir de ses images intérieures effrayantes.

Entre 2 et 4 ans, l'enfant commence à bien raconter le sujet du cauchemar, à situer dans un coin de la chambre l'animal, le monstre à l'origine de sa frayeur. Mais, en même temps, il se met à comprendre la notion de rêve, que certaines images ne sont que dans sa tête et qu'il n'y a rien de réel dans la chambre. Il a toujours besoin d'être rassuré, d'entendre qu'il ne risque rien. Mais, tout comme nous l'avons raconté pour les illusions de l'endormissement (voir chapitre 5), mieux vaux *se contenter de cette réassurance, sans entrer dans le jeu du cauchemar.* Vérifier sous le lit qu'aucun monstre n'y est caché, faire semblant de tuer une abeille sur le mur ou d'éteindre un incendie, ces gestes lui donnent l'impression que le risque était bien réel. Pour lui, ses parents ne mentent jamais, et ce simulacre de combat avec un monstre imaginaire entérine la véracité de ce qu'il a rêvé et, du coup, renforce sa peur. Là encore, la tendresse chaleureuse et tranquillement rassurante de ses parents est la meilleure des aides à lui offrir.

Aux environs de 4 ans, l'enfant comprend claire-ment la différence entre le rêve et la réalité. Il sait qu'il voit des images effrayantes mais il peut prendre un peu de recul et en discuter avec son entourage. Il aime alors découvrir que ce genre de frayeur arrive à tout le monde, qu'il ne se passe jamais rien de grave quand on rêve. Lire des livres d'enfants racontant des histoires de cauchemars, lui montrer des illustrations de rêves rocambolesques ou un peu inquiétants mais finissant bien, lui apporte un grand soulagement. C'est un bon moyen que de lui offrir plusieurs livres parlant de rêves et de cauchemars, et de le laisser choisir, au moment du coucher, l'histoire qu'il a envie d'entendre avant de s'endormir. Il peut ainsi concep-tualiser sa peur, la dire sous différents modes symbo-liques et souvent, du coup, les cauchemars s'espacent et disparaissent.

S'il n'arrive pas à les surmonter, s'il continue à rejoindre ses parents au milieu de la nuit, ou à les appeler, il a sûrement une raison profonde d'inquié-tude ou un malaise important. Il aura besoin d'une relation d'aide avec un psychologue, pour arriver à dire, à mettre au clair ce qui le perturbe, ce qui le réveille. Là encore, mieux vaut ne pas hésiter à faire appel à des personnes compétentes pour faire cesser sans trop attendre ces épisodes pénibles pour toute la famille. Si les cauchemars sont extrêmement violents, très fréquents, ils témoignent d'un état émotionnel anormal de l'enfant, d'une difficulté à être en paix dans le quotidien. D'ailleurs, dans la journée, l'enfant est souvent nerveux, agité, exigeant, mal dans sa peau, et les parents remarquent les modifications de son caractère, qu'il serait trop rapide de rattacher d'emblée au manque de sommeil et aux cauchemars. Trouver ce qui fatigue anormalement l'enfant ou l'origine de ses soucis, c'est déjà aborder avec lui les moyens d'y remédier et, bien souvent, cela seul suffira.

Un autre moyen d'aider l'enfant, c'est de jouer avec lui, de manière symbolique, les difficultés qu'il traverse. Comprendre quelle est la cause de son état émotionnel, et le lui faire revivre dans la journée en le faisant trembler de rire, et non plus d'angoisse. Nous pratiquons tous cette réassurance à longueur d'année. Connaître ce qui nous agresse et apprendre à en rire, découvrir l'humour, n'est-ce pas l'une des bases de notre équilibre ? Pour nos enfants, ce n'est pas plus difficile. Nous pouvons en donner quelques exemples à des âges différents. Aux parents, ensuite, de découvrir avec joie ce qui marchera le mieux pour leur enfant.

• Un bébé de 5 mois pleure la nuit de façon dramatique depuis la reprise de travail de sa mère et son entrée en crèche. Dans la journée, il est calme, un peu triste. Le soir, il se couche assez facilement mais se réveille en hurlant à 4 heures du matin. À ce moment-là, il s'accroche à sa mère, pleure désespérément, ne veut plus la lâcher, et refuse de se rendormir hors de ses bras. Très probablement, l'enfant souffre de cette première expérience de séparation, découvre que sa mère peut disparaître de son univers, et revit la nuit avec angoisse la peur de la perdre. La qualité du temps que ses parents passent avec lui chaque jour, matin et soir, leur disponibilité ne sont pas toujours suffisantes pour l'aider à s'adapter à sa nouvelle vie. Ce qui peut l'aider, c'est de rire d'un jeu de disparition-réapparition, un banal jeu de cache-cache. Voir ses parents se cacher sous un drap ou derrière une porte, les entendre respirer ou chuchoter, trembler d'émotion au mot « coucou », avant même qu'ils ne se montrent, exploser de rire tous ensemble à leur réapparition ; c'est cela, symboliser.

• Un bambin de 2 ans est propre depuis quelques semaines. Il arrive à bien contrôler ses sphincters, demande à temps à aller au pot, sait même quitter seul sa culotte et annonce fièrement à sa mère que « ça y est ». Les journées sont très gaies, mais les nuits sont parsemées de cauchemars violents, apparus au même moment que ce contrôle sur lui-même. Il est logique de penser que la propreté dont il est si fier représente une réalisation difficile, qu'il a peur de déplaire en étant « sale », et que quelque part au fond de lui, il a peur de ne pas y arriver, ou peur de renoncer à ce produit de lui qui l'intrigue. Prendre du recul sera peut-être de jouer avec des jeux qui salissent, de remuer de la terre et de l'eau, d'écraser des pâtes à modeler, de faire de grandes taches de peinture sur de larges feuilles de papier. Jouer à n'être pas propre, avoir le droit de se salir, de s'en mettre plein les mains, plein la figure pour se maquiller en riant aux éclats, puis se baigner, toujours en riant, pour effacer tout ça.

• Cette fois, c'est un petit garçon de 4 ans, qui se réveille chaque nuit depuis des mois, hurle de frayeur, atterrit dans le lit de ses parents, puis s'agite, remue, gratte ses pieds contre les jambes de son père, jusqu'à ce que celui-ci, excédé, finisse par quitter le lit et aille dormir sur le canapé du salon. L'enfant, alors, s'endort calmement... jusqu'au lendemain où les cauchemars recommencent. Plus il est gagnant au milieu de la nuit, et plus les cauchemars redoublent. Le jeu (et la réalité doit suivre), c'est la reconquête de son propre lit par le père. Il peut arriver en riant, provoquant, là aussi, un jeu de cache-cache pour dénicher « l'intrus », le chercher partout sans le reconnaître, l'attraper, l'envoyer en l'air pour le faire rire, puis finir à trois dans le lit pour un grand câlin, puisque c'est dimanche matin, et que, le matin, ce n'est pas pareil.

Il est ainsi possible d'inventer mille et un scénarios, de jouer sur le mode symbolique les difficultés de l'enfant et la réaction des parents. Les grandes explications théoriques à cet âge n'apportent pas grand-chose, sinon une aggravation de l'angoisse car l'enfant sent ses parents fâchés contre lui, comprend qu'« il y a un problème », et ne sait pas du tout où est le fond du problème, où et comment les satisfaire. Le jeu, le rire feront bien mieux que tous les discours. L'enfant a besoin de sentir comment son père se positionne par rapport à lui dans cette histoire de nuit, il veut sentir en même temps l'amour, la tendresse, et la revendication de la juste place du père. Si le père retrouve sa place, l'enfant retrouve la sienne du même coup ; il sera davantage en paix et réapprendra à dormir.

Plus tard, chez le grand enfant et l'adolescent, les cauchemars existent toujours mais, normalement, un enfant peut les dominer de lui-même. Il sait très bien ce qui lui arrive et peut, petit à petit, apprendre à les gérer seul. Il s'assied dans son lit, peut avoir besoin de la lumière pour mieux retrouver la sécurité de sa chambre, de son domaine, mais il n'est plus obligé de déranger ses parents pour avoir leur appui. Sauf rêve particulièrement dramatique, il a les moyens de surmonter ces crises tout seul.

Cauchemars et terreurs nocturnes. Comment faire la différence ? [1]

	Cauchemars	Terreurs nocturnes
Définition	Un rêve terrible, survenant pendant une phase de sommeil paradoxal, suivi d'un plein éveil.	Un éveil partiel brutal d'un stade profond IV de sommeil.
Signes	L'enfant crie, pleure ou appelle *après* le rêve, quand il se réveille.	L'enfant s'agite et hurle *pendant* l'épisode de TN. Ensuite il est calme.
Survenue	Dans la deuxième partie de la nuit, moment où les rêves sont plus intenses.	Dans les premières heures de la nuit, moment où le sommeil profond est le plus fréquent.
Comportement de l'enfant	Cris et grande frayeur, persistant après le plein réveil.	Enfant très agité, confus, bizarre. Le cœur tape fort. Il transpire, crie, hurle, se lève, parle, court dans sa chambre, marmonne, se fâche... Les signes disparaissent dès que l'enfant s'éveille réellement.
Réassurance des parents	Indispensable. L'enfant est conscient, très effrayé, s'accroche à ses parents, a peur de se recoucher.	Enfant non conscient de la présence de ses parents, parfois agressif. Ne supporte pas d'être tenu ou recouché. Impossible de le calmer. Ne pas l'aider.
Retour au sommeil	Peut être difficile car la peur persiste.	Habituellement rapide et sans difficulté.
Au réveil le lendemain	Description du cauchemar si l'enfant sait parler.	Aucun souvenir : ni du rêve, ni des cris, ni de l'agitation.

1. D'après Richard Ferber, *Solve your Child's Sleep Problems*, pp. 172-173.

8

L'enfant qui fait pipi au lit

L'énurésie est l'une des manifestations nocturnes les plus connues. Connue parce que très fréquente, et connue aussi car des conséquences désagréables la rendent difficile à supporter, tant pour l'enfant lui-même que pour son entourage. Le drame de l'énurésie, c'est de survenir chez un enfant profondément endormi, qui ne s'aperçoit de ce qui lui arrive qu'après coup, en se réveillant. S'il se réveille au moment même, le choix est bien dur entre réveiller ses parents au risque d'encourir leurs reproches et leur réprobation, voire carrément leur colère, ou ne rien dire et tenter de se rendormir dans des draps et un pyjama inondés et vite très froids. Dans bien des cas, le fait de faire pipi au lit ne le réveille même pas. L'odeur d'urine qui refroidit, les vêtements qui collent à la peau et les draps mouillés lui annoncent alors, au matin, que quelque chose est encore arrivé cette nuit-là.

L'énurésie est un trouble extrêmement répandu. Les chiffres moyens cités en France sont de 8 à 12% à 6 ans, 3 à 5% à 10 ans, 2 à 3% à 12 ans, 1% à 14 ans. Dans 60% des cas, il s'agit de garçons. Cette difficulté diminue avec l'âge, quel que soit le type de traitement proposé, et ce dans le monde entier. Quelques adultes, anciens adolescents énurétiques, ont encore, de façon épisodique, des « accidents » nocturnes.

L'énurésie n'est pas une maladie. C'est un phénomène normal, simple prolongation d'un fonctionnement vésical sphinctérien qui, d'ordinaire, se modifie entre 2 et 4 ans. L'enfant subit pour différentes raisons physiques ou psychologiques un « non-contrôle vésical nocturne », dont il n'est pas plus responsable que d'une terreur, ou d'un éveil partiel brutal de n'importe quel autre type. L'énurésie a la même signification, se produit pendant son sommeil, sans contrôle volontaire possible, et pose problème uniquement à cause de l'inondation qui en résulte. S'il parle en dormant ou se lève la nuit, ni lui ni ses parents ne seront au courant, ou alors de façon confuse, un peu irréelle. S'il fait pipi, impossible de le cacher ; les signes au matin parlent d'eux-mêmes, sans échappatoire possible. C'est le seul cas des éveils partiels de nuit où l'enfant est confronté chaque jour avec la réalité de son non-contrôle.

En plus, un lit mouillé, c'est désagréable pour tous. Désagréable pour les parents, à partir du moment où ils ont enlevé les couches de l'enfant ou lorsqu'ils voudraient bien pouvoir les enlever. Désagréable pour l'enfant, car il se sent coupable et doit payer les conséquences de quelque chose dont il n'a pas le contrôle. L'énurésie n'est pas une maladie mais, d'une certaine façon, c'est un « handicap social ». L'âge de la propreté, longuement exposé dans toutes les revues grand public, est l'un des tests de l'évolution de l'enfant. Celui qui ne réalise pas cet acquis en même temps que ses camarades de promotion se heurte au regard vite interrogatif, soupçonneux, voire franchement hostile ou rigolard de son entourage qui se demande « ce qu'il attend pour s'y mettre ». Même si ses parents lui laissent pendant un temps l'esprit libre en ne le culpabilisant d'aucune manière, il y aura toujours un copain à l'école, une grand-mère, des amis pour lâcher des réflexions désobligeantes et lui faire découvrir brutalement qu'il est hors norme. Comme l'enfant ne peut pas contrôler, ne sait pas comment cela se produit chaque nuit dans son sommeil, il se sent anormal, terriblement gêné devant les autres enfants, embarrassé, honteux devant son propre corps qui lui joue ce sale tour. Si les agressions se répètent, l'enfant se replie sur lui-même, s'isole de ses copains, refusera d'aller dormir chez eux ou de partir en colonie, se fait un monde du moindre changement, vacances ou voyage, qui remettrait en cause l'espèce de système de protection qu'il se construit pour éviter les quolibets. Le moindre changement dans son existence devient période à risques, où il devra affronter la moquerie et les sarcasmes, sans compter sa propre angoisse, sa propre culpabilité, majorées par ces agressions. Plus le temps passe, plus il grandit et plus être confronté à cette réalité lui devient difficile.

Les parents ne peuvent guère le protéger. S'ils sont compréhensifs, chaleureux, tolérants, l'enfant se réfugie dans une attitude infantile, profitant de leur tendresse pour masquer son angoisse. Il joue au bébé, se fait prendre en charge, accepte les couches à un âge qui n'est plus vraiment celui d'être langé, évitant ainsi de se poser le problème et d'affronter sa propre réalité. Il s'en remet à ses parents pour cette fonction corporelle et ses conséquences, exactement comme s'il était encore un nourrisson et, bien souvent, il s'installe dans ce mode régressif pour toutes les autres fonctions : il refuse de manger seul, se fait couper sa viande jusqu'à un âge avancé, n'apprend pas à se servir d'un couteau, d'une fourchette, a peur de l'école, des rencontres, ne sait pas se battre si un copain lui fonce dessus, ne peut faire seul le moindre devoir scolaire. Il perd toute autonomie ou, plutôt, oublie de la construire.

Si, au contraire, les parents ne peuvent tolérer les inondations nocturnes — il serait plus juste de dire : *quand* les parents ne peuvent plus les tolérer —, l'enfant est en situation critique. L'escalade va vite du simple énervement d'avoir encore à laver des draps et de ne savoir où les faire sécher, au ressentiment et à la punition. La passivité de l'enfant devant ce qu'il ne peut contrôler ennuie et fâche ses parents. Ils se sentent coupables de n'avoir pas un enfant comme les autres, le culpabilisent en retour de ce qu'il ne parvient pas à surmonter, le punissent et le cajolent à contretemps. Ils lui tiennent rigueur de ce travail supplémentaire tout en le faisant, lui reprochent de ne pas se contrôler tout en lui permettant encore un comportement infantile en matière d'alimentation ou de vie sociale.

L'enfant ne sait plus où il en est. Il se sent dévalorisé, coupable d'abord à ses propres yeux. Confronté à cette image de lui-même, il est de moins en moins capable de s'exposer au regard des autres, se renferme davantage. Ses difficultés relationnelles se multiplient, s'aggravent, tandis que les signes nocturnes, eux, continuent de plus belle !

Les causes de l'énurésie sont très complexes, mais en tout cas jamais médicales. Nous le répétons parce que c'est essentiel : l'énurésie n'est pas une maladie. S'il existait des anomalies urinaires, les signes de non-contrôle existeraient aussi dans la journée, avec des pertes d'urine en goutte à goutte, des fuites inopinées, des besoins urgents répétés ou de franches douleurs. Si aucun de ces signes n'apparaît, le bilan urinaire (recherche d'infection, recherche échographique et radiologique d'une anomalie de l'appareil urinaire) sera normal. Faut-il le prescrire à l'enfant énurétique ? Peut-être pour rassurer tout le monde et pouvoir affirmer, preuves en main, que tout est normal, que l'enfant va bien, qu'il n'a aucune anomalie et qu'il pourra dominer ce problème si son entourage prend conscience qu'il est bien normal, qu'il n'est coupable de rien et peut être aidé !

Il existe sans aucun doute un *facteur héréditaire* dans

les causes de l'énurésie. Les chiffres sont éloquents. Une enquête montre que 12 à 15% des enfants sont énurétiques. Mais le chiffre passe à 45% pour les enfants dont l'un des parents l'a été, et à 75% pour ceux dont les deux parents ont connu ce problème dans leur enfance. Le facteur statistique est extrêmement évocateur. Par contre, il est rigoureusement impossible de dire si cette répétition, au long des générations, est d'origine physique ou psychologique. Est-elle liée à un retard génétique de maturation du système de commande sphinctérien, neurologique cérébral ou vésical ? Ou le simple conditionnement sociologique, la prise en charge familiale dans le processus de la conquête de la propreté, les habitudes des parents devant cette fonction, leur tolérance aussi puisqu'ils se souviennent et revivent à travers l'enfant leur propre histoire, suffisent-ils à expliquer de tels chiffres ? Le mystère reste entier.

Savoir reconnaître une sensation de vessie pleine, retenir ses urines même devant un besoin pressant, uriner à la demande, même si la vessie n'est pas pleine, interrompre un jet d'urine à volonté sont des activités à *commande cérébrale volontaire* d'abord conscientes, puis, par un mécanisme d'habituation, partiellement inconscientes. Cette commande apparaît chez l'enfant entre 2 ans et 2 ans et demi, et mature pour acquérir puissance et précision aux environs de 4 ans. Jusque-là l'enfant sent couler ses urines, sent le relâchement sphinctérien, mais ne peut rien contrôler, rien retenir. Peu à peu, il apprendra à reconnaître la sensation de vessie pleine, il pourra retenir, renforcer, retarder le flux urinaire, l'interrompre à la demande tout au long de la journée. Quand ce contrôle diurne est bien acquis, et à ce moment-là seulement, il peut exercer un contrôle au cours du sommeil. Avant, sa maturation neurologique ne le lui permet pas. Il est bien évident que tous ces signes de contrôle n'existent jamais avant d'autres acquisitions fondamentales, comme la marche, la motricité coordonnée des membres inférieurs. Pas question de demander à un enfant de contrôler ses sphincters tant qu'il n'est pas capable de marcher, de courir, de s'accroupir, de trouver le mouvement de pédalage sur son tricycle. Réussir de telles performances prouve que l'enfant a atteint l'âge de contrôler aussi sa fonction urinaire. Mais, comme dans tous les domaines, certains enfants sont plus précoces que d'autres, plus concernés que d'autres, ou, au contraire, beaucoup moins motivés. Question de personnalité et de relation avec les parents et l'environnement.

L'énurésie ne se produit presque jamais chez le petit enfant pendant une phase de sommeil de rêve, mais plutôt, comme les éveils partiels brutaux, pendant une phase de sommeil lent. Les enregistrements prouvent que cela peut se produire à n'importe quel moment du sommeil lent, souvent en sommeil lent léger, mais parfois aussi en sommeil lent profond. Le très jeune enfant urine souvent en début de nuit, au cours du sommeil lent profond ; l'enfant plus âgé plutôt en sommeil lent léger. Ce n'est que chez le très grand enfant que l'énurésie survient également en sommeil paradoxal. C'est donc exceptionnel.

Il n'y a pas d'anomalies du sommeil chez ces

enfants, même si les parents les décrivent souvent comme des enfants « gros dormeurs », au sommeil très profond. Les tracés électro-encéphalographiques de sommeil sont strictement normaux. Par contre, les contractions de la vessie augmentent pendant le sommeil lent et, donc, déclenchent le besoin d'uriner. *L'anomalie, c'est que ces enfants n'ont pas « branché » dans leur cerveau que la sensation de vessie pleine, l'envie d'uriner sont des raisons valables de se réveiller.* Ils n'ont pas appris à reconnaître la sensation des contractions vésicales et l'envie d'uriner qui en résulte comme importantes pour eux, comme l'un des mécanismes d'éveil impératif. Ils laissent leur cerveau flotter sur cette fonction, ne prennent pas les commandes, laissent leur vessie « en roue libre de nuit ». Ce n'est pas un désintérêt volontaire, mais plutôt un apprentissage de soi-même incomplet, fragmentaire, une méconnaissance de ses propres sensations profondes occultées au cours du sommeil. Nous verrons que ces éléments sont du plus haut intérêt, puisqu'ils sont à la base des interventions thérapeutiques efficaces.

Dans les énurésies dites primaires, celles où l'enfant n'a jamais réussi à acquérir un contrôle sphinctérien, il est classique d'incriminer des *anomalies minimes de la vessie ou de la commande sphinctérienne*. Il est vrai que nombre d'enfants énurétiques urinent souvent dans la journée, ce qui a pu laisser croire qu'ils aaient une vessie de plus faible volume que les autres. En réalité, les explorations sous anesthésie générale montrent que le volume vésical est strictement normal. Les « petites vessies » n'existent pas. Par contre, ces enfants ont une motricité vésicale très tonique, avec des contractions puissantes, contractions qui se déclenchent trop tôt, avant le remplissage de la vessie. Ces enfants ressentent donc le besoin d'uriner avant que leur vessie ne soit remplie.

Les troubles énurétiques ne surviennent souvent que secondairement. L'enfant a réussi aux environs de 2 ans à contrôler sa fonction vésicale nocturne. Il a été propre pendant plusieurs semaines ou plusieurs mois. Les parents avaient supprimé les couches puis, brutalement, l'enfant recommence chaque nuit à mouiller son lit. Le *facteur déclenchant* est parfois clair : la naissance d'un nouvel enfant dans la famille, la maladie d'un des deux parents, une situation familiale difficile, une maladie de l'enfant, une hospitalisation... Tous les stress de la troisième année peuvent se manifester par une régression des grands acquis récents, dont le langage ou la propreté. Cette régression est souvent très brève, surtout si elle est bien supportée, bien encadrée par la famille. Mais, malgré une prise en charge des parents chaleureuse et compréhensive, certains enfants n'arrivent plus, ensuite, à reconquérir une autonomie sphinctérienne correcte et s'installent pour de longues années dans une énurésie chronique. Il est donc logique de se demander si la troisième année n'est pas une période-charnière dans l'acquisition de ce contrôle, *une période sensible* au-delà de laquelle l'enfant a de bien plus grandes difficultés à régler le problème.

Il ne semble pas que les enfants énurétiques soient des enfants à *fragilité émotionnelle* particulière. Si l'on décrit parfois des enfants solitaires, peu communicatifs, qui se mêlent peu aux compagnons de leur âge, qui répugnent à toute vie collective, n'est-ce pas plutôt une conséquence de l'énurésie, par peur des railleries, que sa cause initiale ? Les cas où l'on perçoit nettement, en consultation, une difficulté émotionnelle sont rares. Quelques enfants sont surprotégés, couvés par une mère angoissée, d'autres sont un peu laissés à eux-mêmes, sans support affectif réel, ou affrontent des parents trop rigides et exigeants dans leurs demandes. Mais ces cas ne sont pas, et de loin, les plus courants. Le plus souvent, l'énurésie paraît être un symptôme, totalement isolé, d'un enfant gai, créatif, tonique, dans un milieu familial équilibré et rassurant.

● **Que peut-on proposer pour faire cesser une énurésie ?** Quels sont les moyens thérapeutiques possibles, et comment les mettre en jeu ? C'est là une question posée très fréquemment dans les consultations pédiatriques et parfois urologiques spécialisées, et qui mérite, nous semble-t-il, une réponse détaillée.

Première évidence : il vaut mieux ne rien faire, attendre calmement une solution qui, avec l'âge, de toute façon apparaîtra d'elle-même, que d'intervenir trop vite, trop fort, au risque de fixer un comportement qui aurait pu se résoudre spontanément. Le danger de vouloir trop en faire est réel et doit moduler toutes nos décisions.

Deuxième évidence : le traitement ne peut être efficace, n'a de chances de marcher que si l'enfant souhaite qu'il réussisse, s'il souffre de son énurésie, de ses conséquences par rapport à ses copains ou à ses parents, et désire vraiment être aidé. Lorsque la demande est faite par des parents exaspérés qui voudraient bien avoir moins de draps à laver, alors que l'enfant, lui, n'a pas encore perçu le problème, aucune solution thérapeutique ne peut être envisagée.

Troisième évidence : l'âge moyen d'acquisition du contrôle nocturne est entre 2 et 4 ans, avec de fortes variations individuelles. **Il n'est donc pas logique d'envisager de traiter une énurésie avant l'âge de 5 ou 6 ans,** et incohérent de commencer le traitement par un appui médicamenteux. Dans les premières années, un entraînement vésical et sphinctérien suffit souvent à en venir à bout.

Dans la pédiatrie traditionnelle, il était souvent conseillé de *réduire les boissons et tous les apports hydriques en fin d'après-midi et avant le coucher* pour diminuer la pression vésicale pendant la nuit. Cette méthode présente peu d'intérêt, de même que celles qui préconisent au repas du soir la suppression de tel ou tel aliment soupçonné d'avoir un effet diurétique. Le problème, nous l'avons expliqué, ne réside pas dans un volume urinaire important, provoquant une pression vésicale élevée, conditions qui devraient suffire à réveiller l'enfant et à l'amener à se rendre aux toilettes à temps. Le problème, c'est que l'enfant ne perçoit pas les signaux de sa vessie et laisse couler ses urines, qu'il y ait ou non remplissage. L'assoiffer le soir n'a aucun effet positif sur l'apprentissage qu'il doit faire sur lui-même, et l'inconfort qu'on lui inflige, comme tous les traitements non adaptés, peut le dégoûter de tenter d'autres efforts bien plus utiles.

Lever l'enfant au milieu de la nuit pour le conduire aux toilettes est presque aussi inopérant. Cela peut permettre en de rares occasions d'économiser une lessive, mais rien n'empêche l'enfant d'uriner dans son lit une heure avant ou dix minutes après. Si l'enfant dormait en sommeil lent léger, il sent peut-être ce qui lui arrive et peut uriner dans un demi-sommeil, pas très conscient. Ce n'est pas du tout formateur. S'il dort profondément, on ne lui propose guère qu'un « somnambulisme de propreté », dont il ne gardera aucun souvenir, aucune notion claire, et qui ne l'aidera en aucun cas à analyser les sensations de son corps. S'il urine à ce moment-là dans les toilettes, c'est totalement par hasard, tout à fait inconsciemment. Il est, par contre, physiquement agressé, comme par tout éveil partiel de nuit. Si, enfin, on le réveille en phase de sommeil de rêve, il peut toujours rêver qu'il urine... mais cette fonction, chez un garçon, pourra être entravée par l'érection physiologique du sommeil paradoxal, donc, là encore, il ne comprend rien, n'apprend rien, et puisqu'il rêve, n'arrive même pas à se tenir correctement debout. Comme, de plus, les enfants énurétiques n'urinent jamais à heure fixe, mais à n'importe quel moment de la nuit, impossible de viser un « théorique bon moment ». Un si piètre résultat mérite-t-il l'énergie que les parents vont déployer pour être réveillés, eux, à ce moment-là, pour traîner l'enfant jusqu'aux toilettes et attendre plus ou moins patiemment qu'il arrive à émettre quelques gouttes ?

Le premier traitement efficace, à notre avis, sera de faire prendre conscience à l'enfant des sensations de son propre corps et, pour cela, de lui proposer une véritable *gymnastique d'entraînement vésical et sphinctérien.*

— D'abord l'enfant peut apprendre à uriner au cours de la journée à la demande, en se retenant un moment, en s'arrêtant au milieu du jet, en ne repartant qu'au signal de l'adulte, afin de sentir qu'il peut à volonté ouvrir et fermer ses sphincters vésicaux, qu'il en possède le contrôle volontaire cérébral. C'est une sensation fondamentale. Ensuite, il sera très simple d'expliquer à l'enfant que le système qui, dans son cerveau, lui permet ce fonctionnement marche aussi la nuit, ne s'arrête pas au cours du sommeil, n'a aucune raison de ne pas marcher.

Pour que cette gymnastique ne soit pas trop ennuyeuse, formelle, imposée de l'extérieur, pourquoi ne pas la vivre comme un jeu au cours de promenades « entre hommes » ou « entre femmes », le père emmenant, par exemple, son fils « pisser dans les bois » et lui montrant le rythme à suivre. C'est là, semble-t-il, un excellent moyen de déculpabiliser l'enfant, de surmonter des tas de pudeurs qui pourraient le bloquer, de lui montrer qu'il n'est pas malade et qu'il va, tout comme ses parents ou ses amis, réussir une chose bien banale. Et puisque tout est normal le jour, il va aussi, c'est évident, en être de même la nuit. Pour peu que père et fils en profitent pour s'offrir de grands fous rires sur eux-mêmes, la partie est quasiment gagnée. *Tout ce qui peut dédramatiser la situation, la rendre banale et drôle, a une énorme valeur thérapeutique.*

Quand l'enfant sent qu'il peut contrôler à volonté

son jet urinaire, il est temps de lui faire éprouver ce qu'est une vessie pleine, vraiment tendue. Pour cela, au cours de la journée, lui proposer de larges rations d'eau et lui demander de ne pas aller uriner au moment où il commence à en ressentir l'envie, mais d'attendre : cinq minutes le premier jour, dix minutes le deuxième jour, quinze le troisième, etc. Pour que le test soit encore plus efficace, on peut le faire uriner dans un flacon, en lui apprenant à mesurer le volume émis. Le volume de chaque miction pendant les quarante-huit heures avant le début de l'entraînement sert de référence, de « record à battre ». Chaque jour, l'enfant tentera d'uriner un volume un peu plus important. À partir de ces deux idées, les parents peuvent inventer un agenda d'entraînement pour enregistrer les progrès et tout un lot de récompenses et de valorisations qui motiveront l'enfant.

Il n'y a pas de volume urinaire qui garantisse une continence nocturne, pas de chiffre théorique valable pour tous. Raisonnablement, 180 à 200 cc d'urines par miction pour un enfant de 5 ans est un excellent résultat. Le but à atteindre est une capacité vésicale supérieure d'environ 50% à celle du volume initial.

Si cet entraînement porte ses fruits et si l'enfant ne mouille plus son lit pendant deux semaines consécutives, on peut lui suggérer de boire davantage dans la journée, et même près de l'heure du coucher, afin de lui faire découvrir une nouvelle sécurité sur ses propres capacités de contrôle.

Cet entraînement nécessite une bonne coopération de l'enfant. Il doit avoir exprimé son envie de surmonter l'énurésie nocturne, et puis être assez grand, assez responsable, pour en comprendre le sens et les applications. Il n'est donc pas justifié, ni raisonnable, de tenter cet effort avant la cinquième et, pour certains, la sixième année.

Le meilleur moyen de résoudre une énurésie, c'est de *rendre l'enfant responsable de lui-même, de son propre corps.* Lui donner la maîtrise de ce qu'il vit dans le quotidien, aussi bien à la maison qu'à l'école. Lui permettre d'accéder à un nouvel état d'autonomie. S'il sait se prendre en charge, le contrôle nocturne de ses mictions se fera de lui-même.

Être responsable de soi-même, cela commence par des détails matériels concrets : mettre ses draps et son pyjama mouillés dans la machine à laver, la faire marcher, étendre la lessive, faire son lit avec des draps propres. Un enfant de six ans peut parfaitement assumer ce type de travaux ménagers, avec l'aide de ses parents dans un premier temps, puis tout seul. Il peut en être responsable. Si les draps mouillés sentent mauvais, que toute la chambre est désagréablement imprégnée d'une odeur d'urine, c'est **son** problème, et lui seul peut, ou pourra, y changer quelque chose. Si, chaque matin, sans rien dire, la mère « gomme » les signes de la nuit, se charge de la lessive, l'enfant n'apprend rien de sa responsabilité. Il continue, comme un tout-petit, à se faire porter, à dépendre d'elle. D'ailleurs, dans les consultations pédiatriques, le leitmotiv des mères excédées est : « Il **me** fait pipi au lit », comme on entend souvent « Il me fait un rhume ou une rougeole », ce qui sous-entend que tout ce que vit l'enfant serait vécu pour ou contre sa mère et non pour lui-même. Rendre sa propre vie à l'enfant, lui donner une vraie capacité d'intervention dans son domaine, c'est-à-dire son corps, son lit et ce qui s'y passe, est la première des nécessités. L'aider, c'est lui dire avec beaucoup d'amour : « Écoute, tu es assez grand, ton lit est à toi. Si tu veux des draps propres, voilà une pile pour toi, change-les. Le bouton de mise en route de la machine, c'est le deuxième en haut, tu dois le mettre sur le numéro 4, il faut deux mesures de savon. »

Attention, l'erreur à ne pas commettre serait de confondre responsable et coupable. Responsable, cela signifie être maître de ses actes, libre de les réaliser, apte à en assumer les conséquences. L'éducation au contrôle ne peut en aucun cas être punitive. L'enfant n'est coupable de rien, il a besoin de comprendre quelque chose de lui-même. Il a besoin d'être encouragé, valorisé dans chaque acquisition, avec tendresse et fermeté. Besoin que sa mère prenne du recul sur les détails matériels, lui en donne les rênes, tout en l'accompagnant positivement dans son évolution.

Pour cela, il lui faut une vie normale, comme à n'importe quel enfant de son âge, un lit normal, ne pas mettre de couches, aller dormir chez les copains sans que sa mère pense à mettre des freins ou des avertissements. C'est à lui d'y penser.

L'aider, c'est souvent aussi lui apprendre à tenir un agenda de nuit, un suivi écrit de ses réussites et de ses échecs. S'il ne sait pas encore lire et écrire, il est déjà capable de s'exprimer par signes, un dessin de soleil pour une nuit sèche, un dessin de pluie pour une nuit avec pipi au lit, par exemple. Pour être efficace, l'agenda peut mentionner les événements importants de la journée : voyage, entrée à l'école, séjour en colonie ou chez un copain, grande peur, grande joie, entraînements « dans les bois » décrits plus haut... Tant de nuits sèches valent tel ou tel type de récompense, définie à l'avance par contrat et dessinée sur l'agenda au fur et à mesure que l'enfant en bénéficie. Bien entendu, l'agenda doit être entièrement rédigé et tenu par l'enfant, affiché aux murs de sa chambre, et l'un des points importants du rituel du coucher où l'enfant discute avec ses parents de ce qui s'est passé la nuit précédente et de ses désirs pour celle qui vient. L'agenda est un merveilleux moyen pour l'enfant de comptabiliser ses progrès, d'être clair devant les difficultés et les échecs, de savoir à chaque instant où il en est exactement.

Si l'enfant demande un coup de main supplémentaire et que vient l'idée d'une consultation médicale, les parents peuvent prendre rendez-vous, l'accompagner, mais devraient lui laisser formuler lui-même son problème et sa demande. Je connais plusieurs enfants de six ans venus seuls en consultation, laissant volontairement leurs parents dans la salle d'attente. Ce qui m'a paru d'emblée excellent. Un enfant capable de s'assumer ainsi a de fortes chances de résoudre son problème sans tarder.

Enfin cette prise en charge de l'enfant par lui-même doit être globale, dans tous les gestes de sa vie : liberté de faire seul ses devoirs scolaires (ou de ne pas les faire, c'est un risque qu'il peut prendre, pourquoi pas, puisqu'il en assumera la responsabilité), liberté d'un peu d'argent de poche qu'il peut dépenser sans rendre de comptes, liberté d'aller passer un moment chez un copain, liberté d'aller faire un tour à la boulangerie tout seul, liberté d'apprendre à traverser une rue, de prendre un car, de choisir ses vêtements...

Dans la plupart des consultations pédiatriques, il faut de longues explications pour prouver aux parents que leur enfant peut accomplir bien plus de choses qu'il n'y est d'habitude autorisé. Qu'il est capable de tout cela, et de bien plus que cela, pour peu qu'il sente que ses parents l'aiment et veulent le voir grandir et évoluer ; pour peu qu'ils fassent confiance à l'enfant qu'ils ont créé pour devenir un adolescent et un adulte qui **se** crée. *Éduquer un enfant, n'est-ce pas toujours, avec des chronologies différentes pour les différents stades de l'autonomie, lui dire : « Je t'ai donné tout ce que je pouvais, tout ce que je savais. Maintenant, à toi... » ?*

Il existe dans le commerce des systèmes électriques appelés « pipi-stop » qui déclenchent une sonnerie pour réveiller l'enfant aux premières gouttes d'urine dans le lit. L'idée est d'aider l'enfant, en créant un *véritable réflexe conditionné*, à associer la sensation de miction imminente ou plutôt commençante à la nécessité de se réveiller. Ce système, pour être valable, doit à notre sens répondre à un certain nombre de conditions :

— il ne peut guère être utilisé avant 7 ou 8 ans, après que l'enfant se sera déjà pris en charge pendant plusieurs mois, sans succès suffisant ;

— ce système doit être installé en plein accord avec

l'enfant, qui en comprend le fonctionnement : deux électrodes séparées par un léger intervalle de drap. Quelques gouttes d'urine, riche en électrolytes, suffisent à établir le contact électrique et à déclencher la sonnerie ;

— l'enfant doit dormir nu, ou avec un pyjama peu épais, pour que le temps de réaction de l'appareil soit le plus court possible, et que la sonnerie se déclenche très vite au début d'une miction. Des vêtements épais absorberaient l'urine, retarderaient l'alarme, et l'enfant s'éveillerait chaque fois trop tard, dans un lit trempé, ce qui ne pourrait que lui saper le moral ;

— l'enfant doit vivre le déclenchement sonore comme un appui, pas comme une brimade, et savoir à l'avance que si l'on installe ce système dans son lit, ce sera pour de longs mois, toutes les nuits, voire plusieurs fois par nuit, jusqu'à ce qu'il ait appris à se réveiller assez vite pour se rendre aux toilettes quand il ressent le besoin d'uriner ;

— si l'enfant ne se réveille pas pleinement au moment de la sonnerie, les parents doivent intervenir pour le stimuler, l'aider à se réveiller, mais il devra être responsable d'arrêter la sonnerie, se lever, aller uriner, changer lui-même le drap au-dessus des électrodes si c'est nécessaire pour rendre le système à nouveau fonctionnel, et rebrancher la sonnerie ;

— utiliser le système de temps en temps n'a rigoureusement aucun intérêt. La seule chance d'être efficace, c'est de ne jamais donner à l'enfant une possibilité d'uriner sans se réveiller. Le réflexe conditionné dans son cerveau : « J'ai besoin d'uriner donc je me réveille » ne peut s'apprendre qu'à plein temps, aussi longtemps que ce sera nécessaire ;

— si le système est correctement utilisé toutes les nuits, plusieurs fois par nuit, l'efficacité est réelle : 25% des enfants sont continents en moins de six semaines, 50% en moins de trois mois, et 90% en quatre à six mois. Cela vaut la peine d'essayer ;

— après deux ou trois semaines sans aucun accident énurétique, l'appareil peut être enlevé du lit. Mais si l'énurésie recommence, il faudra le reprendre exactement dans les mêmes conditions et le laisser en place plus longtemps avant de tenter de l'ôter. L'enfant peut inconsciemment être dépendant de l'appareil et continent uniquement parce qu'il sait que le système d'éveil est dans son lit. Il faudra peut-être du temps pour le « déconditionner », lui faire découvrir, par exemple, qu'il n'y a plus d'accident avec une sonnerie moins forte ou avec l'appareil en place dans le lit mais débranché.

Quels sont les **médicaments** *possibles dans l'aide thérapeutique d'une énurésie ?* Que peut-on en attendre et comment les utiliser ? Il n'existe pas de traitement direct de l'énurésie, pas de drogues qui apprennent à contrôler son corps. Il n'y a que des médicaments adjuvants, palliatifs, assez rapidement efficaces, mais qui permettent rarement une guérison définitive : les rechutes sont fréquentes après l'arrêt du traitement puisque les médicaments n'agissent que sur un symptôme et non sur les causes profondes du trouble. Leur action pharmacologique peut intervenir à deux niveaux : sur le sommeil ou sur le système vésico-urinaire. Ces médicaments ne doivent être préconisés qu'après l'échec de toutes les méthodes décrites ci-dessus, en expliquant bien aux parents et à l'enfant leur mode d'action, leurs risques et leurs limites.

Il existe actuellement deux types de médicaments préconisés en France dans le traitement de l'incontinence nocturne : l'imipramine et l'hormone anti-diurétique.

• *L'imipramine* est utilisée depuis plus de vingt ans dans le traitement de l'énurésie. Il s'agit d'une molécule chimique de la famille des neuroleptiques anti-dépresseurs agissant à un double niveau :

— elle modifie la fréquence et les caractéristiques des éveils au cours du sommeil lent, favorisant des éveils plus rapides et plus faciles. En revanche, elle est responsable de phénomènes d'excitabilité, d'irritabilité, de troubles du caractère, de cauchemars, de tremblements, de tachycardie, ainsi que de divers troubles périphériques tels que constipation, hypotension, bouffées de chaleur ;

— elle a une action vésicale directe : l'imipramine augmente la capacité vésicale et en réduit les contractions, donc diminue la sensation du besoin d'uriner, pouvant permettre une meilleure tolérance du volume urinaire contenu dans la vessie. Du fait de cette action périphérique, un surdosage peut entraîner une rétention d'urine.

L'imipramine a, par ailleurs, une toxicité directe sur le sang et le foie pouvant entraîner des lésions irréversibles. Il ne faut jamais l'utiliser dans une période de construction cérébrale active, donc avant 6 ans. Il ne faut pas l'employer comme médicament de confort pour que les parents aient moins de lessive

à faire : les risques sont trop grands pour le bénéfice
escompté.

Son utilisation se justifie après l'échéc de toutes
les autres tentatives et en poursuivant l'important
soutien dont nous avons parlé, pour permettre à un
adolescent de mener une vie sociale normale, de partir en colonie ou avec des amis sans risquer les railleries trop dures. Cela pendant quelques semaines.
L'enfant découvre enfin la réalité de nuits normales, sait qu'il pourra les vivre à la demande avec l'aide
du médicament, mais qu'il ne peut être question d'un
traitement continu sur plusieurs mois ou années.
Vingt à trente jours de traitement continu, c'est le
maximum, puis mieux vaut arrêter, tout en conti-
nuant les autres types de conditionnement ou d'entraînement.

Quelques règles pratiques d'utilisation peuvent être
proposées :

— commencer ce type de traitement le plus tard
possible, quand réellement l'enfant ou l'adolescent
est en grand malaise du fait de l'énurésie ;

— choisir le dosage le plus bas ;

— commencer par une dose très faible (1 dragée
par jour) et augmenter lentement pour atteindre la
plus petite dose efficace possible. Une fois cette dose
ajustée, inutile de l'augmenter davantage ;

— fractionner la dose en deux prises, l'une vers 16
ou 17 heures, l'autre à l'heure du coucher ;

— lorsqu'une bonne continence nocturne est obte-
nue pendant quinze jours consécutifs, diminuer progressivement les doses et tenter d'arrêter le traitement ;

— ne jamais prescrire ce traitement en dehors de la prise en charge globale longuement décrite dans ce chapitre et ne pas le poursuivre pendant plusieurs mois ;

— comme pour tous les médicaments majeurs, il n'est pas en vente libre en pharmacie et n'est distribué que sur prescription médicale. Ne pas laisser les comprimés à portée de l'enfant sur sa table de nuit ou à la portée d'autres enfants de la famille. Les garder dans une armoire fermée.

Dans ces conditions, les risques d'utilisation sont minimes. L'enfant est rassuré par ses nuits normales, et peut en faire un facteur très positif de son évolution.

• Le second médicament, le *1-désamino-8-D-arginine-vasopressine* est un analogue synthétique de l'hormone antidiurétique naturelle (vasopressine), hormone qui régule en permanence la quantité d'urine sécrétée par les reins, donc règle l'équilibre hydrique de l'organisme. Son véritable rôle thérapeutique est le traitement du diabète insipide, maladie grave de l'enfant liée à l'absence de vasopressine, par lésions cérébrales hypothalamiques.

Il a été proposé dans le traitement de l'énurésie en 1986, à la suite de travaux sur le cycle de sécrétion journalière de l'hormone antidiurétique. Normalement, cette hormone a une sécrétion nettement augmentée au cours de la nuit, augmentation non retrouvée, semble-t-il, chez beaucoup d'enfants énurétiques, d'où des urines plus abondantes, et l'incontinence. L'apport de cette hormone de synthèse réduit le volume urinaire nocturne, et permet un meilleur contrôle vésical.

Au cours des expérimentations, l'efficacité sur la continence est bonne : environ la moitié des enfants traités deviennent continents ou urinent beaucoup moins fréquemment la nuit. Il n'y a apparemment aucun trouble secondaire, aucune toxicité. Mais il est trop tôt pour donner des conclusions définitives sur le rapport efficacité/risques dans l'utilisation de ce médicament. L'avenir nous le dira.

Son mode de prescription est assez spécial, puisqu'il s'agit d'une prise nasale, à l'aide d'un embout souple permettant de doser le produit et de le vaporiser sur la muqueuse nasale.

La dose moyenne proposée chez l'enfant est de 0,1 à 0,2 ml le soir au coucher, en évitant de boire après la prise du médicament pour ne pas provoquer un surdosage en eau. Là encore, il est préférable de tester des doses faibles du produit puis d'augmenter très lentement jusqu'à ce qu'on trouve la plus petite dose efficace possible. Il peut être dangereux pour un enfant de moins de 2 ans, car il peut entraîner une intoxication par l'eau. Donc ne pas le laisser traîner.

Évidemment, ce médicament ne permet pas à l'enfant de mieux sentir ce qui se passe dans son corps. Il n'évite en rien les méthodes globales de prise en charge et d'entraînement. Ce n'est qu'un adjuvant transitoire, et si l'enfant peut s'en passer, c'est beaucoup mieux !

9

Sommeil et somnifères

> « *Après avoir dévasté la nature qui l'entoure, l'homme n'est-il pas en train de dévaster son propre cerveau ? Un seul chiffre montre l'urgence du problème, celui de la consommation d'un des médicaments les plus vendus dans le monde : les benzodiazépines... Ils calment l'angoisse et aident le sommeil. Sept millions de boîtes sont vendues par mois en France et des chiffres semblables se retrouvent dans la plupart des pays industrialisés. Un adulte sur quatre se "tranquillise" chimiquement. L'homme moderne doit-il s'endormir pour supporter les effets d'un environnement qu'il a produit ? Il est temps de considérer le problème avec sérieux.* »
>
> J.-P. Changeux, *L'Homme neuronal.*

Les médicaments ne sont pas, ne peuvent pas être la solution aux divers troubles du sommeil de l'enfant. Tout ce que nous avons évoqué dans les chapitres précédents a déjà dû vous en convaincre, vous comprenez maintenant aussi bien les subtils mécanismes du sommeil que les possibilités éducatives que nous avons longuement exposées.

Donner un somnifère n'est jamais un geste anodin, beaucoup moins anodin encore chez un enfant que chez un adulte puisque le cerveau est en pleine

construction, en pleine organisation. Donner un somnifère à un très jeune enfant, c'est compromettre la
très fine et subtile alchimie des cycles et des bran-
chements cérébraux qui s'organisent peu à peu pour
équilibrer son sommeil. C'est un peu comme si, à
un enfant qui réclame à manger, on donnait un ano-
rexigène, un médicament coupe-faim. Bien sûr, la
plainte engendrée par la faim s'arrêterait quelques
heures, mais au prix d'une excitation et de perturbations cérébrales majeures. Quand un enfant a sommeil, il convient de lui apprendre à dormir, pas de
l'assommer pour le faire taire. Ces mots ne sont pas
excessifs. Les somnifères sont de véritables matra-
ques chimiques. Là encore, l'analogie parle d'elle-
même. Quels parents ne sont pas affolés, — et à juste
titre — quand leur enfant tombe de la table à langer
mais alignent le soir sans hésiter les cuillerées de sirop
calmant ? Le danger est tout aussi réel, simplement
moins connu, moins reconnu, faute d'information.

Il est tellement peu reconnu que les chiffres sont
affolants : la consommation de sédatifs et d'hypnotiques en France est passée de 95 millions d'unités
en 1969 à 265 millions d'unités en 1980 (chiffres du
Syndicat national de l'industrie pharmaceutique). Et
les enfants ne sont pas les derniers servis : une
enquête INSERM effectuée en 1978 auprès de mille
enfants du 14ᵉ arrondissement de Paris et publiée en
1982 dans *Santé de l'Homme* montrait que **70%** des
bébés avaient avalé des somnifères ou des sédatifs
avant l'âge de **3 mois**, et que **16%** d'entre eux en
prennent **régulièrement à l'âge de 9 mois**. Et cela
apparemment avec l'accord des médecins puisque

huit fois sur dix, il y a eu prescription médicale. Ces simples chiffres devraient déjà nous faire sauter au plafond. Si l'on ajoute que les enfants ainsi « drogués » ont le plus souvent des parents qui absorbent aussi des somnifères eux-mêmes parce qu'ils sont « énervés, épuisés, déprimés, insomniaques... », comme le dit très justement J.-P. Changeux, c'est toute une société qui se détruit par incapacité à se vivre.

Nous allons décrire les risques de telles prescriptions, leur mode d'action sur les mécanismes du sommeil, l'évolution de leur action dans le temps et, surtout, les moyens d'arrêter cette intoxication déjà entamée. Volontairement, nous n'entrerons pas dans la pharmacologie détaillée des différents somnifères. Hypnotiques, barbituriques, benzodiazépines, neuroleptiques, antihistaminiques ou autres sédatifs, leurs effets potentiels sont les mêmes ! En pratique, chez l'enfant, seules les deux premières catégories ne sont pas prescrites couramment mais seulement dans les préparatifs d'une intervention chirurgicale. Les autres sont largement utilisés, sous la forme trompeuse du sirop, grand calmant et grand consolateur dans notre société où les sucreries sont un moyen très largement utilisé pour apaiser les chagrins et les angoisses. Un certain nombre d'entre eux sont même en vente libre dans les pharmacies sous des noms connus de tous, que nous nous interdirons de citer. Même les produits qui bénéficient d'une telle tolérance sont, en fait, des produits toxiques qui justifient la plus extrême prudence dans leur utilisation, et cela d'autant plus que l'enfant est plus jeune, que son cerveau est plus immature, en cours de développement.

Les somnifères ne font pas dormir, ils empêchent de se réveiller

Pour comprendre ce point capital, repartons des bases neurophysiologiques.

Le sommeil hypnotique n'est pas un sommeil normal. Il y a une *nette diminution du sommeil lent profond et du sommeil paradoxal au profit de plus de sommeil lent léger. Cette diminution est liée à une diminution de l'excitabilité des centres du sommeil* qui ne peuvent plus jouer leur rôle naturel. La qualité du sommeil (mesurée par le rapport de la quantité de sommeil lent profond et de sommeil paradoxal sur le temps de sommeil total d'une nuit) est diminuée. Si vous vous rappelez que le sommeil lent profond sert au repos du corps, à la cicatrisation ou à la construction des tissus, à la sécrétion de l'hormone de croissance, et après la puberté à celle des hormones sexuelles, et que le sommeil paradoxal sert à l'équilibre psychologique de l'individu, inutile d'épiloguer.

Les somnifères sont des substances anti-éveils. En d'autres termes, ils bloquent les substances biochimiques de l'éveil comme l'histamine, l'acétylcholine (pour plus de détails, voir chap. 11 : « Pour en savoir plus »). Ces neuromédiateurs, sécrétés dans le cerveau selon une périodicité déterminée, régulent nos rythmes intérieurs. C'est donc toute la chimie très fine de la vie cérébrale qui est modifiée.

Les somnifères ne dépriment pas seulement les centres de l'éveil. *Ils diminuent l'excitabilité de toutes les structures nerveuses centrales*. Ils ont donc un retentissement sur le rythme cardiaque, sur la respiration, sur la thermorégulation. Chez le nourrisson, certains de ces médicaments ont été incriminés dans la multiplication des morts subites inexpliquées, par dépression des fonctions vitales cardiaques et respiratoires. Le risque est donc bien à prendre en compte. D'ailleurs, cette action dépressive est évidente quand on constate chez l'adulte leur toxicité à doses croissantes. Ils entraînent successivement une sédation, un sommeil, une disparition des réflexes, un coma, et finalement la mort par arrêt respiratoire. Très peu d'études sur la toxicité chez l'enfant ont été effectuées. On peut seulement dire que les risques pour lui sont probablement encore plus grands, et que la marge de sécurité entre la dose thérapeutique efficace et la dose toxique est nettement plus faible.

Le piège de ces produits, c'est qu'ils donnent une *impression subjective et quantitative* d'avoir bien dormi. L'endormissement est plus rapide, car ils facilitent la baisse de tension psychique, permettant de se « laisser aller » vers le sommeil. Il y a moins d'éveils et, surtout, des éveils de plus courte durée au cours de la nuit. Élémentaire pour des substances antiéveils, me direz-vous, mais à quel prix pour le fonctionnement du plus précieux de nos équilibres ?

Tous les somnifères ont des effets secondaires

C'est un point essentiel que les fabricants se gardent bien d'indiquer sur les notices. Évidemment, ces effets ne sont pas exactement les mêmes s'il s'agit d'hypnotiques à élimination rapide (demi-vie : 6 à

8 heures), moyenne (12 à 30 heures) ou longue (plus de 30 heures).

Le point le plus ennuyeux, c'est qu'*ils perturbent la qualité de l'éveil du lendemain ou des jours qui suivent*. Le manque de sommeil paradoxal se traduit dès les premiers jours par des troubles de l'attention, de la concentration et de la mémoire. Au cours des « intoxications » prolongées de l'adulte qui prend chaque soir depuis des années « quelque chose pour dormir », ces troubles sont souvent importants, repérés par l'entourage et attribués à tort à un syndrome psychiatrique ou à un vieillissement prématuré.

Les modifications du caractère sont l'autre aspect de ces manifestations. Euphorie anormale mais transitoire, aggravation d'une anxiété chronique, labilité émotionnelle...

Par ailleurs, s'installe *un véritable cercle vicieux*. Les hormones qui font dormir sont probablement sécrétées au cours de la journée (voir p. 367-368). Si la qualité de l'éveil baisse, la sécrétion de ces hormones est moins bonne et le sommeil qui suit sera compromis. Il y a donc détérioration progressive, non seulement des journées, mais des nuits de sommeil. C'est tout un très fin équilibre biochimique cérébral qui se trouve bousculé, voire enrayé.

Chez l'enfant, les effets secondaires sont essentiellement des troubles du caractère : *agitation, énervement, agressivité* qui, bien sûr, font qualifier cet enfant de « nerveux », de « pénible ». La tentation d'augmenter les doses pour le calmer aussi dans la journée est bien grande, ce qui évidemment ne fera qu'aggraver le problème.

Tous les somnifères ont une action transitoire

L'organisme ne peut supporter la privation de ses temps physiologiques de sommeil. Il échappe aux substances anti-éveils exactement comme il échappe à la privation expérimentale de sommeil. Si vous empêchez un individu de dormir, *au bout de dix à quinze jours* il s'endort quand même, quoi que vous fassiez pour l'en empêcher. Si vous lui donnez des somnifères, au bout du même délai il échappe au traitement, et recrée ses cycles de sommeil, alternant sommeil lent et sommeil paradoxal. Il redort seul, parce que son corps, son cerveau ne peuvent rester plus longtemps dans un tel état de « blocage fonctionnel » et se sont remis à fabriquer « quand même » les hormones naturelles de l'éveil et du sommeil. Il s'endort seul si la cause de l'insomnie est transitoire. Si la cause de l'insomnie persiste, les éveils réapparaissent. Et, si l'on arrête le médicament, l'individu ne dort pas, ou très mal, la nuit suivante. Que se passe-t-il ?

L'arrêt d'un somnifère entraîne une réaction de « manque »

Les somnifères fonctionnent comme de véritables drogues. Leur arrêt provoque un syndrome de sevrage, véritable réaction de manque, avec *rebond d'insomnie*. L'insomnie sera souvent totale pendant plusieurs nuits, en tout cas très importante. Si le sujet s'endort, il fera des cauchemars provoqués par un rebond de sommeil paradoxal. Ce rebond peut être observé après la prise d'un seul comprimé d'hypnotique !

Ce rebond d'insomnie et ces cauchemars font croire

à tort que le médicament était efficace et, logiquement, l'on est tenté de reprendre le traitement. Mais l'efficacité s'épuise, et repartir « au-delà » du syndrome de manque nécessite souvent d'augmenter les doses, ou de rajouter un autre produit. Petit à petit, se constituent ainsi les circuits aberrants de somnifères : prises au long cours, à doses abusives, sevrage impossible.

Chez l'enfant, comme chez l'animal, les somnifères peuvent entraîner des réactions paradoxales

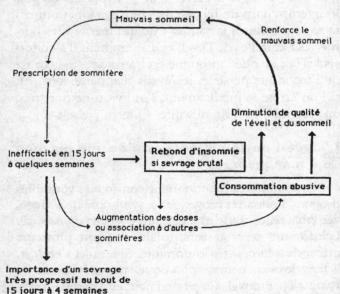

Le cercle vicieux des somnifères. *D'après F. Goldenberg.*

C'est un point d'expérimentation que les vétérinaires connaissent bien. Si vous donnez à un chien une dose forte de benzodiazépine, il ne se couche pas de la nuit. Il tangue sur ses pattes, laisse pendre sa tête et sa langue de façon lamentable, réclame à boire de façon massive pour tenter d'éliminer ce qui l'intoxique. Même en le forçant, il n'est pas possible de lui faire plier les pattes et, en aucun cas, il ne se laisse aller, sachant sans doute intuitivement que ce qui lui arrive est anormal, dangereux, et qu'il doit lutter contre.

Un certain nombre d'enfants réagissent de la même manière lorsqu'on leur donne un sédatif ou un somnifère. Affolés par la sensation nouvelle d'ébriété et de somnolence provoquée par le médicament et ne comprenant pas ce qui leur arrive, ils s'agitent de façon violente, paradoxale, hurlant et remuant de plus belle, saisis par la panique de s'endormir « malgré eux », et ils ne fermeront pas l'œil de la nuit. Impossible pour eux de se laisser aller à cette sensation anormale, d'accepter l'ivresse chimique inexpliquée. Les adultes s'y laissent glisser facilement, pas les petits enfants. Cette aggravation de l'agitation et des difficultés de sommeil liée au médicament touche plus d'un enfant sur trois pendant la première année. Là encore, le risque est grave. Pour arrêter le processus, les parents spontanément augmentent les doses, parvenant vite à la dose toxique, où l'enfant assommé s'écroulera.

Un traumatisme cérébral majeur qui, s'il se reproduit souvent, peut compromettre gravement l'équilibre ultérieur, équilibre psychologique et équilibre de sommeil, pour bien des années.

Vous voyez que la conséquence commune de tous ces points est la tendance à augmenter les doses, à s'engager, vite et sans s'en rendre compte, dans une consommation abusive d'hypnotiques. Nous voudrions vous raconter, à partir d'une histoire vraie, comment sortir de cet engrenage.

Histoire de Florian

● *Ou comment réapprendre à dormir sans médicaments*

Florian a une histoire bien banale. Il dort normalement de 1 à 5 mois. Dès l'âge de 6 mois, il se réveille plusieurs fois par nuit et, à partir de 8 mois, en plus, ne veut plus se coucher, hurlant chaque soir pendant des heures. À 18 mois, les parents épuisés demandent de l'aide et il leur est prescrit un sirop calmant, sirop largement utilisé chez les enfants de moins de 2 ans. Il en prend deux cuillerées à café chaque soir. Le sommeil s'améliore pendant deux mois, puis réapparaissent progressivement des éveils en cours de nuit.

À 2 ans, les parents, inquiets à l'idée de droguer trop leur enfant, décident d'arrêter le sirop le weekend, pensant logiquement que, même si Florian crie beaucoup, ils pourront, eux, se reposer dans la journée. L'essai est désastreux : l'arrêt du médicament le vendredi soir entraîne une insomnie totale jusque dans la nuit du dimanche, et un week-end d'enfer pour tout le monde. L'essai est tellement catastrophique qu'il ne sera tenté que deux fois. Les parents, convaincus que le traitement est efficace puisque son arrêt entraîne une insomnie majeure, le reprennent.

Entre 2 et 4 ans, l'efficacité du sirop diminue progressivement et les parents, pour compenser, augmentent peu à peu les doses.

Au moment de la première consultation, Florian est un petit garçon de 4 ans. Il prend chaque soir *cinq* cuillerées de sirop, et le sommeil obtenu ne paraît pas franchement mauvais : quelques difficultés au coucher, plusieurs réveils avec pleurs au milieu de la nuit, en moyenne trois à cinq par semaine, pas mal de cauchemars. Dans la journée, c'est un enfant sans gros problèmes, mais trop calme. Les parents l'amènent, persuadés qu'une anomalie cérébrale grave l'empêche de dormir. Ils sont aussi convaincus qu'il ne dort pas assez et qu'il est rigoureusement incapable de se passer de somnifères.

Au cours de cette consultation, nous expliquons aux parents que leur bambin est tout à fait normal, qu'il n'a sûrement rien de grave au cerveau. Puis une longue explication sur les associations d'endormissement (Florian ne s'était jamais endormi seul) leur montre la nécessité de lui apprendre à s'endormir sans eux. Pour que l'endormissement soit plus facile, il leur est proposé de retarder un peu l'heure du coucher. Enfin et surtout, il leur est demandé de tenir un agenda.

Le résultat est spectaculaire. Dès les premières nuits, il n'y a plus d'éveils et le coucher ne pose qu'un court problème le troisième soir. Rassurés par la consultation et vite convaincus par l'agenda que leur enfant dort finalement assez, les parents sont moins angoissés, du coup Florian s'endort plus facilement.

Dès le sixième jour, les troubles du sommeil ayant

DATE	24 h	2 h	4 h	6 h	8 h	10 h	12 h	14 h	16 h	18 h	20 h	22 h	Observations
17/4													
18													
19													10 mn de pleurs légers
20													
21													Dimanche matin / réveil spontané
22													Début sevrage / 5 mesures de N
23													Réveil par la fièvre. 4 1/2
24													4
25													3 1/2
26													3
27													Samedi soir coucher spontané 2 1/2
28													Réveil spontané 2
29													2
30													1 1/2
1/5													1 1/2
2													1
3													Réveil par la fièvre. 1
4													1/2
5													Plus de N. 0
6													
7													
8													
9													Parle 1 ou 2 fois dans la nuit.
10													Parle 1 ou 2 fois dans la nuit.
11													Parle 1 ou 2 fois dans la nuit.
12													Depuis ce jour : nuits sans
13													aucun réveil, c'est formidable !
14													
15													

Agenda de sommeil de Florian.

disparu, il est décidé de commencer à diminuer les doses de sirop. Sevrage très lent, très progressif, prévu sur douze jours, en conseillant aux parents de ne pas modifier les horaires de jour, de ne pas lui faire faire une sieste de compensation.

Malgré cette diminution très lente, Florian présente au dixième jour un rebond de cauchemars, et deux jours après l'arrêt total du traitement sept éveils dans la nuit. Les parents tiennent bon, enfin presque, puisque la maman le laisse se lever un peu plus tard et lui autorise une sieste ! Néanmoins, ils ont le courage de ne pas reprendre le traitement.

Trois jours après, le problème est définitivement

réglé. Il y a quelques nuits où l'enfant parle un peu en dormant, puis plus rien. Le sommeil est tout à fait normal. Florian, enfant renfermé, trop calme, devient joyeux, dynamique, se mêle à ses petits camarades. Il reprend goût à la vie.

Cette histoire est vraie. Il faut, vous le voyez, moins d'un mois pour régler un problème qui durait depuis plus de quatre ans. Comprenant les mécanismes du sommeil et surtout les différentes réactions aux somnifères, tous les parents sont à même de réussir ce spectaculaire rétablissement. Souhaitons simplement qu'il devienne exceptionnel parce que les parents auront su intervenir plus tôt, plus efficacement, et n'auront pas laissé leur enfant s'égarer dans de telles « errances thérapeutiques ».

Les autres médecines du sommeil

● *Dans l'arsenal thérapeutique pour faciliter le sommeil d'un enfant, il n'est pas inutile de citer les autres possibilités, celles des médecines alternatives. N'ayant pas de compétences spécifiques pour en parler, nous nous contenterons de les évoquer. Elles peuvent être intéressantes, soit directement sur l'endormissement et le sommeil, soit indirectement, en modifiant un état d'angoisse ou de nervosité. Ce qui les caractérise, c'est leur totale innocuité. Ce seul argument, face à tout ce que nous venons de dire sur les somnifères traditionnels, mérite notre attention.*

● *L'ostéopathie* a pour but de manipuler doucement les différents tissus de l'organisme, pour leur redonner une bonne mobilité. L'idée de départ, c'est que, si un tissu ou son enveloppe a subi un choc, un traumatisme, il perd de son élasticité, est moins bien vascularisé, et qu'il se crée alors une zone de tension mécanique. Un ostéopathe peut intervenir sur tous les tissus : os, articulations, organes centraux, enveloppes des muscles et du système nerveux.

Dans un certain nombre de maternités de France, des ostéopathes interviennent auprès des nouveau-nés qui pleurent beaucoup après un accouchement traumatique : trop long, trop rapide, avec forceps. Souvent ces bébés ont un comportement douloureux, plaintif. Ils ont franchement « mal à la tête » et, pour le dire, hurlent pendant des heures. Lorsque les sutures retrouvent leur mobilité et leur élasticité, l'enfant s'endort calmement pendant la séance de manipulations.

Chez l'enfant plus grand, il est également possible d'intervenir, soit pour tenter de libérer des tensions anciennes liées à la naissance, soit après une chute importante. Des troubles chroniques de sommeil peuvent ainsi bénéficier d'une réelle amélioration.

● Nos grand-mères prescrivaient des tisanes pour dormir. Ce n'est peut-être pas un moyen génial pour un petit enfant qui n'a guère soif d'autre chose que de lait, et qui va inonder ses couches. Par contre, les *herboristes* préconisent souvent des massages doux avec des huiles essentielles soigneusement sélectionnées. Masser, caresser sur tout son corps, un petit enfant le soir, lentement, dans une pénombre tranquille, en lui parlant doucement, ne peut lui faire que du bien et l'aider à s'endormir. Inutile sans doute de chercher des recettes et des techniques. Des parents aimants trouveront d'eux-mêmes les gestes qui plaisent à l'enfant et qui l'apaisent.

● *L'homéopathie* est certainement une méthode thérapeutique intéressante, aussi bien pour la prise en charge de certains états anxieux que, spécifiquement, pour certains troubles du sommeil, comme les cauchemars, par exemple. Mais, vous le savez, les traitements homéopathiques dépendent du « terrain », donc des caractéristiques physiques et fonctionnelles de chaque individu. Ils seront donc différents selon les symptômes présentés et, pour le même symptôme, différeront d'un enfant à l'autre. Seuls des médecins confirmés peuvent prescrire utilement de tels traitements.

● De nombreuses autres possibilités pourraient être citées : *oligo-éléments, techniques de relaxation, yoga, sophrologie...* Toutes ont leur intérêt si elles sont dans les mains de personnes attentives et compétentes.

Sans doute n'est-il pas judicieux de faire confiance sans réfléchir au traitement prescrit pour un autre enfant, dans un autre contexte. Discuter avec le médecin traitant, choisir ce qui semble le plus adapté à chaque enfant, bien comprendre ce qui se joue et le prendre directement en charge est autrement plus important.

En conclusion

Quel souvenir garder de ce chapitre ?

● Avant l'âge de deux ans, seules des raisons médicales graves peuvent justifier l'utilisation de sédatifs et d'hypnotiques : en particulier la prévention de convulsions, ou la prise en charge d'affections neurologiques ou psychiatriques sévères.

● Chez l'enfant beaucoup plus grand, lorsqu'il existe une cause précise et transitoire aux troubles du sommeil, ou si le climat familial est très détérioré, il est parfois envisageable de prescrire un sédatif doux vers 17 heures pour faire baisser la tension psychique et favoriser l'endormissement. Éviter au maximum les hypnotiques qui ne régleront rien.

● Dans tous les cas, le traitement doit être de très courte durée, au grand maximum trois semaines.

● Tous les traitements doivent être arrêtés progressivement sur plusieurs jours, même les traitements très brefs, puisque la prise d'un seul comprimé peut entraîner un rebond d'insomnie.

● Et, on ne le dira jamais assez : ne jamais donner à un enfant le sirop qui reste de son grand frère, de son cousin ou du voisin. Ne jamais banaliser ce geste, il n'est pas inoffensif. Seule une ordonnance médicale précise, et accompagnée d'une prise en charge des parents et de l'enfant, peut le justifier.

● Ne jamais oublier que c'est dans l'arsenal des câlins, des rites doux du soir, des « histoires à dormir » (dont vous trouverez une sélection p. 375), des massages tendres, des berceuses et des rires apaisants que se trouve la solution aux problèmes de sommeil.

10

Les maladies du sommeil

Ce chapitre est tout à fait particulier. Nous allons y aborder très brièvement les cas très exceptionnels d'une « maladie » réelle du sommeil, anomalie du sommeil lui-même, ou anomalie survenant au cours du sommeil. Ils concernent de très rares enfants et sont bien connus des médecins. Pour ces quelques enfants, le diagnostic et la prise en charge nécessiteront une hospitalisation en centre spécialisé, avec des enregistrements polygraphiques prolongés. Vous avez vu que tous les troubles dont nous avons parlé jusqu'ici ne nécessitaient en rien de telles explorations. Nous citons ici ces maladies rares pour sensibiliser les parents au fait qu'elles peuvent exister et qu'il ne faudra pas hésiter au moindre signe à demander une consultation médicale.

Les hypersomnies

● *Une hypersomnie, c'est dormir trop. C'est l'association d'un sommeil prolongé la nuit et d'une somnolence diurne excessive.*

● *Comment reconnaître une hypersomnie ?* Inutile de détailler, le tableau ci-dessous regroupe tous les signes :

COMMENT RECONNAÎTRE UNE HYPERSOMNIE ?

Les signes principaux

● Temps de sommeil augmenté de plus de 2 à 3 heures par rapport au temps moyen de sommeil pour l'âge de l'enfant.

● Accès de sommeil incoercibles dès que l'enfant est calme ou fait une activité monotone : en classe, devant la télévision, au cours d'un repas...

● Persistance d'une sieste quotidienne après 6-7 ans.

● Réveil très difficile, avec état confus et véritable « ivresse ».

Les signes particuliers à l'enfant jeune

● Hyperactivité importante associée à des siestes inopinées et anormalement longues.

● Fatigue.

● Signes oculaires : l'enfant se plaint d'avoir l'impression de loucher, de voir trouble, d'avoir les yeux qui piquent.

● Bâillements très fréquents.

Tous ces signes ne doivent inquiéter que s'ils sont importants ou permanents.

Vous connaissez tous *les hypersomnies des enfants malades*, celles des accès de fièvre, celles des maladies infectieuses même banales comme la rubéole, la rougeole ou la varicelle, et puis celles, plus durables, de quelques semaines, survenant après une maladie un peu plus sévère comme une hépatite virale, une mononucléose, certaines pneumopathies. Certaines maladies neurologiques ou psychiatriques graves de la première enfance peuvent également se manifester par une hypersomnie, mais il y a toujours de nombreux autres signes qui attirent l'attention et permettent le diagnostic. Ces hypersomnies, que l'on dit secondaires, puisque liées à une cause pathologique repérable, sont presque les seules observées avant l'âge de 10 ans. Plus tard, chez l'adolescent, il ne faudrait pas méconnaître une hypersomnie symptomatique d'un abus de drogues ou de médicaments, d'une phobie scolaire ou d'un syndrome dépressif.

Dans tous les cas, il ne s'agit pas d'une maladie du sommeil, mais juste du retentissement sur le sommeil d'un malaise général, et c'est extrêmement fréquent...

● *Les hypersomnies pathologiques* sont, par contre, rarissimes, mais leur méconnaissance par la famille et par le médecin traitant pourrait être grave. Les adolescents hypersomniaques (ce sont des adultes et des adolescents, presque jamais de jeunes enfants) non reconnus peuvent être pris, à tort, pour des individus paresseux, pour des porteurs de pathologie psychiatrique sévère d'où un traitement aberrant... Et, dans les deux cas, les conséquences sur la scolarité sont désastreuses. Nous allons rapidement dresser le tableau des deux affections rentrant dans ce cadre.

La narcolepsie ou syndrome de Gelineau

Décrite en 1880 par Gelineau, c'est une affection relativement fréquente chez l'adulte, puisqu'elle atteint un sujet sur vingt-cinq. Elle débute, dans 60% des cas, avant 20 ans, et dans 18% des cas avant 10 ans. Pourtant, elle n'est presque jamais reconnue chez l'enfant. C'est une maladie familiale, le risque pour un enfant étant de 1 sur 50 si l'un des parents en est atteint.

Quatre signes la caractérisent :

● Des *accès de sommeil* irrésistibles, souvent très brefs, ne dépassant pas vingt minutes. L'enfant jeune alterne, lui, une hyperactivité anormale et des siestes inopinées.

● Une *cataplexie*, c'est-à-dire une perte soudaine du tonus musculaire. Cette perte de tonus peut être complète et entraîner une chute de l'enfant. Si elle n'est que partielle, elle se manifestera par la chute d'un bras, de la tête, ou par un simple fléchissement des genoux. Ces chutes, et c'est caractéristique, sont provoquées par une émotion, en particulier par le rire. Les frères et sœurs, les copains d'école des enfants malades les font volontiers éclater de rire pour les voir s'écrouler ou, à table, piquer du nez dans l'assiette. Ces épisodes durent quelques secondes, l'enfant reste conscient. Ils sont plus ou moins fréquents, de un à deux dans toute une vie, jusqu'à cent par jour... C'est un signe tout à fait exceptionnel avant 15 ans.

● Des *hallucinations hypnagogiques*, les mêmes que celles que nous avons décrites au chapitre 5, mais très intenses et très angoissantes.

● Des *paralysies transitoires*, conscientes, avec une grande angoisse à l'endormissement et au réveil.

Paradoxalement, à ces quatre signes, s'associe presque toujours un *mauvais sommeil nocturne*.

L'enregistrement polygraphique de sommeil sur 36 h est indispensable pour confirmer le diagnostic. Il montre un sommeil de durée anormalement longue. L'endormissement est très rapide, parfois instantané, et se fait en sommeil paradoxal. Les différents signes cliniques sont en fait les manifestations, anormales à l'état de veille, des caractéristiques du sommeil paradoxal.

Le syndrome de Kleine Levin Critchley

C'est une hypersomnie que l'on dit encore plus rare que la narcolepsie, mais, en fait, elle est souvent méconnue, prise à tort pour une affection psychiatrique. Elle apparaît chez l'adolescent garçon entre 10 et 20 ans. Elle évolue par crises de quelques jours à une ou deux semaines, se répétant une ou plusieurs fois par an. Entre les crises, l'adolescent est strictement normal. Tous les signes disparaissent avant 30 ans.

Comment la reconnaître ? Là encore, quatre signes typiques :

● Une *hypersomnie constante*, mais limitée au cours de la journée à une simple somnolence.

● Une *boulimie intense*. Les enfants mangent dès qu'ils sont réveillés. Parfois, ils n'acceptent plus que des aliments sucrés ou, au contraire, se gavent de produits salés.

● Une *sexualité débordante et non contrôlée* : certains adolescents se masturbent énormément et présentent des conduites exhibitionnistes.

● Des *troubles du comportement constants*, avec alternance d'apathie et d'irritabilité aux stimulations. Ces troubles peuvent être majeurs, simulant un véritable délire ou des hallucinations. C'est ce qui inquiète le plus les parents, qui en oublient presque l'hypersomnie dans la description des symptômes.

On décrit parfois chez la jeune fille un syndrome voisin, avec hypersomnie rythmée par les règles.

Ces deux maladies constituent, à elles seules, les maladies réelles du sommeil, avec anomalies de la composition du sommeil à l'enregistrement électro-encéphalographique. Nous allons décrire maintenant deux manifestations, beaucoup plus fréquentes, qui sont les anomalies survenant pendant le sommeil.

Les apnées obstructives du sommeil

● *Beaucoup d'enfants ronflent la nuit, ronflent quand ils ont des rhumes ou, de temps en temps, quand ils sont dans certaines positions. C'est banal. Par contre, si le ronflement est permanent, très sonore, entendu même d'une pièce à l'autre, il est utile d'écouter dormir l'enfant un peu attentivement. S'il présente, au milieu de ces ronflements, des pauses respiratoires avec signes de lutte, mieux vaut consulter un médecin.*

Le tableau ci-contre permet de résumer tous les signes cliniques.

Pendant la nuit, le sommeil est très agité, interrompu de pleurs, de réveils fréquents, et souvent de cauchemars, de terreurs nocturnes et de somnambulisme. L'enfant dort dans une position anormale, bouche grande ouverte. La tête bouge rythmiquement à chaque mouvement respiratoire. Et, surtout, il y a les pauses respiratoires, impressionnantes, qu'il n'est pas inutile de décrire : elles surviennent plutôt pendant la deuxième moitié de la nuit, quand le corps (et donc le pharynx) sont plus hypotoniques. Le ron-

LE SYNDROME D'APNÉES OBSTRUCTIVES DU SOMMEIL

1) Les symptômes

Au cours du sommeil

- Ronflement permanent très sonore.
- Respiration avec la bouche ouverte.
- Pauses respiratoires avec signes de lutte.
- Transpiration anormale.
- Position de sommeil anormale : assis ou tête rejetée très en arrière.
- Sommeil très agité.
- Énurésie.
- Possibilité de cauchemars, terreurs nocturnes ou accès de somnambulisme.
- Réveil le matin très difficile.

Dans la journée

- *Chez l'enfant jeune :* agressivité, hyperactivité, encombrement rhino-pharyngé, otites.
- *Chez l'adolescent :* céphalées matinales, somnolence anormale, difficultés scolaires.

2) Les données de l'examen

- Anomalies du poids : mauvaise prise de poids chez le jeune enfant, obésité chez l'adolescent.
- Hypertrophie des amygdales et des végétations.
- Anomalies maxillo-faciales.
- Hypertension artérielle.

3) Renseignements apportés par l'enregistrement polygraphique du sommeil

- Met en évidence les pauses respiratoires obstructives.
- Permet d'apprécier l'importance du syndrome obstructif : sur le nombre de pauses, sur les mesures de l'oxygène et du gaz carbonique.
- Évalue l'importance des perturbations du sommeil.
- Dépiste la possibilité de troubles du rythme cardiaque.

flement s'interrompt brutalement et est remplacé par un petit bruit de gargouillement au niveau de l'arrière-gorge. Les mouvements du thorax et de l'abdomen deviennent de plus en plus amples : le thorax se creuse et l'abdomen se gonfle. L'enfant est pâle, transpire abondamment, les narines sont un peu pin-cées. Ces épisodes peuvent durer de quinze secondes à parfois plus d'une minute. Puis, l'enfant se débat, le ronflement très sonore réapparaît et reprend son rythme régulier. Tous ces signes traduisent une obs-truction des voies aériennes, gênant le passage de l'air respiratoire. Pendant les ronflements, le passage aérien est simplement rétréci. Pendant les pauses, il est com-plètement bloqué.

Le déficit en oxygène, l'accumulation du gaz car-bonique non éliminé, et surtout la fragmentation du sommeil sont responsables des signes cliniques obser-vés : agressivité, irritabilité, migraines, somnolence diurne, difficultés scolaires par souffrance des cellu-les cérébrales, hypertension artérielle, anomalies car-diaques par fatigue cardio-vasculaire.

Le tableau caricatural du grand enfant ou de l'adulte est celui si bien décrit par Charles Dickens dans le personnage de Monsieur Pickwick : un très gros monsieur, glouton, aux joues rouges, ronchon, et qui s'endort souvent, même debout. Bien sûr, le jeune enfant ne lui correspond pas physiquement. Il s'agit plutôt d'enfants chétifs, perpétuellement enrhu-més, capricieux et grognons, qui font de longues sies-tes et peinent à se réveiller le matin.

Au moindre doute à propos d'un tel syndrome, il est bon de consulter un médecin. Neuf fois sur dix,

la cause est toute simple : l'hypertrophie des amygdales suffit à tout expliquer. Leur ablation supprime
tous les signes et améliore considérablement le comportement et le rendement scolaire de l'enfant. Très
rarement, une autre cause d'obstruction pourra être
décelée : malformation de la bouche ou des maxil-
laires, hypotonie du pharynx, toutes peuvent bénéficier d'un traitement efficace. Cela en vaut la peine...

La mort subite inexpliquée du nourrisson

● *C'est le sujet le plus difficile, un problème majeur bien
pénible à aborder. Il n'est malheureusement pas rare. Il
n'existe aucun indice prémonitoire, aucun signe d'alerte,
et seuls des antécédents dans la famille peuvent attirer
l'attention.*

*C'est actuellement en France la cause la plus fréquente
de mort des nourrissons entre un mois et un an. Elle semble
toucher environ 1 enfant sur 600, soit près de 1 500 par
an. Statistiquement, il s'agit plutôt de garçons que de filles.
Cet accident survient le plus souvent entre 2 et 4 mois,
et dans 90% des cas avant 9 mois.*

Le tableau est presque toujours le même. Un bébé
en pleine santé ou à peine enrhumé s'est endormi
calmement, comme d'habitude. Quelques minutes
ou quelques heures plus tard, on le retrouve mort
dans son berceau. Si des adultes n'ont pas quitté la
pièce, ils n'ont rien entendu. Ni les antécédents médicaux, ni l'autopsie ne révèlent la moindre maladie,
ni malformation pouvant expliquer la mort. Elle est
inopinée, inexplicable. Elle s'est produite de façon

très rapide, dans le plus grand silence, probablement sans souffrances, et sans que qui que ce soit puisse s'en rendre compte. Devant un tel drame, les parents risquent de se culpabiliser, de penser qu'ils n'ont pas assez surveillé l'enfant, qu'il s'est peut-être étouffé en vomissant. Tout cela est faux, même si un vomissement, survenu après la mort, souille l'oreiller ou si l'enfant a le nez contre le matelas. Logiquement, il est toujours capable de se dégager seul. Il y a donc eu « autre chose ». Les mamans dont le bébé est nourri au biberon se culpabilisent de ne pas l'avoir allaité — là aussi à tort, cet accident survient également chez des bébés nourris au sein. Et les consultations médicales antérieures, parfois le matin même de l'accident, étaient strictement normales.

Très exceptionnellement, certains enfants dits « rescapés de mort subite » sont trouvés dans leur berceau au cours d'un épisode de sommeil, très pâles ou bleuâtres, tout mous, ne respirant plus, dans un tableau suffisamment alarmant pour que des stimulations vigoureuses et souvent une véritable réanimation avec ventilation par bouche à bouche aient été entreprises, ayant permis une récupération des principales fonctions. L'hospitalisation permet de mesurer l'intensité du déficit en oxygène, et le retentissement au niveau des tissus de l'organisme. Ce type de malaise impose une hospitalisation, car ces enfants ont un risque non négligeable (5%) de refaire un autre malaise qui, lui, pourra être fatal.

● *Pourquoi ces bébés meurent-ils ?*

C'est l'une des terribles énigmes de la pédiatrie.

Les théories et hypothèses se sont multipliées, d'autant plus nombreuses que l'on ne comprenait rien à ce qui se passe. Quand on pratique une autopsie systématique, dans moins de 10% des cas on retrouve la preuve d'une maladie foudroyante ou d'une malformation non diagnostiquée. Dans 90% des cas il n'y a rien d'anormal, absolument rien. En 1975, Beckwith avait recensé dans les revues médicales 117 causes et 70 théories...

En 1972, Steinschneider soulève l'hypothèse d'une pause respiratoire prolongée à l'origine de cette mort. Cette hypothèse est la plus vraisemblable, sans doute en relation avec un trouble de la commande nerveuse de la respiration, lui-même peut-être aggravé par une minime pathologie locale, nasale, digestive ou pulmonaire.

Les études de ces dernières années mettent l'accent sur des troubles cardio-respiratoires, liés à la maturation du système neurovégétatif survenant au moment de la construction cérébrale active, dans les premiers mois de vie. Comme entre 2 et 4 mois le sommeil lent profond augmente quantitativement et qu'il y a moins de sommeil paradoxal, l'enfant est peut-être moins à même de se réveiller s'il fait une pause respiratoire prolongée et est donc plus vulnérable.

● *Que peut-on faire ?*

Malgré les multiples études épidémiologiques qui tentent de dégager les facteurs de risque, on ne peut suggérer que des grandes lignes :

• supprimer pendant la grossesse puis pendant l'allaitement tous les toxiques pouvant entraîner des arrêts respiratoires : tabac, café, sédatifs, et bien sûr toutes les drogues ;

• vivre la grossesse le plus paisiblement possible. La surveiller médicalement pour dépister très vite une hypotension ou une hypertension artérielle, une anémie, une hypotrophie fœtale... ;

• protéger le sommeil des enfants de moins de six mois ;

— éviter les ruptures de rythme de vie et les changements brutaux. Par exemple si l'enfant doit aller en crèche, l'adapter à ce lieu de façon progressive ;

— éviter les privations de sommeil : le rebond se ferait en sommeil lent anormalement profond et l'enfant serait plus vulnérable ;

— éviter tous les médicaments calmants, vérifier que ceux prescrits pour la toux ou pour faire baisser la fièvre ne contiennent pas de produits susceptibles d'entraîner une diminution des possibilités d'éveil. Les médecins sont maintenant bien avertis. Une des marques de suppositoires antipyrétiques a retiré ses boîtes pour les enfants de moins d'un an, en plein succès commercial, parce que la présence de phénotiazines (c'est le phénergan, le théralène...) pouvait être à l'origine d'accidents. Tous n'ont pas eu cette conscience professionnelle. À nous de rester vigilants.

Il est de très rares cas où les médecins proposeront une surveillance polygraphique pour vérifier l'absence de pauses respiratoires : chez les enfants nés très prématurément et ayant présenté des pauses prolongées et récidivantes au-delà de 36 semaines, chez les enfants rescapés d'un malaise grave, et chez les frères et sœurs d'enfants décédés de mort subite, surtout en cas de gémellité. Bien que cette mort inexpliquée ne soit ni familiale, ni héréditaire, ni contagieuse, le risque dans une même fratrie est plus élevé que dans la population générale, aux environs de 5‰.

Dans ces cas, l'enregistrement continu sur 48 h environ, réalisé en hospitalisation vers l'âge de deux mois, permet de déceler les enfants ayant des pauses anormales, enfants pour lesquels il sera peut-être utile de proposer une surveillance du sommeil par monitoring à domicile jusque vers l'âge de neuf mois. Mais c'est un protocole très lourd, envahissant, avec des électrodes fixées sur le thorax de l'enfant et qui doivent être reliées au système d'alarme dès que l'enfant s'endort... Inutile de dire le poids d'un tel système. Les nourrices ne veulent pas en entendre parler, les crèches se font tirer l'oreille, les parents s'affolent pour une sonnerie due au dérèglement de l'appareil... Bref, beaucoup d'angoisse pendant des mois. Pourtant ce protocole très lourd est aussi indiscutablement un excellent moyen de réassurance pour des parents qui ont vu leur enfant en réanimation dans un état alarmant. C'est le sevrage de l'appareil, le moment où l'enfant pourra s'en passer qui leur fera peur... Les parents d'un enfant rescapé d'un très grave malaise à l'âge de deux mois et qui ont parfaitement assumé ce compagnonnage de l'appareil appelaient leur petit enfant « bébé branché »...

Cette lourde technique ne doit donc être proposée que pour les enfants réellement à risque, pas sur la simple notion d'antécédents familiaux, ou pour apaiser les angoisses de parents d'enfants parfaitement sains.

La confiance en la vie, un environnement doux et paisible autour d'un tout-petit restent en définitive nos meilleures armes. Vivons-les pleinement.

11

Pour en savoir plus

Les fonctions du sommeil et du rêve

● *Si l'homme ne peut plus dormir, tant mieux, disait Arcadio Buendia avec bonne humeur. Pour nous, la vie n'en sera que plus féconde. Mais l'Indienne leur expliqua que le plus à craindre dans cette maladie de l'insomnie, ce n'était pas l'impossibilité de trouver le sommeil, car le corps ne ressentait aucune fatigue, mais son évolution inexorable jusqu'à cette manifestation critique : la perte de mémoire. Elle voulait dire par là qu'au fur et à mesure que le malade s'habituait à son état de veille, commençaient à s'effacer de son esprit les souvenirs d'enfance, puis le nom et la notion de chaque chose, et pour finir l'identité des gens, et même la conscience de sa propre existence, jusqu'à sombrer dans une espèce d'idiotie sans passé* [1].

Pourquoi dormons-nous, pourquoi rêvons-nous, pourquoi nous réveillons-nous, les bébés rêvent-ils, que se passe-t-il si nous ne dormons pas ? Les réponses

1. Gabriel Garcia Márquez, *Cent ans de solitude*, éd. Le Seuil, p. 48.

sont encore bien vagues, souvent de simples hypothèses. Pourtant, à 30 ans nous avons dormi près de
12 ans... À quoi donc ont servi toutes ces années ?

Les expériences de privation de sommeil nous apprennent peu de chose. Le chat que l'on empêche totalement de dormir meurt d'épuisement en quelques
jours. Chez l'homme, les expériences se sont toujours
arrêtées vers le dixième jour et, bien sûr, n'ont été
tentées que chez l'adulte.

Après une nuit sans dormir, l'état dépend de la
qualité des activités demandées. S'il s'agit d'un travail
monotone ou ennuyeux, le sujet est très somnolent.
Un travail ou des activités intéressants provoquent,
au contraire, une hyperactivité. Après deux jours sans
sommeil, il est difficile de rester éveillé. Le sujet est
agressif, irritable, soupçonneux, intolérant à la moindre frustration. Les pulsions fondamentales, appétit
et pulsion sexuelle, sont libérées. Mais le cerveau
sommeille, l'attention est faible, les gestes automa-
tiques. Après trois jours, les yeux se ferment d'eux-
mêmes, impression de ne plus voir clair, de loucher.
Les mains tremblent, la parole est lente, l'irritabilité
s'aggrave encore. La plus petite stimulation, bruit,
lumière, effleurement de la peau, devient douloureuse. Commencent de véritables hallucinations.
Après quatre jours, le sujet délire.

Tous ces signes sont interprétés par les chercheurs
comme des signes d'intoxication du cerveau par les
hormones hypnogènes non utilisées. Il est possible
que certaines hypersomnies — aux caractéristiques
très proches — relèvent du même mécanisme.

● *Quand la privation de sommeil cesse, que se passe-t-il ?*

D'abord se rattrape le sommeil lent profond, puis ensuite seulement, et s'il y a le temps, le sommeil paradoxal. C'est sans doute pour cela qu'un enfant qui a mal dormi n'est guère fatigué physiquement, mais au contraire, est hyperactif, irritable, capricieux, ne tient pas en place, pour lutter contre l'envie de dormir.

Chez l'adulte, une privation de sommeil se compense vite. Après une privation de 205 heures, Kales, en 1970, a démontré que les performances à divers tests redeviennent normales après trois nuits de sommeil, et cela alors qu'un tiers seulement du temps de sommeil paradoxal a pu être récupéré.

Certains chercheurs envisagent donc la possibilité qu'il y ait chez l'adulte deux zones de sommeil : un *sommeil obligatoire* comportant la totalité du sommeil lent profond et environ la moitié du sommeil paradoxal, et un *sommeil facultatif*, optionnel, comprenant tout le sommeil lent léger, et le reste du sommeil paradoxal. Ces notions pourraient expliquer les différences entre gros dormeurs qui utilisent tout leur potentiel et petits dormeurs qui, eux, ne feraient que leur sommeil obligatoire. Mais à quoi sert ce sommeil facultatif ? À attendre le lever du jour, à économiser notre énergie, à ne dormir que d'un œil, à nous soustraire aux dangers de la nuit ? La question reste entière. Peut-être avons-nous seulement besoin de rêver ?...

● *Les théories pour tenter de donner une réponse à toutes les interrogations sur les fonctions du sommeil sont multiples et souvent contradictoires, mais cette contradiction n'est peut-être qu'apparente si l'on admet que le sommeil n'a pas les mêmes raisons d'être, les mêmes fonctions chez le bébé et chez l'adulte, et que ces fonctions évoluent, se modifient avec l'âge.*

● *Rôle du sommeil lent profond*

C'est le sommeil le moins connu et le moins étudié. Son rôle est sûrement moins schématique que celui qui lui est volontiers attribué de réparation physique, mais les hypothèses avancées sont bien rares.

On sait que, par l'intermédiaire de l'hormone de croissance, il favorise le développement corporel, la synthèse des protéines et la réparation des tissus. Au moment de la puberté, il permet la maturation sexuelle puisque les hormones sexuelles sont, elles aussi, sécrétées en sommeil lent profond.

Mais ce rôle physique n'est sûrement pas le seul. Pourquoi un adulte, qui a eu une activité intellectuelle intense et prolongée sans effort physique, commence-t-il néanmoins par récupérer son sommeil lent profond ?

Certaines hypothèses avancent l'idée que ce sommeil aurait un rôle dans la mémorisation des faits rationnels logiques, ceux de notre cerveau gauche, cerveau du raisonnement. D'ailleurs, un éveil en sommeil profond permettrait de meilleures performances pour les tests cognitifs explorant le cerveau gauche. Le sommeil profond aurait donc un rôle d'« entretien du mental rationnel ». Tout ce qui est, par contre, du domaine émotionnel, affectif, sensible, artiste, ce qui dépend plutôt de notre cerveau droit, s'entretiendrait plutôt en sommeil paradoxal. Cela fait rêver au sommeil alternatif des dauphins. Une hypothèse à suivre !

La dernière hypothèse sur les fonctions de ce sommeil lent profond concernant le nouveau-né serait qu'il le protège plusieurs heures par jour des stimulations excessives de l'éveil, en permettant un véritable isolement transitoire du néocortex (celui des fonctions supérieures) alors en pleine construction.

● *Les fonctions du sommeil paradoxal*

Tous les mammifères, dont les petits naissent très immatures, ont une grande proportion de sommeil paradoxal, proportion qui diminue ensuite au fur et à mesure que la maturation cérébrale évolue. C'est le cas des chatons, des ratons, des bébés kangourous. À l'inverse, le cobaye qui naît cérébralement adulte a peu de sommeil paradoxal. D'où l'hypothèse de Roffwarg suggérant que « le sommeil paradoxal sert à la mise en place et au développement des circuits nerveux, donc à la maturation cérébrale, au cours de la vie fœtale et des tout premiers mois de vie ». Par exemple : le bébé non né ne reçoit aucune stimulation visuelle dans sa boîte utérine, pourtant, dès la naissance, son système visuel est fonctionnel. Il peut suivre des yeux un visage, un jouet coloré. Il est logique de penser que pendant son sommeil agité fœtal il a branché ses circuits visuels, activé les neurones spécifiques de la vision. Il aurait littéralement inventé sa propre vision, en « rêvant » de stimulations visuelles. De même, il a été démontré par des études échographiques récentes que les fœtus respirent pendant les moments de sommeil agité, s'entraînent à la ventilation thoracique avant de naître, et cela d'autant plus fort et plus longtemps qu'ils sont près du terme. Il y a donc bien une maturation progressive anténatale des circuits de la respiration grâce au sommeil paradoxal.

Michel Jouvet a émis une hypothèse sur le rôle du sommeil paradoxal, très proche de ce que nous venons de dire, et qui, en plus, est démontrée par des travaux expérimentaux chez l'animal. C'est *l'hypothèse de la programmation génétique* grâce au sommeil paradoxal : « L'une des fonctions de l'activité onirique serait de reprogrammer chacun de nous au cours du sommeil pour faire que nous soyons différents l'un de l'autre [1]. »

Comment le démontrer ? La suppression de la paralysie de sommeil paradoxal chez un chat entraîne toute une série de comportements oniriques spécifiques de son espèce : toilettage, chasse, etc. Si l'on donne pour la première fois des noisettes à un écureuil adulte né et élevé en cage avec de la nourriture en poudre, il va chercher à cacher son butin, comme font tous les écureuils en liberté. Pour Michel Jouvet, le sommeil paradoxal lui aurait permis de garder au fond de lui quelque chose de la mémoire de l'espèce, mémoire d'un programme génétique inné,

1. Michel Jouvet, *L'Unité de l'homme*, éd. Le Seuil.

au-delà des expériences actives et des acquis, permettant d'éviter que les modifications de l'environnement ne modifient la structure fondamentale de l'espèce.

Un travail récent, que nous avons effectué sur le sommeil paradoxal du nouveau-né, permet lui aussi de formuler une hypothèse qui va dans le même sens : *le sommeil paradoxal du tout-petit assurerait certaines fonctions qui seront plus tard celles de l'éveil.* En regardant ou en filmant le visage de nouveau-nés endormis en sommeil paradoxal, il est possible de repérer les six mimiques émotionnelles fondamentales des humains : la joie, la tristesse, la surprise, la colère, le dégoût et la peur. Toutes ces mimiques servent aux humains à communiquer entre eux leurs « états d'âme ». Elles sont universelles, indépendantes des races et des cultures et existent dès la vie fœtale. On sait en particulier par des lectures échographiques que les fœtus sourient dans le ventre de leur mère.

Or, ces mimiques, facilement repérées en sommeil agité, disparaissent progressivement dans les premiers mois de vie, au fur et à mesure que l'enfant apprend à les utiliser consciemment. L'enfant sait en jouer en éveil conscient, il n'aurait donc plus besoin de « s'entraîner » en sommeil paradoxal.

Plusieurs autres hypothèses ont également été évoquées :

— le sommeil paradoxal *favoriserait l'apprentissage, la mémoire à long terme, la « gestion » des émotions,* du fait de liaisons fonctionnelles étroites en sommeil paradoxal entre le système limbique — lieu du cerveau primitif, celui de nos instincts — et le néocortex — cerveau de nos fonctions supérieures ;

— le sommeil paradoxal *permet probablement de confronter nos programmes instinctifs innés avec l'activité cognitive de l'apprentissage*, de confronter l'inné et l'acquis. De cette confrontation naît la meilleure adaptation possible au milieu et aux conditions de vie. On peut se demander si la persistance chez le bébé humain d'une grande quantité de sommeil paradoxal — beaucoup plus que chez le bébé singe par exemple, dont le sommeil est plus mature —, n'a pas été un avantage biologique sérieux, permettant le développement maximum (sinon idéal !) de son cerveau cortical supérieur.

C'est peut-être en sommeil paradoxal que l'humain est devenu ce qu'il est.

● *Les fonctions du rêve*

Rêver et dormir en sommeil paradoxal ne sont pas deux données superposables. Le rêve est une pensée, une activité symbolique, il ne peut être réduit à des phénomènes biologiques. Le nouveau-né dort beaucoup en sommeil agité, mais a-t-il des rêves ? À quoi servent les rêves des humains, adultes et enfants ? Les hypothèses concernant la fonction du rêve sont aussi nombreuses que celles concernant le sommeil paradoxal.

Presque tous ceux qui se sont intéressés aux rêves, qu'ils soient biologistes, psychiatres, philosophes, en font *un moyen de résoudre les problèmes et les conflits de la journée*. Le dicton populaire « la nuit porte conseil », ou la petite phrase banale « je vais me coucher, j'y verrai plus clair demain », correspondent bien à cette réalité.

Quand on étudie le contenu des rêves, deux éléments principaux se dégagent :

— les rêves représentent la poursuite au cours du sommeil de l'activité psychique de la journée. Beaucoup d'événements des heures précédentes sont ainsi revécus ;

— au cours de la nuit, le contenu des rêves évolue dans le sens d'une résolution des problèmes. Au début, les images sont désagréables, angoissantes, les mécanismes de défense importants. Par contre, en fin de nuit, les rêves sont beaucoup plus agréables, l'angoisse disparaît, les conflits se résolvent favorablement. Cette donnée a été démontrée par Berger chez l'adulte et par Braconnier chez l'enfant à partir de récits du contenu de rêves au cours d'éveils multiples en sommeil paradoxal. Les cauchemars répétés représenteraient un échec partiel de cette fonction, soit parce que les acquis angoissants sont très nombreux, soit dans les périodes de déprime ou de fatigue psychique anormale.

Pour Freud, le rêve est une « mise en scène du désir ». Au-delà du contenu manifeste (le récit, les images), apparaîtrait tout un contenu latent : les désirs refoulés. *Le travail du rêve serait de créer les artifices pour déguiser les désirs et les rendre acceptables pour la conscience.* Pendant le rêve, le « moi » et le « surmoi » seraient en relation étroite. La psychanalyse permettrait ainsi d'aborder l'inconscient du rêveur, en confrontant le récit aux associations d'idées pour accéder au contenu latent.

Pour certains, *le rêve compense la vie, permet de*

l'accepter. On pourrait citer d'innombrables textes qui vont dans ce sens :

« Je leur donne des nuits qui consolent des jours [1]. »

« On choisit parmi les rêves ceux qui vous réchauffent le mieux l'âme [2]. »

« Les rêves sont ce qu'il y a de plus doux et peut-être de plus vrai dans la vie [3]. »

Margarete Buber-Neumann, internée à Ravensbrück pendant plusieurs années, traduit très bien cette fonction : « Dans un camp de concentration les rêves jouent un rôle important ; il est intéressant de constater d'ailleurs qu'en détention on a bien plus souvent des rêves beaux et heureux qu'en liberté, et les images qui y surgissent sont très souvent pleines de couleurs [4]. »

De nombreuses théories s'attachent à *l'action anti-dépressive du rêve* : ce serait un moyen d'éviter le déplaisir grâce à une régression ; pour Platon, un moyen de satisfaire symboliquement des désirs impossibles ; un moyen d'accepter la solitude. « La solitude de la poésie et du rêve nous enlève à notre désolante solitude. »

« Au cœur du rêve je suis seul... je me retrouve dans l'isolement parfait de la créature devant le monde [5]. »

● *Que dire du rêve chez l'enfant ?*

Rêver, au sens adulte du mot, sous-entend un

1. Alfred de Vigny, *Éloa ou La Sœur des anges.*
2. Blaise Cendrars, *Semmelweis.*
3. Charles Nodier, *Miscellannées.*
4. Margarete Buber-Neumann, *Milena*, éd. Le Seuil.
5. A. Béguin, *Poésie de la présence.*

niveau de développement mental permettant d'avoir accès à la pensée symbolique. Il faut pouvoir associer aux objets perçus un signe qui leur correspond. Le tout début de cette phase n'apparaît chez l'enfant que vers 18 mois. Encore faut-il, pour comprendre ce dont rêve l'enfant, qu'il soit capable de le raconter, ce qui intervient encore plus tard, vers 3 ans environ.

Bien sûr, les nouveau-nés ont des mimiques émotionnelles en sommeil paradoxal, mais sont-ils réellement émus, et que peut-on en conclure sur eux-mêmes ? « Le tableau d'une émotion ne peut nous renseigner sur la nature de l'être ému [1]. »

David Foulkes a analysé 788 rêves recueillis chez 26 enfants suivis de façon longitudinale pendant une période de cinq ans, donc venus dormir dans son laboratoire de temps en temps pendant plusieurs années.

Selon ses conclusions, il est difficile de parler de rêve avant 5 ans. Si on réveille un enfant en sommeil paradoxal vers cet âge-là, moins d'une fois sur trois il raconte un rêve, et les images sont très statiques, souvent des images d'animaux. L'enfant n'est presque jamais impliqué émotionnellement dans son rêve, on dirait qu'il est simple spectateur objectif. Seuls les rêves du matin seraient un peu plus affectifs.

Entre 5 et 7 ans, l'enfant participe plus à son rêve, les images deviennent plus mobiles mais sont très directement liées aux événements de la journée, à

1. Jean-Didier Vincent, *Biologie des passions*.

l'état physique du dormeur (faim, fatigue), aux livres ou dessins animés familiers.

Entre 7 et 9 ans, l'enfant est bien plus impliqué dans son rêve, l'affectivité est beaucoup plus importante, et cela, d'autant plus que le développement intellectuel de l'enfant est plus avancé.

Le rêve de l'adulte, quant à lui, est toujours très « égoïste » : nous nous gardons toujours le personnage central, et les implications émotionnelles sont fortes.

Ces quelques informations répondent-elles un peu à la grande question que nous nous posons depuis tant de pages ? Pourquoi dormons-nous, pourquoi dormons-nous autant, pourquoi rêvons-nous, pourquoi nous réveillons-nous ? La nuit garde et gardera encore tout son angoissant mystère.

Si vous avez, au fil des pages, mieux compris ce que vit votre enfant et comment l'aider, si vous avez mieux compris comment vous dormez, ou comment mieux dormir, le seul objectif raisonnable de ce livre est largement atteint.

De la vie fœtale à l'adolescence, le sommeil se construit et s'organise

● *Parler du sommeil des premiers temps de la vie, du sommeil avant la naissance, de celui des premières semaines après la naissance, c'est décrire toute une évolution, une maturation, directement liées à la construction contemporaine du cerveau. Il n'y a pas de rupture, de changement brutal d'un stade à l'autre, mais un rythme cérébral profond qui, peu à peu, s'installe et se manifeste.*

Schématiquement, il serait presque possible de dire que **« tout se joue avant quatre mois »**, et que les différents stades repérables ne sont pas ceux que l'on aurait pu imaginer. Nous pouvons, en simplifiant à l'extrême, décrire trois périodes fondamentales de construction, puis trois périodes moins visibles de maturation.

● *Étapes de construction :*
— la « dormance » fœtale avant 20-24 semaines ;
— de 24 semaines à la fin du premier mois de vie extra-utérine : le rythme cérébral « fœtal », indépendant de l'environnement ;
— de 1 mois de vie jusque vers 4 à 6 mois, l'acquisition progressive des rythmes circadiens de température, rythmes cardiaque et respiratoire, et d'un sommeil de type « adulte ».

● *Étapes de maturation :*
— de 4-6 mois à 4 ans, la réduction progressive du temps de sommeil ;
— de 4-5 ans à 12 ans environ, la période de haute vigilance ;
— l'adolescence et son sommeil.

Nous allons tenter de décrire chacune de ces étapes, avec ses caractéristiques neurophysiologiques, mais il nous faut d'abord définir les états de vigilance du nouveau-né; car ce ne sont pas les mêmes que ceux de l'adulte. Nous pourrons ensuite revenir longuement sur chacune des périodes.

Les états de vigilance du nouveau-né

La vigilance d'un tout-petit se compose de quatre stades :
- le sommeil calme ;
- le sommeil agité ;
- l'éveil calme ;
- l'éveil agité.

Ces différents stades ont été décrits et définis de façon très précise par les professeurs A. Parmelee et P.H. Wolff aux États-Unis, les docteurs Colette Dreyfus-Brisac et Nicole Monod à Paris en 1965 et 1966, puis par le professeur H.F.R. Prechtl en Hollande en 1974. Ce dernier a proposé une classification en cinq stades (nommés stade I à V) allant du sommeil très calme à l'excitation maximum de l'éveil agité.

● *Le sommeil calme (stade I)*

Le nouveau-né est immobile au cours de ce sommeil. Il ne présente aucun mouvement, en dehors de quelques sursauts, mais son tonus musculaire reste important. Il peut dormir parfois avec les bras ramenés vers le visage, très légèrement au-dessus de celui-ci. Bras et jambes sont fléchis.

Le visage est souvent pâle, peu expressif. Il n'existe aucune mimique, aucun mouvement, en dehors de petits mouvements de succion périodiques, à peine perceptibles, visibles surtout lorsque le nouveau-né commence à avoir faim.

Les yeux sont fermés, ne bougent pas. La respiration est très régulière, souvent peu ample, lente pour un tout-petit, aux environs de 30 ou 40 mouvements par minute. Le cœur est calme, régulier, entre 100 et 140 battements par minute.

Ce sommeil, très stable, n'est interrompu par aucun éveil. Sa durée est presque toujours la même, de 20 minutes environ. Ses caractéristiques sont donc, en dehors de la durée plus courte, tout à fait comparables à celles du sommeil lent profond de l'adulte.

C'est pendant ce sommeil calme, comme plus tard dans le sommeil lent profond — mais sans doute pas exclusivement —, qu'est sécrétée l'hormone de croissance (STH ou hormone somatotrophe hypophysaire) qui joue un rôle dans le développement corporel et la croissance.

À l'EEG, les ondes corticales sont lentes, mais il n'est pas possible de différencier dans ce sommeil calme plusieurs stades (léger à profond), comme dans le sommeil de l'adulte.

● *Le sommeil agité (stade II)*

Ce sommeil est caractérisé par l'apparition de toute une série de mouvements corporels : mouvements fins au niveau des doigts et des orteils, mouvements un peu plus amples au niveau d'un bras ou d'une jambe, mouvements corporels plus globaux d'étirement ou de flexion. Tous ces mouvements sont très stéréotypés : le nouveau-né s'étire, grogne, devient rouge, bâille puis ramène ses bras au niveau du visage. Ces mouvements sont très fréquents, et se répètent parfois toutes les 3 à 5 minutes. Le visage du nouveau-né en sommeil agité est souvent plus coloré qu'en sommeil calme, et peut devenir, de façon très transitoire, subitement plus pâle ou plus rouge.

Les yeux bougent, remuent sous les paupières fermées, puis les paupières elles-mêmes peuvent s'entrouvrir à plusieurs reprises. Parfois, les yeux sont carrément ouverts pendant de longues secondes, mais le regard est lointain, flottant, absent.

Le visage est très expressif, avec de multiples mimiques très fines, mimiques parmi lesquelles nous avons reconnu les expressions des six émotions fondamentales, expressions innées, présentes dans toutes les cultures humaines : la peur, la colère, la surprise, parfois le dégoût, la tristesse, et surtout la joie, avec de magnifiques sourires « aux anges », repérables dès les premières heures de vie.

En dehors de ces mouvements, de ces périodes d'agitation, le tonus d'un enfant en sommeil agité est extrêmement bas. Le bébé est très mou, ses bras retombent, les doigts s'ouvrent, les membres se déplient.

La respiration est plus rapide, plus irrégulière qu'en sommeil calme. Elle est parfois haletante, voire entrecoupée de réelles pauses respiratoires physiologiques, qui peuvent atteindre 10, 12 ou même 15 secondes sans être inquiétantes. Le rythme cardiaque est aussi plus rapide, entre 120 et 160 pulsations par minute.

Ce sommeil est *l'équivalent du sommeil paradoxal de l'adulte*. Il est simplement plus actif, plus mobile, plus agité, moins « paralysé ».

Il est aussi beaucoup moins stable, beaucoup plus léger, avec de nombreux micro-éveils. Au maximum, l'enfant *semble* s'éveiller, véritables micro-éveils qui durent de quelques secondes à près d'une minute. C'est d'ailleurs à peu près toujours pendant une phase de sommeil agité que l'enfant se réveille. Cette instabilité conduit à des durées de sommeil variables, de 10 à 45 minutes, la durée moyenne étant d'environ 25 minutes.

À l'EEG, les ondes corticales (plus lentes que chez l'adulte en sommeil paradoxal) ressemblent à celles de l'état de veille, parfois même plus rapides lorsque ce sommeil est riche en mouvements oculaires et lorsque le visage du nouveau-né est très expressif.

Il est évident que ce sommeil agité peut facilement être confondu avec un éveil ou un pré-éveil. Un enfant qui s'étire, qui bâille, qui ouvre les yeux, qui pleure ou gémit un peu peut-il vraiment être en train de dormir ? L'erreur d'interprétation est classique.

Petite information complémentaire : entre les périodes de sommeil agité et celles de sommeil calme, il existe des périodes dites de sommeil indéterminé ou de transition, périodes où il est difficile de savoir au coup d'œil si le bébé est en sommeil calme ou en sommeil agité, et où l'EEG enregistre à la fois des critères de sommeil calme et des critères de sommeil agité. Les sommeils indéterminés représentent environ 10% du temps de sommeil.

● *L'état de veille calme (stade III)*

Il s'agit des moments d'éveil tranquilles, attentifs. Le nouveau-né a les yeux grands ouverts, brillants. Il regarde activement le visage qui lui sourit ou lui parle, et peut même suivre des yeux un objet coloré dès les premières heures de vie. L'enfant est conscient de son environnement : il bouge peu, mais il est attentif aux bruits, aux paroles, aux mouvements autour

de lui. Il est sensible aux odeurs, reconnaît le visage
de sa mère qu'il regarde de façon très intense, son
visage devenant très expressif. S'il est très détendu,
et doucement stimulé par une demande chaleureuse
de communication, il lui arrive même de sourire, vrai
sourire-réponse conscient et volontaire. Il peut imi-
ter une mimique, tirer la langue ou arrondir la bouche, comme le lui montre sa mère ou un examinateur.

Cet éveil calme est, dans les premiers jours de vie,
limité à quelques minutes, 3 à 5 en moyenne, et pas
plus de deux ou trois fois par 24 heures. Puis le
nouveau-né se fatigue, ne peut plus fixer son attention. Il va alors s'endormir ou, plus souvent, passer
en état de veille agitée et manifester malaises et pleurs.
Au fil des jours, il sera de plus en plus capable de
prolonger ces périodes calmes, qui peuvent atteindre près de 30 minutes vers la fin du premier mois,
et près de deux heures consécutives vers trois mois.

Le tracé électro-encéphalographique est un tracé
d'éveil, avec des ondes corticales rapides, mais ces
ondes sont plus lentes que celles d'un éveil de type
adulte.

● *Les états de veille agitée (stades IV et V)*

Ce sont des moments de veille beaucoup moins
conscients, beaucup moins attentifs que l'état de
veille calme. L'enfant se renferme en lui-même, suce
son pouce ou sa langue, laisse flotter son regard, réagit
peu et lentement si on lui parle. Ses paupières sont
parfois à demi fermées. La respiration est irrégulière,
le cœur rapide. Il retourne à son activité réflexe. Il
donne souvent une impression de malaise, gémit un

peu, grimace, bouge fébrilement bras et jambes, se replie sur lui-même en véritables spasmes. Et même, le plus souvent, il pleure, carrément, violemment, insensible à toute consolation.

Dans les premiers jours de vie, ces états de veille agitée sont beaucoup plus fréquents et prolongés que les états de veille calme. Puis peu à peu, au long des semaines, ils vont se réduire, avec de grandes variations d'un tout-petit à un autre. Pour certains enfants, ils ne sont presque plus repérables vers trois mois, sauf dans les minutes qui précèdent l'endormissement. Pour d'autres, ils restent une part importante de l'activité d'éveil. Moins bonne adaptation relationnelle à l'environnement, malaise persistant ou conditionnement génétique différent ? Il serait bien hasardeux de trancher...

À partir de ces définitions des différents états de vigilance du tout-petit, il nous est possible de décrire les principales étapes de développement du sommeil et de l'éveil. Une étude chronologique n'est peut-être pas la plus pertinente. Elle a pourtant l'avantage de la clarté et de bien schématiser l'évolution et la maturation.

Le sommeil du fœtus

● *On savait depuis longtemps que le fœtus présente des périodes d'immobilité et des périodes d'agitation, périodes complètement indépendantes du rythme de sa mère. Il n'est pas possible de trouver une corrélation entre les phases d'éveil de la mère et les mouvements de l'enfant non né.*

Deux méthodes nous permettent d'étudier le bébé fœtal et ses états de vigilance :

— *L'enregistrement du rythme cardiaque fœtal* par monitorage obstétrical, bien connu dans les maternités françaises depuis 1970 environ. Ce rythme cardiaque n'a maintenant plus de secret pour les obstétriciens, qui savent reconnaître sur un tracé non seulement si l'enfant souffre ou va bien, mais aussi s'il dort, ou s'il est réveillé et s'il entend. (L'étude de l'audition se fait en sommeil calme.)

— *L'échographie abdominale*, de pratique courante depuis 1975, permet de regarder un futur bébé dans

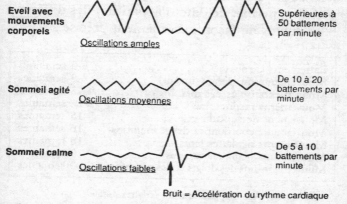

Au cours des éveils avec mouvements corporels, le rythme cardiaque est très variable, il existe des accélérations et des décélérations de la fréquence cardiaque. Au cours du sommeil agité, les variations sont moins amples. Au cours du sommeil calme, le rythme cardiaque est très régulier, les variations sont donc peu importantes.

L'étude des modifications de la fréquence du rythme cardiaque fœtal qui s'accélère après une stimulation sonore, faite lors du sommeil calme, a permis aux chercheurs d'étudier l'audition fœtale : ils ont montré que le fœtus réagissait aux bruits à partir du cinquième mois de grossesse et qu'il entendait et reconnaissait très vite la voix de ses parents.

sa bulle amniotique, d'observer même les mouvements fins comme les mouvements oculaires, les mouvements respiratoires, et, bien sûr, les mouvements corporels plus amples. Il est possible de filmer ces images échographiques pendant des heures, donc d'avoir une véritable observation clinique.

Par contre, il n'est pas possible, puisqu'on ne peut pas mettre d'électrodes sur sa tête, d'enregistrer l'électro-encéphalogramme d'un bébé fœtal. Seuls les enfants prématurés nous permettront d'approcher la réalité électrique du sommeil fœtal.

• L'étude échographique des mouvements fœtaux, réalisée par de nombreuses équipes obstétricales européennes, permet de dater l'apparition des différentes activités de façon extrêmement précise :

Battements cardiaques	6-9 semaines
Mouvements du tronc (sursaut)	8 semaines
Mouvements isolés des membres	9-13 semaines
Mouvements respiratoires	9-12 semaines
Mouvement de succion	15 semaines
Mouvements coordonnés des 4 membres	16 semaines
Mouvements oculaires lents	16 semaines
Mouvements oculaires rapides	19 semaines
Mouvements fins des doigts et des paupières	20 semaines

Âge d'apparition des activités fœtales.

Tous les mouvements corporels sont donc présents dès la 20e semaine de gestation, même les mouvements délicats de succion, d'ouverture et de fermeture des yeux.

• L'étude simultanée de trois paramètres du sommeil : mouvements oculaires, mouvements corporels et rythme cardiaque, réalisée pour l'instant par deux équipes de recherche, permet de donner les grandes lignes du sommeil de l'enfant fœtal :

— *Le bébé fœtal est un gros dormeur.* Il dort presque sans arrêt jusqu'aux dernières semaines de la grossesse, rien ne le réveille, et il dort même pendant l'accouchement. Les états de veille sont pratiquement absents.

— *Dès la 20e semaine, il existe déjà une alternance d'activité et d'immobilité* dont la périodicité est pratiquement identique à celle du futur cycle de sommeil. On ne peut pas parler encore de sommeil, au sens strict du terme, mais plutôt d'une sorte de sommeil indifférencié, presque une « dormance », terme dont nous avons vu la signification dans l'évolution des espèces.

— *Le sommeil agité apparaît le premier*, vers 28 semaines de gestation (6 mois).

— *Le sommeil calme n'apparaît qu'à 30 semaines.*

— *Ces deux sommeils alternent régulièrement à 36 semaines* de gestation (8 mois).

— *Le sommeil de l'enfant est totalement indépendant de celui de sa mère.*

— *Il existe déjà une certaine organisation circadienne de la vigilance* : les fœtus ont une période active, plus réveillée, entre 21 et 24 heures, moment où ils s'agitent de façon perceptible par la mère, donc dans la soirée, au moment où elle-même se repose. Ce rythme circadien fœtal est probablement induit par des variations maternelles du taux de glucose sanguin et de la sécrétion du cortisol, puisqu'*il disparaît après la naissance.*

Le sommeil du nouveau-né prématuré

● *C'est l'équipe de Colette Dreyfus-Brisac, à l'hôpital de Port-Royal à Paris, qui réalisa les premières études à partir de 1956. Le sommeil du bébé prématuré est maintenant bien connu. Tous les centres de prématurés réalisent de façon systématique des électro-encéphalogrammes. Ils permettent, en effet, non seulement de dépister d'éventuelles anomalies neurologiques, mais surtout d'évaluer l'âge de gestation du bébé prématuré, à une semaine près. Cette évaluation repose essentiellement sur l'analyse des ondes corticales au cours des différents états de vigilance.*

L'étude des états de vigilance du prématuré repose sur trois paramètres :

— l'étude du comportement, par observation directe dans la couveuse ;

— l'électro-encéphalogramme, possible actuellement sur les plus petits prématurés viables, c'est-à-dire à 24 semaines (5 mois), bébés qui pèsent souvent moins de 800 grammes ;

— l'enregistrement polygraphique est possible vers 32 semaines, lorsque le prématuré est moins fragile.

Ce que l'on peut dire d'emblée, c'est que le développement du sommeil et de l'activité électrique du cerveau ne dépend ni du poids, ni de l'âge légal de l'enfant (âge de vie extra-utérine, donc depuis sa naissance). *Il ne dépend que de son âge conceptionnel.* Si un petit prématuré va bien, son sommeil va évoluer de la même façon que s'il était resté *in utero.* Par exemple, un nouveau-né prématuré de 28 semaines (né à 6 mois de gestation) aura à trois mois d'âge légal un électro-encéphalogramme et une organisation de sommeil pratiquement identiques à ceux d'un nouveau-né à terme de quelques jours, donc conçu au même moment que lui. Sa vieille expérience de vie extra-utérine n'aura presque pas influencé la maturation de ses neurones et l'organisation de ses états de vigilance.

Nous pouvons succinctement décrire les principales étapes de cette période.

• À 24 semaines, le tout-petit prématuré dort. Il alterne de brèves périodes d'immobilité avec des phases d'agitation plus ou moins intenses, faites de mouvements brusques, de sursauts. Les yeux sont constamment fermés, les mouvements oculaires épisodiques. La respiration est irrégulière et souvent insuffisante, ce qui nécessite une ventilation artificielle.

À ce stade, l'EEG est souvent complètement silencieux pendant plusieurs secondes, parfois même pendant une à deux minutes, pratiquement plat, avec quelques bouffées intermittentes d'activité.

• Entre 24 et 27 semaines, toutes les caractéristiques comportementales du sommeil sont présentes, mais elles ne concordent pas. Il est impossible de décrire un état de sommeil calme, et un état de sommeil agité. Sur le tracé EEG, les bouffées d'activité deviennent plus longues.

• Vers 28 semaines, apparaissent les premières périodes de sommeil agité. L'activité électrique cérébrale, jusque-là discontinue (entrecoupée de tracés plats), va devenir permanente au cours des périodes de sommeil agité.

• À 30 semaines, des périodes de sommeil calme vont être très bien individualisées.

• À partir de 32 semaines, le pourcentage de sommeil agité et de sommeil calme par rapport au sommeil indifférencié va augmenter rapidement, et l'activité électrique corticale devient de plus en plus continue, permanente, mais le tracé reste peu actif pendant les rares moments d'éveil.

• Vers 36 semaines, le bébé proche du terme présente de toutes petites périodes d'état de veille calme, les premières ! Il ouvre plus souvent les yeux, devient plus conscient. Son tracé EEG montre enfin une activité continue au cours de ces éveils calmes. Pendant ces dernières semaines avant le terme, la quantité de sommeil agité va être un peu plus importante que celle du nouveau-né à terme, aux environs de 65%.

Toute cette évolution, repérable de semaine en semaine, dépend de la maturation des neurones corticaux, de l'établissement des connexions qui les relient entre eux, et surtout qui les relient au cerveau profond. Elle est donc le reflet direct de la construction cérébrale du bébé.

Les états de vigilance pendant l'accouchement

● *La surveillance du rythme cardiaque fœtal pendant l'accouchement est de pratique systématique dans la plupart des maternités de France depuis 1975 environ. Soit par capteur ultrasonique externe, soit, après l'ouverture de la poche des eaux, directement par une électrode sur l'enfant. Il est également possible, quand l'enfant se pré-*

sente normalement tête en bas et dès que les membranes amniotiques sont rompues, d'enregistrer l'EEG à l'aide d'électrodes-ventouses posées directement sur le cuir chevelu.

Plusieurs études de l'électro-encéphalogramme pendant l'accouchement ont ainsi été réalisées entre 1970 et 1980 aux États-Unis et en France. Nous avons participé, avec une équipe obstétricale lyonnaise, à l'une de ces études, basée sur l'analyse de plus de 100 tracés EEG, recueillis en cours d'accouchement.

Ce travail nous a permis d'affirmer que *le bébé dort pendant l'accouchement et ne se réveille qu'au moment des contractions utérines les plus fortes et de l'expulsion.* S'il dort, c'est qu'il va bien, c'est le signe d'un bien-être évident.

Cette étude nous a également montré que le premier signe de souffrance de l'enfant au cours de l'accouchement est son réveil. Tant qu'il est bien, il dort ; s'il a un problème, il se réveille.

Enfin, et c'est là un point essentiel, cette étude a montré que les sédatifs donnés à la mère pendant l'accouchement dépriment très vite le système nerveux central du futur nouveau-né, avec des modifications évidentes de l'électro-encéphalogramme.

Le sommeil du nouveau-né et du premier mois de vie

Schématiquement, le nouveau-né ne diffère de son alter ego fœtal de la veille que par deux transformations peu importantes :

• *L'apparition de nombreux éveils* au cours des 24 heures, probablement modulés par le rythme nouveau de la faim et de la satiété, mais pas uniquement, puisque ces éveils existent aussi chez les nouveau-nés malades alimentés en perfusion ou en gavages continus.

• *La disparition pour quelques semaines de l'ébauche de cycle circadien fœtal*, qui ne commencera à réapparaître de façon confuse que vers la fin du premier mois.

Nous ne reviendrons pas sur la description des états de vigilance de cette période. Nous allons plutôt tenter de donner les principales caractéristiques de cette période.

• **Un nouveau-né dort beaucoup,** en moyenne 16 heures sur 24, mais il existe d'emblée des différences importantes. Certains bébés gros dormeurs dorment près de 20 heures, d'autres, petits dormeurs, auront besoin de moins de 14 heures sur 24, sans que cela soit anormal. D'ailleurs ces appellations de petits ou gros dormeurs ne laissent en rien présager de l'avenir.

• **Les éveils sont essentiellement les premiers jours des états de veille agité,** et rarement quelques brefs épisodes de veille calme. En d'autres termes, un nouveau-né qui dort peu est souvent un bébé qui pleure beaucoup, ce qui n'est pas toujours facile à tolérer pour les parents et l'entourage.

• **Le nouveau-né ne connaît pas le jour et la nuit.** Il est indifférent à l'environnement lumineux, et ses éveils se produisent indifféremment à n'importe quel moment. Le sommeil est morcelé en périodes ultradiennes de 3 à 4 heures, les premières périodes de sommeil un peu plus longues survenant au hasard, aussi bien le jour que la nuit.

• **Le nouveau-né s'endort presque toujours en sommeil agité.** C'est l'une des caractéristiques fondamentales de cette période puisque, nous l'avons dit, le sommeil de l'adulte commence, lui, toujours en sommeil lent. Ce sommeil agité suit généralement une phase d'éveil calme, et, bien souvent, une tétée. Les rares endormissements en sommeil calme se produisent après une longue et violente période de pleurs, pleurs qui n'ont pas permis le passage vers l'hypotonie et la détente du sommeil agité.

• Les cycles de sommeil sont courts, constitués

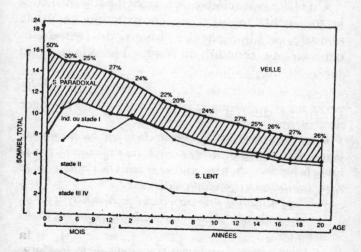

Modifications en fonction de l'âge, au cours du nychtémère (24 h.), de la durée du sommeil en heures (à gauche) et des états de vigilance et stades de sommeil en pourcentages.

d'une phase de sommeil agité, suivie d'une phase de sommeil lent. *Un cycle dure en moyenne 50 à 60 minutes* (rappelez-vous, le double chez l'adulte : 90 à 120). L'enchaînement de trois ou quatre cycles permet un sommeil de 3 à 4 heures consécutives, rarement plus, pendant le premier mois. Il existe donc 18 à 20 cycles de sommeil par 24 heures, inégalement répartis en phases de sommeil plus ou moins longues, et sans périodicité diurne ou nocturne.

• *Le sommeil agité représente 50 à 60% du sommeil total* et peut atteindre 8 à 10 heures par jour chez le nouveau-né à terme, alors que le rêve n'occupera plus que 20 à 25% du temps, deux heures environ, de notre sommeil d'adultes.

Une telle part relative de sommeil paradoxal chez le tout-petit, moment de construction cérébrale majeure, est à l'origine des plus grandes hypothèses concernant la fonction du sommeil paradoxal et du rêve.

L'enfant de 1 à 6 mois

• *C'est certainement le moment de la vie où le sommeil évolue le plus rapidement, période de transition absolue entre le sommeil du nouveau-né et celui de l'adulte, avec trois composantes fondamentales :*

— *l'apparition d'une périodicité jour-nuit ;*

— *la maturation électro-encéphalographique des ondes de sommeil ;*

— *l'apparition de rythmes circadiens de la température, du pouls, de la respiration et des sécrétions hormonales.*

• *L'apparition d'une périodicité jour-nuit* survient spontanément vers la fin du premier mois. Quelques périodes de sommeil plus longues, pouvant atteindre 6 heures consécutives, se manifestent la nuit ; les éveils journaliers s'allongent un peu. Progressivement, cette tendance s'améliore, l'enfant devenant capable d'un sommeil nocturne de 9 heures vers l'âge de 3 mois et de 12 heures entre 6 mois et 1 an. Évidemment, il y a là encore de grandes variations individuelles, et ces chiffres n'ont valeur que d'information moyenne, pas de recette.

Dans le même temps, *la qualité du sommeil change*. Le sommeil agité des premiers jours, très instable, léger, vulnérable, entrecoupé de fréquents éveils et de mouvements corporels, va progressivement laisser la place à plus de sommeil calme, stable. Le sommeil agité, qui représentait 50 à 60% du sommeil total à la naissance, ne représente plus que 27% à six mois, donc un chiffre proche de celui de l'adulte.

Vers deux mois, le sommeil calme devient transitoirement plus profond, avec diminution temporaire des possibilités d'éveil. Puis, il s'allégera un peu, entre deux et quatre mois, et il va être possible d'individualiser, sur le tracé électro-encéphalographique, plusieurs stades, équivalents électriques déjà en place, du sommeil lent léger et du sommeil lent profond de l'adulte.

L'apparition progressive des rythmes circadiens est l'élément capital de toute cette période. Nous en savons encore peu de chose.

P. Hellbrugge en a étudié la genèse sur les principaux rythmes de température, de fréquence cardiaque et des diverses fonctions du rein. Il a pu montrer que des différences nettes de ces fonctions entre les valeurs maximales et minimales, diurnes et nocturnes, apparaissent progressivement après la 4e semaine de vie et l'âge de 4 mois. L'amplitude de ces fonctions augmentera ensuite lentement entre le 5e et le 9e mois.

Les études de cette maturation des rythmes circadiens, par l'analyse minutieuse des comportements quotidiens de veille et de sommeil, n'ont concerné jusqu'à maintenant qu'un très petit nombre de nourrissons normaux, en bonne santé. Par contre, les services de réanimation d'enfants nous apportent des renseignements importants sur ce qui se passe dans des conditions presque expérimentales : enfants nourris par sonde gastrique continue (pour des troubles digestifs graves), enfants vivant en éclairage constant (dans les services de soins intensifs).

● *Qu'apprenons-nous de ces études ?*

— Le premier signe d'apparition d'un rythme circadien est la survenue, entre 3 et 4 semaines de vie, d'une longue phase quotidienne d'éveil, éveil qui se situe très souvent entre *17 et 22 heures.* Le plus souvent, c'est un moment d'*éveil agité*, très agité même, avec des pleurs incoercibles pouvant durer plusieurs heures. Ce point est capital à connaître, car presque toujours ces signes sont interprétés à tort comme des signes de faim ou de douleur abdominale. Nous l'avons déjà abordé plus avant. Nous ne pouvons, par contre, pas encore dire si les bébés dont le malaise

du soir se situe plutôt vers 17 heures seront des
« couche-tôt », et si les futurs « couche-tard » hurlent
plutôt en fin de soirée. Question toute bête, à laquelle
nous ne pouvons apporter de réponse.

— Les rythmes qui s'installent sont encore presque *indépendants de l'environnement*. Ils sont peu
influencés par le rythme, libre ou non, de l'alimentation, et par l'alternance du jour et de la nuit, puisqu'ils surviennent même chez les enfants élevés en
éclairage artificiel constant.

— Ce rythme circadien, indépendant de l'environnement, est un *rythme endogène, inné*, régulé par une
horloge interne. Il n'est donc pas étonnant, si vous

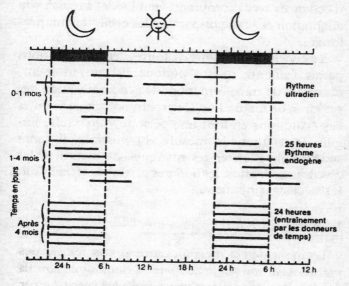

Développement des rythmes circadiens veille/sommeil.
(D'après Kleitman et Martin du Pan.)

avez compris ce que nous avons dit dans les chapitres précédents, qu'il *s'installe sur 25 heures*. L'enfant de 1 à 4 mois vit en « libre cours », tout comme le chercheur, dans sa grotte, vit sur son rythme endogène de 25 heures. Ses périodes de veille et de sommeil se décalent donc régulièrement tous les jours d'une heure sur l'horaire extérieur.

— Après 4 mois, le nourrisson devient plus dépendant de son environnement. Il va peu à peu synchroniser ses rythmes endogènes avec les rythmes extérieurs. L'alternance du jour et de la nuit, donc le respect de la luminosité du dehors, la régularité des repas, des moments de jeux, de promenade, d'échanges avec l'entourage, vont l'aider à réussir son adaptation et à faire disparaître les éveils de nuit prolongés.

La conclusion logique de toutes ces données nous paraît évidente, Cette période est un moment-charnière de transformation, de synchronisation des rythmes, de maturation électrophysiologique. Toutes ces évolutions en font une période vulnérable, fragile. Dans toute la mesure du possible, il serait souhaitable d'éviter les manques de sommeil, les réveils intempestifs, les horaires perturbés et, bien sûr, les décalages horaires...

L'enfant entre 6 mois et 4 ans

L'enfant de six mois à quatre ans va *réduire progressivement son temps de sommeil diurne*, passant de 3 à 4 siestes journalières vers 6 mois à 2 vers 12 mois, puis à une seule vers 18 mois, moment où disparaît celle du matin, tandis que s'allonge un peu celle de l'après-midi.

Il dort en moyenne 15 heures vers six mois et ne diminuera cette quantité globale de sommeil que très lentement, au fil des années. Elle sera encore fréquemment de 13 ou 14 heures de sommeil vers 4 ans.

Les endormissements se font comme pour l'adulte, en sommeil lent, avec l'apparition de la rythmicité déjà décrite, plus de sommeil lent profond en début de nuit, et plus de sommeil lent léger et de sommeil paradoxal en fin de nuit.

Deux caractéristiques de cette période méritent d'être signalées :

• La période de 6 mois à 4 ans est celle *des difficultés du coucher*. L'enfant, plus conscient de lui-même et de son environnement, commence à redouter la séparation, teste les réponses et « volontés » de son entourage, cherche ses limites en s'opposant. Il a aussi peur, parfois, de s'abandonner au sommeil qui représente l'éventualité de mauvais rêves, cauchemars ou hallucinations hypnagogiques (voir chap. 7).

• La période de 6 mois à 4 ans est surtout *l'âge des éveils multiples de seconde partie de nuit*. Ils sont fréquents, parfois après chaque cycle au-delà de minuit. Des études estiment à 40 et 60% les enfants qui se réveillent à 18 mois, et 20% d'entre eux se réveillent plusieurs fois chaque nuit.

Ces éveils peuvent être longs, surtout vers l'âge de 7-8 mois. L'enfant reste calme dans son lit, les yeux ouverts, joue avec son ours ou sa couverture, puis se rendort.

Ces éveils nocturnes sont une composante normale du sommeil de cet âge-là. Ils ne posent problème que si l'enfant réveille ses parents, exige un biberon ou d'être bercé, donc s'il a besoin de l'intervention de quelqu'un d'autre pour se rendormir.

L'enfant de 4 à 12 ans

● *Cette période est habituellement une période simple. L'enfant, très vigilant dans la journée, est en pleine forme, ne cherche pas à dormir, est souvent considéré comme « increvable » par les parents ou les moniteurs de colonies de vacances. Il s'endort très vite le soir, a un sommeil calme, très profond. La durée de chaque cycle de sommeil atteint la durée des cycles d'adulte.*

Par contre, *le temps total de sommeil se réduit.* Pour la première fois dans l'histoire de l'enfant, la durée totale de sommeil par 24 heures devient inférieure à 12 heures. Cette réduction est, initialement, presque entièrement liée à la disparition du sommeil de jour, donc de la sieste.

Après 6 ans, on observe un retard progressif de l'heure du coucher, qui est aux environs de 20 h vers 5-6 ans, 21 h vers 8 ans, et 22 h au début de l'adolescence. L'heure du lever, par contre, reste assez fixe.

Ces chiffres sont assez stables pour un même enfant, mais il existe d'un enfant à l'autre des variations importantes, certains enfants dormant deux heures de moins par nuit que d'autres.

À partir de 4-6 ans, *le sommeil devient uniquement nocturne.* Certains enfants arrêtent la sieste dès 4 ans, d'autres en ont besoin jusque vers 6 ans, mais tous ont encore besoin d'un moment de repos entre 11 h 30 et 15 h. (moment universel de faible vigilance !). La disparition de la sieste, qui se faisait en sommeil lent, entraîne un déficit relatif en sommeil lent. Celui-ci va se compenser par *l'augmentation du sommeil lent profond en début de nuit*. Du coup, le premier cycle de sommeil ne comporte souvent pas de phase de sommeil paradoxal, et l'enfant enchaîne deux cycles successifs de sommeil lent, représentant 140 minutes continues, alors que l'enfant plus jeune ou l'adulte ne dépassent pas 70 à 90 minutes.

Au cours de ce sommeil profond de début de nuit, l'enchaînement de sommeil lent, la difficulté d'alléger ce sommeil peuvent entraîner un certain nombre de troubles : terreurs nocturnes, accès de somnambulisme, énurésie. Tous ces signes, que nous décrivons longuement au chapitre 7, sont des manifestations banales liées à la prépondérance du sommeil lent profond en début de nuit, au fait que ce sommeil n'arrive pas à s'alléger, et que l'enfant « rate » son passage en sommeil paradoxal. Ce qui produit des manifestations motrices involontaires, inconscientes, impressionnantes pour l'entourage, mais dont l'enfant ne gardera aucune trace, aucun souvenir, si on ne le réveille pas. Il s'agit pour lui d'*emballements moteurs purs*, sans composante psychologique. Ce n'est donc pas inquiétant dans cette tranche d'âge.

Le sommeil de l'adolescent

● *Les rythmes veille-sommeil de l'adolescent sont soumis*

à de nombreuses contraintes : scolaires, environnementales. L'adolescent aime sortir, il aime regarder la télévision, il aime se coucher tard et bavarder toute une nuit.

Or, à ce stade, intervient un premier phénomène essentiel : *l'allégement du sommeil profond.* Le début de nuit est plus instable, le sommeil plus léger. Il entend pour la première fois depuis des années ses parents venir lui dire bonsoir au moment de leur coucher. Ce sommeil plus léger s'accompagne souvent de *difficultés d'endormissement,* donc d'un retard du coucher, favorisé de plus par de nouvelles habitudes sociales.

Il s'ensuit une réduction du sommeil nocturne qui atteindra près de 2 heures entre 12 et 20 ans. Or les besoins physiologiques réels en sommeil ne diminuent pas. Il y a donc *déficit chronique en sommeil.*

Pour rattraper ce retard, l'adolescent allonge ses matinées de sommeil chaque fois qu'il le peut, en particulier le week-end. Les horaires de sommeil deviennent irréguliers. Les chercheurs américains Anders et Carkasdon ont montré qu'il existait chez l'enfant de 13 ans une différence de 4 minutes du temps moyen de sommeil entre les jours scolaires et les jours non scolaires.

Autre point intéressant : la diminution du sommeil lent profond se fait au profit du sommeil lent léger, puisque le *sommeil paradoxal reste constant* entre 10 et 20 ans.

Le deuxième point caractéristique de l'adolescence est la *réapparition épisodique des siestes* qui, nous l'avons dit, avait totalement disparu dans la tranche d'âge précédente. Ces siestes ne sont pas seulement liées à un déficit social en sommeil. Pour Simonds, 22,7% des jeunes entre 15 et 18 ans font la sieste, et ce besoin de sieste persiste, même quand ils ont pu dormir aussi longtemps qu'ils le voulaient.

Les modifications de structure du sommeil à l'adolescence sont importantes à comprendre, car elles expliquent certains troubles du sommeil. C'est le moment où débutent certaines insomnies d'endormissement, où apparaissent certains retards de phase, en particulier chez les adolescents phobiques scolaires qui ne s'endorment pas avant 2 ou 3 h du matin et dont le sommeil se décale progressivement au cours de la journée. C'est également à cet âge qu'apparaissent les somnolences diurnes et certaines hypersomnies pathologiques.

Par contre, l'allégement du sommeil lent s'accompagnera de la disparition des énurésies de la première partie de nuit, des terreurs nocturnes et, après 14 ans, du somnambulisme.

Trois tableaux permettent de résumer toutes les données capitales de ce chapitre. Nous vous conseillons de vous y reporter aussi souvent que nécessaire. Si toutes les informations de neurophysiologie que nous venons de décrire sont bien comprises, vous verrez que la conduite pratique qui en découle est extrêmement simple, logique, et que la « guidance du sommeil » ne devrait pas être la source de difficultés relationnelles majeures entre un enfant et ses parents.

ORGANISATION DU SOMMEIL
COMPARAISON ENTRE ADULTE ET NOUVEAU-NÉ

	Adulte	Nouveau-né
Temps de sommeil par 24 heures	Moyenne 8 heures	Moyenne 16 heures
Organisation des états de vigilance	Circadienne nocturne 4 à 6 cycles	Ultradienne diurne et nocturne 18 à 20 cycles/24 h 9 à 10 cycles nocturnes
Endormissement	Sommeil lent	Sommeil agité
Durée du cycle de sommeil	S. lent + S. paradoxal = 90 à 120 mn	S. agité + S. calme = 50 à 60 mn
Pourcentage S. paradoxal/S. agité	20-25 %	50-60 %
Organisation des différents stades de sommeil	4 stades de S. lent III, IV prédominent 1er tiers de la nuit S. paradoxal prédomine 3e tiers de la nuit	1 seul stade de S. calme pas de différence entre 1re et 2e parties de la nuit

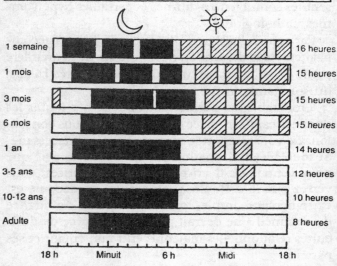

À gauche : âges ; à droite : durée moyenne du sommeil à chaque âge
(l'écart sur la moyenne est environ de deux heures).
En blanc : états de veille. En noir : sommeil nocturne.
En hachuré : sommeil de jour (siestes).

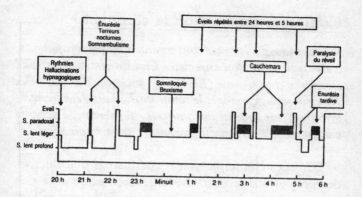

Horaire des manifestations apparaissant au cours du sommeil.

Les terreurs nocturnes, le somnambulisme, certaines énurésies surviennent au cours du sommeil lent en première partie de nuit, une heure et demie à deux heures après l'endormissement. Ils apparaissent surtout entre 4 et 8 ans, lorsque le sommeil lent de première partie de nuit est profond.

Les énurésies plus tardives dans la nuit surviennent en sommeil lent léger et en sommeil paradoxal, elles seront moins transitoires, et pourront se voir chez des enfants plus âgés.

Les éveils nocturnes sont plus fréquents en seconde partie de nuit, ils caractérisent le sommeil de l'enfant de 6 mois à 4 ans.

Les cauchemars et les paralysies du réveil surviennent au cours du sommeil paradoxal, entre 2 et 5 h du matin surtout. Les paralysies du réveil apparaissent lorsqu'il existe un réveil dissocié au cours d'une phase de sommeil paradoxal. Le corps du dormeur reste encore endormi pendant quelques secondes, encore paralysé, alors que le cerveau est lui tout à fait réveillé et conscient. Cette paralysie s'accompagne d'une angoisse importante. Ces manifestations sont bénignes chez l'enfant si elles ne sont pas fréquentes.

Comment étudie-t-on le sommeil ?

● *Les études du sommeil sont maintenant polygraphiques,
c'est-à-dire que l'on enregistre simultanément l'activité
électrique du cerveau (EEG), les mouvements des yeux
(électro-oculogramme), le tonus musculaire (électromyo-
gramme) au niveau des muscles du menton, l'activité
cardiaque (électrocardiogramme), et la respiration.*

Tous ces éléments sont recueillis par des électrodes collées sur le cuir chevelu, de chaque côté des
yeux, sur le menton et sur le thorax. Elles sont reliées
par de longs fils à un appareil d'enregistrement sur
lequel se déroulera à vitesse lente le tracé de sommeil. De plus, le sujet endormi est en permanence
filmé par une caméra spéciale, même lorsque la
chambre est éteinte, et tous les bruits sont captés par
un système de micros. Le tracé est annoté de façon
permanente, tout au long de l'enregistrement, par
une personne de l'équipe médicale.

Ces enregistrements sont peu gênants lorsqu'ils se
limitent à ces paramètres. Mais l'étude de certaines
pathologies du sommeil peut nécessiter des prélèvements plus traumatisants :

● l'étude des convulsions au cours du sommeil
nécessite beaucoup plus d'électrodes au niveau du
cuir chevelu pour enregistrer plus de dérivations de
l'EEG, et une vidéo continue ;

● l'étude de pauses respiratoires au cours du sommeil nécessite l'enregistrement de la respiration au
niveau de l'abdomen, du thorax, du nez, de la bouche,

et les différents tracés recueillis permettent de faire la différence entre les pauses respiratoires d'origine centrale, dues à un arrêt de la commande nerveuse située dans le cerveau, et celles dues à une obstruction mécanique au niveau des voies aériennes supérieures, par de grosses amygdales par exemple ;

PAUSE RESPIRATOIRE CENTRALE

Elle correspond à la suppression des informations émises par les centres respiratoires du bulbe. Cette pause respiratoire se traduit par un arrêt des mouvements respiratoires du thorax et de l'abdomen, par un tracé plat des dérivations respiratoires, des voies aériennes supérieures et thoraco-abdominales.

PAUSE RESPIRATOIRE OBSTRUCTIVE

Elle correspond à une obstruction au niveau des voies aériennes supérieures. Elle se traduit par un arrêt respiratoire au niveau du nez et de la bouche, alors que les mouvements du thorax et de l'abdomen augmentent pour lutter contre l'obstruction.

• dans certaines pauses respiratoires il est nécessaire également de doser les gaz du sang (oxygène, gaz carbonique, pH...) en plaçant avant l'endormissement un cathéter artériel ou veineux, ce qui permettra des prélèvements répétés au cours de la nuit sans réveiller le sujet ;

• de même, l'étude de certaines sécrétions hormonales comme, par exemple, celle de l'hormone de croissance dans le bilan des retards de taille, nécessite des recueils sanguins toutes les 20 minutes pour établir une courbe de sécrétion. Celle-ci permettra de déterminer, parmi tous les enfants petits, ceux qui peuvent être traités avec succès par l'hormone de croissance.

Tous ces enregistrements vont ensuite être lus par fragments de 30 secondes, période du tracé sur laquelle sera mis un code correspondant à un état de vigilance et à des événements particuliers. Actuellement, des programmes sur ordinateur permettent, à partir de ces codes, d'obtenir très rapidement les caractéristiques de la nuit de sommeil et le dessin de l'hypnogramme, c'est-à-dire le déroulement temporel de la nuit de sommeil, avec les différents niveaux de vigilance en fonction du temps.

Les enregistrements polygraphiques de sommeil sont normalement réalisés dans des services spécialisés : en chambre-laboratoire d'un centre hospitalier. Le sujet étudié devra donc dormir à l'hôpital au moins une nuit, et souvent plusieurs, pour lui permettre de s'adapter à l'environnement nouveau, aux électrodes (on parle de nuits « d'habituation »), puis obtenir des enregistrements valables.

Les protocoles d'étude du sommeil d'un sujet normal portent généralement sur l'analyse de 3 à 5 nuits d'enregistrement, mais, par exemple, l'étude chez l'adulte des effets d'un nouvel hypnotique peut comporter jusqu'à 45 nuits d'enregistrement chez un seul sujet !

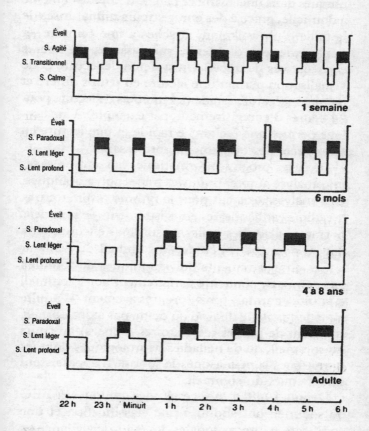

Déroulement temporel d'une nuit de sommeil (hypnogramme).

Les progrès actuels de l'informatique permettent depuis peu de réaliser des enregistrements polygraphiques dans une chambre banale d'hôpital et même à domicile, grâce à des enregistreurs miniaturisés de la taille d'un walkman, attachés à une ceinture, et qui permettent d'obtenir, sur cassette, 24 heures consécutives de tracés. Un système de lecture et de visualisation permet une lecture en temps différé et même une lecture rapide (24 minutes de lecture pour 24 heures d'enregistrement, par exemple). Une horloge permet une recherche rapide et une lecture en temps réel des événements intéressants.

Déjà, les progrès informatiques laissent présager une analyse automatique des tracés polygraphiques. Ces analyses existent pour le rythme respiratoire et le rythme cardiaque, les enregistrements de sommeils normaux d'adultes ; elles ne sont pas encore tout à fait au point pour l'étude du sommeil de l'enfant.

Ces enregistrements polygraphiques de sommeil ont permis de connaître parfaitement notre sommeil d'adulte normal, puis progressivement d'adulte malade : malade de trop ou de ne pas assez dormir, souffrant de pauses respiratoires (apnées) au cours du sommeil, ou de maladies neurologiques dont les symptômes sont masqués le jour et n'apparaissent qu'au cours du sommeil.

Depuis 1968, toutes ces études cliniques et EEG de sommeil ont abouti à une classification et une codification internationales des états de vigilance en fonction des différents stades des tracés électriques d'encéphalogrammes.

Les cinq stades du sommeil
d'une nuit normale

De plus, depuis 1979, les différentes pathologies du sommeil, troubles fonctionnels et maladies organiques, sont regroupées en une classification internationale qui permet aux médecins et chercheurs du monde entier de parler le même langage.

Chez l'enfant, les études polygraphiques du sommeil sont beaucoup plus récentes, beaucoup moins nombreuses. La lourdeur du protocole que nous venons de décrire explique à elle seule qu'en dehors des enfants hospitalisés ou malades, peu de jeunes enfants aient pu être enregistrés. Quels parents ont envie de confier leur bambin en pleine forme pour des nuits et des nuits d'enregistrement ?...

Les premiers enregistrements électro-encéphalographiques du sommeil de l'enfant datent de 1966, faits par Nicole Monod et Colette Dreyfus-Brisac à l'hôpital de Port-Royal à Paris, mais ne concernent que des nouveau-nés prématurés ou des nouveau-nés à terme hospitalisés, donc dans les deux cas des enfants malades. L'étude du tracé électrique avait pour but de tenter d'évaluer le devenir neurologique après des souffrances néo-natales plus ou moins sévères.

En 1972, Anders réalise les premiers enregistrements polygraphiques de sommeil (EEG, ECG, rythme respiratoire) de nouveau-nés à terme.

En 1975 commencent simultanément dans quatre laboratoires au monde les enregistrements polygraphiques du nourrisson dans l'étude des causes de la mort subite inexpliquée. Quatre laboratoires, c'est-à-dire à Lyon et Rouen en France et, aux États-Unis, à Stanford et Los Angeles. La mort subite inexpliquée du nourrisson, les dramatiques problèmes qu'elle pose restent la raison numéro un d'enregistrements polygraphiques de sommeil du tout petit enfant au cours de la première année.

Il faut attendre 1980 pour qu'apparaisse l'idée de regarder dormir des enfants en bonne santé et de les filmer pendant leur sommeil. Les deux premières études concernent l'une le nouveau-né (Anders), l'autre l'adolescent (Carkadson à Stanford). Le comportement de sommeil d'enfants de 7 à 12 ans a ensuite été étudié par Cobble aux États-Unis, enregistrant pendant trois nuits consécutives le sommeil de deux copains en bonne santé qui venaient dormir ensemble dans son laboratoire une nuit complète. Pour l'instant, personne n'a encore regardé dormir suffisamment d'enfants de 1 à 6 ans. Nous ne pouvons même pas dire quelles sont les caractéristiques cliniques de leur sommeil, alors que les EEG montrent, eux, des particularités et que les parents savent bien que c'est une période riche en problèmes : peurs du soir, illusions hypnagogiques, terreurs nocturnes... Nous en avons déjà parlé plus haut.

Après 6 ans, et surtout après 10 ans, les études sont plus nombreuses car il est plus facile d'« enrôler » des enfants plus grands pour participer à de telles nuits d'enregistrements. En pratique, l'enfant vient pour 12 à 24 heures. S'il ne vient que pour la nuit, il arrive vers 17 h de façon à s'habituer à sa nouvelle chambre, dans laquelle il installe ses jouets préférés, parfois son édredon ou son oreiller personnel. Une fois habitué et moins anxieux, et en présence de ses parents s'il est encore petit ou s'il le désire, il est préparé pour être enregistré, préparation plus ou moins longue suivant l'âge de l'enfant et le nombre de paramètres que l'on veut enregistrer.

Compte tenu de la lourdeur de telles études, seules trois équipes ont commencé à étudier le sommeil de l'enfant normal de façon longitudinale, c'est-à-dire à enregistrer le même enfant mois après mois pendant la première année, puis tous les ans au fur et à mesure qu'il grandit. Moins de 50 enfants ont été ainsi étudiés, et sur bien peu d'années. Du coup, nous sommes loin de pouvoir dire la moindre chose statistiquement valable.

Enfin, il n'existe à l'heure actuelle qu'un seul laboratoire au monde spécialisé dans l'étude du sommeil de l'enfant et de ses troubles, celui de Richard Ferber, à Boston, ouvert aux environs de 1980. Il est à l'heure actuelle la première autorité mondiale en ce domaine, et ce livre, évidemment, a fait référence à ses travaux. En Europe, quelques centres s'organisent.

Ce qu'il faut bien comprendre, c'est que toutes ces études n'ont d'intérêt que dans le cadre de la recherche fondamentale pour mieux comprendre l'organisation du sommeil normal et son évolution au cours des premiers mois ou années. Le diagnostic de certaines pathologies — apnées du sommeil, certaines épilepsies nocturnes, et les très rares hypersomnies — peut également en bénéficier. Par contre, ces enregistrements sont inutiles dans la plupart des troubles du sommeil de l'enfant. Ils ne nous apprendront pratiquement rien sur un enfant qui présente des difficultés du coucher, des cauchemars ou un somnambulisme. Pour tous ces troubles, la prise en charge sera d'un tout autre niveau.

Les grandes lignes de la recherche sur la commande cérébrale

> ● *Avis au lecteur : pour ceux que cela intéresse, ce qui va suivre est un aperçu de la recherche de pointe sur la neurophysiologie du sommeil. Ces textes sont purement techniques et de lecture plus ardue que ce qui a précédé. Les notions qu'ils contiennent ne sont en rien indispensables à la prise en charge efficace d'un trouble du sommeil par des parents.*

Dormir, s'éveiller, être cérébralement actif et vigilant, puis ralentir le rythme et se reposer, puis à nouveau vivre une intense activité physique et intellectuelle, puis se préparer à une bonne nuit et, au cours de cette nuit, rêver et reconstruire sans bouger l'univers environnant, tout cela nous est d'une certaine façon imposé « du dessus », « d'en haut », par tout un mécanisme cérébral extrêmement complexe dont la découverte ne fait que commencer.

Nous l'avons dit : le sommeil n'est pas une suppression de notre activité de veille, une mise au repos de notre corps et de notre cerveau, mais un « état second » extrêmement complexe, une réorganisation complète de toutes nos fonctions, ou plutôt « des » réorganisations, puisqu'elles sont différentes pour le sommeil lent et pour le sommeil paradoxal.

Dès que le sommeil n'a plus été considéré comme un phénomène purement passif, comme un simple détachement (on dit « désafférentation ») par rapport aux stimulations de l'extérieur, les études pour essayer de le comprendre et de comprendre les mécanismes responsables de nos différents états de vigilance se sont multipliées. Études anatomiques pour tenter de localiser les centres de cette activité, études chimiques et pharmacologiques sur les médiateurs de ces transformations, études électriques et électrophysiologiques sur le codage électrique des informations.

Ces recherches anatomiques et neurophysiologiques ont presque toutes été réalisées chez l'animal : le chat et le rat. Elles sont passées par plusieurs étapes.

Initialement, la localisation des centres a été déterminée par des expériences chirurgicales de sections-lésions au niveau du *tronc cérébral*, partie la plus primitive, la plus profonde, la plus « ancienne » de notre cerveau. Ces lésions chirurgicales, avec étude du comportement de l'animal après l'intervention, permettent de localiser deux zones :

• le mésencéphale, partie la plus haute du tronc cérébral, contient le centre « starter » de *l'éveil* ;

• le pont et le bulbe, situés en dessous, sont nécessaires à la survenue *du sommeil lent et du sommeil paradoxal.*

Ces centres ne sont que les éléments « starter », ceux du déclenchement des différents états de vigilance. Mais ils sont commandés, régulés, inhibés par

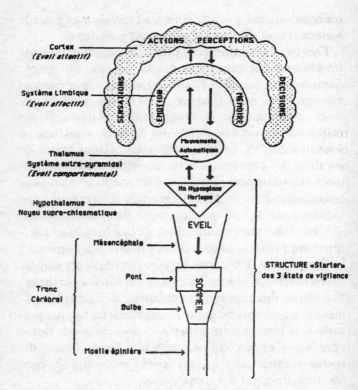

Structures nerveuses impliquées dans le sommeil.

les structures cérébrales sus-jacentes. Au fur et à mesure, les moyens d'études s'affinent. Il est déjà possible d'enregistrer le fonctionnement de quelques neurones isolés, ou de les exciter par micro-électrodes implantées à demeure dans le cerveau. Il est possible de doser les amines cérébrales par voltamétrie, directement chez le vivant. Il est possible de réaliser des sections-lésions réversibles par simple refroidissement d'une région déterminée du cerveau.

Toutes ces études n'en sont encore qu'à leurs débuts, et il subsiste de multiples inconnues. Nous savons que la régulation des états de vigilance dépend d'un ensemble d'interactions extrêmement complexes, d'activations et d'inhibitions qui impliquent toutes les structures cérébrales sus-jacentes. Nous connaissons également un certain nombre des amines cérébrales qui interviennent dans cette régulation, substances messagères sécrétées directement par les neurones, et que l'on appelle neuromédiateurs.

Tous ces mécanismes, malgré leur complexité et en dépit des nombreuses inconnues, peuvent être schématisés en quatre systèmes neuronaux.

• *Le système des neurones responsables de la sécrétion d'hormones hypnogènes*, vraisemblablement situé dans l'hypothalamus. On parle d'hormones hypnogènes (qui conduisent au sommeil), mais on en ignore encore la composition chimique et l'on pense, sans pouvoir actuellement l'affirmer, qu'il s'agit de protéines différentes pour le sommeil lent et le sommeil paradoxal.

• *Le système des horloges biologiques*, qui influence l'organisation des états de vigilance sur la périodicité de 24 heures. Il est également situé dans l'hypothalamus et intervient soit directement sur le système d'éveil, soit sur le stockage ou la libération des hormones hypnogènes.

• *Les systèmes effecteurs, « exécutifs »*, responsables des caractéristiques du sommeil, et dont l'action assure l'induction et le maintien des états de vigilance.

• *Les systèmes dits « permissifs »*, dont le blocage permet le fonctionnement des centres effecteurs, et dont l'activité inhibe ce fonctionnement.

Il y a donc deux structures hypothalamiques fondamentales, commandées par un conducteur, lui-même piloté à distance par un code d'activations et d'inhibitions.

Il est bon de comprendre aussi que l'hypothalamus est la région de notre cerveau chargée de tous nos comportements « fondamentaux » : avoir un cœur qui bat à tel rythme, un thermostat stable à 37°, respirer, manger, boire, faire l'amour, dormir, comportements nécessaires à la survie de l'individu et à celle de l'espèce. Chaque fonction a sa géographie propre, et ses systèmes de stimulations et de blocages, régulés par un « état de motivation », lui-même directement déterminé par la satisfaction ou non du « désir ».

C'est donc dans les parties profondes de l'encéphale que se jouent les mécanismes d'éveil et de sommeil. Dans et autour de l'hypothalamus s'articulent les différents systèmes de réglage et de modulation. Nous pouvons reprendre rapidement, pour chaque état de vigilance, les lieux et modes de cette commande.

● *Les états de veille : centres et régulation*

On connaît, pour l'instant, deux structures importantes pour le maintien de l'état d'éveil : la formation réticulée mésencéphalique et l'hypothalamus.

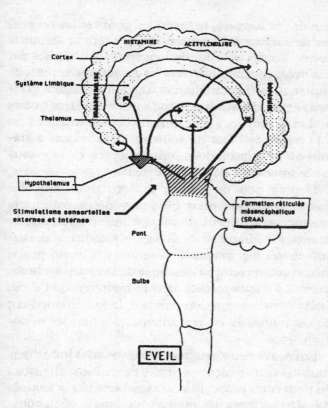

La formation réticulée mésencéphalique est la structure nerveuse de l'éveil la plus anciennement reconnue. Elle a été identifiée en 1949 par Moruzzi et Magoun. Anatomiquement, c'est la région frontière entre le tronc cérébral et le cerveau supérieur. Elle est le siège du système réticulé activateur ascendant (SRAA).

Elle reçoit les informations de tous les organes sensoriels : la lumière, le bruit, les goûts et les odeurs, les sensations à la surface et à l'intérieur de notre corps. Toutes ces stimulations sont retransmises par des voies ascendantes vers les structures cérébrales supérieures (hypothalamus, thalamus, cortex cérébral) et par des voies descendantes vers le tronc cérébral et la moelle. L'intensité de ces stimulations est à l'origine de l'état de veille et, dans les cas extrêmes où les stimulations sont majorées, de la persistance anormale de l'état de veille.

Depuis peu de temps, la formation réticulée mésencéphalique n'est plus considérée comme la seule structure éveillante. Il semble, en effet, que *les neurones à histamine de la région postérieure ventrolatérale de l'hypothalamus*, neurones qui envoient des projections directes à l'ensemble de l'écorce cérébrale, *jouent un rôle important* dans le maintien de l'éveil. Dans l'expérimentation animale, le fonctionnement de ces neurones est très intense pendant les périodes d'éveil.

Enfin, ces deux structures reçoivent des influx nerveux des deux structures situées en dessous, au niveau du pont et du bulbe, le *locus coeruleus alpha* et le *raphé dorsal*, structures très impliquées dans le déclenchement du sommeil.

Ainsi se créent les interactions mutuelles du sommeil et de l'éveil :

• le sommeil ne peut se produire que s'il y a diminution de l'excitation du système réticulé mésencéphalique et du système histaminique de l'hypothalamus. Diminuer l'excitation, c'est se protéger du bruit, de la lumière, choisir une position confortable, diminuer les tensions psychiques et émotionnelles, ne pas prendre d'excitants, comme le thé ou le café, bref, tout ce que nous faisons spontanément quand nous avons décidé de dormir ;

• il y a une interaction entre sommeil et éveil : la qualité de l'éveil dépend de la qualité du sommeil qui a précédé. La qualité du sommeil dépendra également de la quantité et de la qualité de l'éveil antérieur.

Enfin, dernier point, nous connaissons pour l'instant quatre messagers chimiques de l'éveil : *la noradrénaline, la dopamine, l'histamine et l'acétylcholine*. Les interactions de ces différents neuromédiateurs, leurs rôles respectifs, les neurones qui les sécrètent, leurs proportions dans divers fonctionnements de l'état de veille sont encore rigoureusement inconnus.

• *Le sommeil lent, centres et régulation*

Pour qu'il y ait endormissement, nous venons de le voir, il faut qu'il y ait diminution de l'activité du système d'éveil, et suppression de tout ce qui excite ce système. Il existe d'autre part un système « freinateur » de cette excitation au niveau du bulbe, dans une structure nommée *faisceau solitaire*. Les neurones de ce système sont sous la dépendance d'afférences végétatives vago-aortiques (c'est-à-dire reçoivent des informations sur le rythme cardiaque, la tension artérielle, le rythme respiratoire, dont le ralentissement est l'une des composantes de l'endormissement). Il semble que la stimulation élective de ces neurones provoquerait une diminution de l'activité de la formation réticulée mésencéphalique, et jouerait donc un rôle dans l'induction du sommeil lent.

L'endormissement lui-même correspond à la mise en jeu, au niveau du tronc cérébral, d'une structure nerveuse nommée *raphé dorsal*, dont les neurones sécrètent le neuromédiateur « actif » de l'endormissement : *la sérotonine.*

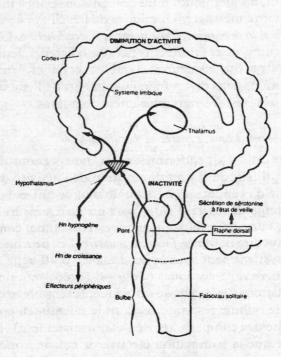

Sommeil lent

Les expérimentations montrent qu'une destruction de ce raphé dorsal entraîne une insomnie, insomnie dont l'intensité est proportionnelle à l'étendue de la lésion et à la diminution de la sérotonine cérébrale.

Il était donc logique de penser que la libération de sérotonine provoquait le sommeil lent, soit en diminuant l'activité excitatrice de neurones à dopamine ou à noradrénaline impliqués dans l'éveil, soit en diminuant l'activité de la formation réticulée mésencéphalique. Cette théorie sérotoninergique du sommeil, proposée par Michel Jouvet, était très claire. En fait, tout est beaucoup plus complexe, et cette théorie est devenue caduque lorsque des études ont démontré à l'inverse que l'activité des neurones à sérotonine du raphé dorsal est plus importante pendant l'éveil que pendant le sommeil.

Michel Jouvet a alors proposé une nouvelle théorie selon laquelle la sérotonine pourrait agir comme une « *neuro-hormone diachronique* », c'est-à-dire ayant des effets variables en fonction du temps.

• Elle induirait pendant l'éveil la *synthèse d'un facteur hypnogène*, de nature protéique encore inconnue, synthèse qui se produirait peut-être dans le système ventro-latéral de l'hypothalamus, puisque cette structure reçoit de nombreuses ramifications nerveuses terminales en provenance des neurones à sérotonine du raphé dorsal.

• Ce facteur hypnogène, une fois synthétisé et libéré, permettrait *la mise en jeu des effecteurs du sommeil lent* :

— les régions frontales qui jouent un rôle important dans l'apparition des ondes lentes sur l'EEG ;

— le thalamus où prennent naissance les fuseaux de sommeil ;

— les effecteurs périphériques.

• Ce facteur hypnogène inconnu induirait à son tour la *libération de l'hormone de croissance* — sécrétée, nous l'avons vu, en sommeil lent — responsable de l'effet restaurateur du sommeil sur l'organisme : multiplication cellulaire active, donc construction pendant l'enfance, entretien et cicatrisation des différents organes et tissus.

Cette hypothèse permettrait d'expliquer que la profondeur et la durée du sommeil lent soient directement dépendantes de la durée et de la qualité de l'éveil qui précède.

● *Le sommeil paradoxal, centres et régulation*

Pour expliquer les caractéristiques neurophysiologiques du sommeil paradoxal, il convient de se rappeler les deux composantes essentielles de ce sommeil : d'une part, une intense activité neuronale de tout le cerveau, en particulier du cortex cérébral ; une paralysie motrice et sensorielle, d'autre part. Il va donc falloir décrire des centres et des interactions différents pour ces deux composantes.

• *L'éveil cortical, les mouvements oculaires rapides, les petits mouvements du visage et des extrémités, les irrégularités cardiaques et respiratoires,* dépendent de groupes spécifiques de neurones situés dans le tronc cérébral, dans le bulbe et au niveau d'une région appelée tegmentum pontique dorsal, située à la jonction entre le mésencéphale et le pont.

Au cours de ce sommeil, la consommation de glucose et d'oxygène des neurones du cortex est très

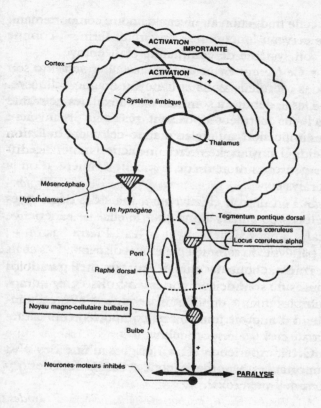

Sommeil paradoxal

importante, plus importante même qu'à l'état de veille actif. Ces échanges énergétiques accrus traduisent une hyperactivité neuronale.

Pourtant, pendant ce sommeil, nous sommes aveugles, sourds, muets, et entièrement paralysés. Les impulsions motrices envoyées à nos muscles n'ont aucune traduction au niveau de notre comportement. Le cerveau fonctionne « en circuit fermé », comme si son système de commande était enrayé.

• *Ce blocage est lié à deux structures nerveuses* : le locus coeruleus alpha et le noyau magno-cellulaire.

Dès le début du sommeil paradoxal, les neurones du locus coeruleus alpha sont très actifs. Ils envoient des impulsions au noyau magno-cellulaire bulbaire. Celui-ci ainsi excité exerce une action inhibitrice sur les neurones moteurs de la moelle épinière, d'où la paralysie.

Si l'on détruit électivement mais des deux côtés le locus coeruleus alpha chez le chat — expérience réalisée par Michel Jouvet et Jean-Pierre Sastre —, la paralysie du sommeil paradoxal disparaît. Les chats dorment, et ont au cours de leur sommeil paradoxal toute une série de comportements dits « oniriques », comportements de toilette, de rage, d'affût, d'attaque d'une proie imaginaire, comportements caractéristiques de l'espèce féline.

Cette expérience est à l'origine d'une des plus importantes hypothèses concernant la fonction du sommeil paradoxal.

Bibliographie

Livres du soir sur la nuit, les rêves et les cauchemars

ALLEN Pamela, *Un lion dans la nuit*, éd. Flammarion, 1986.
Un bébé royal couché trop tôt et qui n'a pas sommeil s'évade en rêve avec un lion ; ils sont poursuivis par tous les habitants du château. (Très jolies images, drôles et remuantes.)

BRIGGS Raymond, *Le Bonhomme de neige,* Grasset jeunesse, 1978.
Un petit garçon fabrique un bonhomme de neige. La nuit, en rêve, il lui fait visiter la maison, puis part avec lui explorer la ville, sa région, et peu à peu l'univers. (Pas de texte, les dessins sont remarquables. Très belle illustration d'un « voyage de rêve ».)

BROWN Margaret Wise, *Bonsoir lune,* L'École des loisirs, 1981.
Un petit lapin dans son lit dit bonsoir à chaque détail de sa chambre, puis aux étoiles et à la lune derrière sa fenêtre. (Excellent.)

BRUNA Dick, *Bonjour,* Centurion jeunesse, 1982.
Pour moins de 2 ans. 9 images simples illustrant une journée.

CAVEY Peter, *Le Rêve du dragon*, Magnard jeunesse, 1978.
Un gros dragon, dans un décor fantastique, se couche et se met à rêver à des animaux qu'il compte. (Magnifiques dessins très fouillés ; texte rythmique, très musical, que l'on a envie de chantonner.)

CHAPLET Kersti, *Dans la nuit*, Centurion jeunesse, 1979.
Pour s'endormir, un petit garçon évoque tous les lieux qui le conduisent chez son amie Mathilde. Celle-ci au même

moment pense au même trajet pour le rejoindre. (Délicat et délicieux.)

COTTE Colette, *Je ne veux pas me coucher,* éd. Flammarion, 1983. Où se cacher pour ne pas aller dormir ? L'enfant essaye en jouant tous les recoins de la maison, puis finalement se cache dans son lit. (Très bon.)

DELPEUX Henri et GAY Michel, *Raconte ton rêve,* L'École des loisirs, 1979.
Un enfant malade rêve et se met à « voyager » avec les images et les mots des visiteurs qu'il a eus quelques minutes avant. « Il rêve qu'il rêve qu'il rêve. C'est tout... » (Bon.)

DUMAS Philippe, *La Petite Géante,* L'École des loisirs, 1983. Deux poupées partent la nuit en voyage avec une petite fille qui, dans la journée, géante, les terrorise et, la nuit, prend leur taille et part avec elles.

HERMANN, *Eh, Nic, tu rêves ? Bonnes nuits, Nic,* éd. Dupuis, 1982. Après 6 ans.
Un enfant et sa bande d'animaux-amis. Deux bandes dessinées intéressantes et jolies sur l'« évasion rêve ». Plusieurs histoires appelées « Chapitrêve ».

JANOSH, *Une leçon de rêve pour un petit loir,* Casterman, 1977. Un petit loir va à l'école de la forêt et vit de nombreuses aventures réelles, tout en croyant encore dormir et rêver.

JONAS Ann, *L'Édredon,* L'École des loisirs, 1985. Voyage de rêve fabuleux à la recherche de Sally, le chien en peluche, après que l'enfant s'est endormi sous un merveilleux édredon en patchwork, composé des tissus de chacun de ses vêtements et des tissus de son environnement.

JUCKER Sita, *La Princesse qui ne pouvait pas dormir,* éd. Cerf, 1982.
Vivre mieux pour savoir s'endormir... un conte de fées classique de la princesse insomniaque et du jeune berger amoureux, qui arrive à l'endormir (après l'échec de tous les médecins et savants du royaume) et gagne ainsi son cœur.

KANTROWITZ Mildred, *Le Premier Saut,* J.-P. Delarge éd., 1976. 3-4 ans.

Un petit garçon dialogue avec son ours et lui explique sa peur d'aller à l'école le lendemain et ses difficultés d'endormissement à l'idée de devenir grand.

Les Belles Histoires de Pomme d'api, Le Matin de Martin. Un matin « catastrophe ». Martin s'est mal réveillé, il se perd dans ses horaires du quotidien et vit une journée agitée.

MALINEAU Jean Hugues, *Trois histoires pour aller dormir,* L'École des loisirs, 1980.

MURPHY Jill, *Enfin la paix,* Centurion jeunesse, 1981. Papa ours n'arrive pas à dormir. Il se déplace de pièce en pièce avec sa couverture et découvre les bruits de la maison, la nuit. (Bon, rassurant.)

ORMEROD James, *Bonjour, Toboggan Magazine,* 1984. Le réveil doux d'une petite fille et de ses parents. Thème central : savoir prendre « son calme » et son temps.

OXENBURY Helen, *Vive l'heure du lit,* Albin Michel jeunesse, 1982. 0 à 2 ans. Un livre sans paroles, imageant le rite du soir et les troubles du sommeil.

Petit Ours brun se réveille, Centurion jeunesse, 1979. Un charmant petit ours a besoin d'un gros câlin pour commencer sa journée.

PRESSENCÉ Domitille, *Émilie n'a pas sommeil,* G.P. Collection Or et bleu, 1977. Toutes les hésitations classiques avant d'aller dormir, pour faire « durer le soir » et retarder le câlin final des parents.

SCHUBERT Ingrid et Dieta, *Jean sans peur est un menteur,* Grasset jeunesse, 1983. Une grand-mère apprend à un enfant à se débarrasser des sept monstres qui l'empêchent de dormir : les dessiner, les accrocher à un ballon et les lâcher par la fenêtre. (Très beau, et bel exemple éducatif.)

SENDAK Maurice, *Cuisine de nuit,* L'École des loisirs. Le rêve d'un enfant qui voyage la nuit et va fabriquer des pains briochés avec de gros pâtissiers. (Livre gai, tonique et drôle aux dessins superbes. Remarquable représentation du rêve.)

Max et les maximonstres, L'École des loisirs.

STEVENSON James, *On n'a pas sommeil,* L'École des loisirs, 1982.

Un grand-père endort ses petits enfants en leur racontant ses aventures, fantastiques et colorées, d'enfant qui ne pouvait pas dormir. (Dessins et texte délicieux. Excellent.)

Qu'y a-t-il sous le lit ?, L'École des loisirs, 1983.

Le même grand-père qui raconte aux deux enfants ses ex-terreurs nocturnes et ce qui les avait provoquées. Ex : les pirates qui se battaient à l'épée derrière la fenêtre n'étaient que des chats qui sautaient sur les poubelles. Le bruit de chauve-souris dans la pièce n'était que celui du vent tournant les pages d'un livre. (Rassurant, drôle. Excellent.)

TERSAC Hélène, *Petit Jean et le Marchand de sable,* Grasset jeunesse, 1979.

Les deux journées opposées, en deux images superposées, de Petit Jean, qui se réveille, part à l'école, et du marchand qui retourne au désert chercher le sable pour endormir les enfants le soir suivant.

VAN DER ESSEN Anne et DELESSERT Étienne, *Yok-Yok, la nuit,* éd. Gallimard Tournesol, 1981. Avant 2 ans.

Un petit lutin dort dans une coquille de noix avec le soleil qui s'est couché près de lui, et les étoiles qu'il attrape avec un filet à papillons.

WELLS Rosemary, *Le Coucher de Max,* L'École des loisirs, 1985. 0 à 4 ans.

Un animal favori pour aller dormir, un petit éléphant rouge, irremplaçable même par toutes les peluches de la sœur aînée.

Bonne nuit, Fred, L'École des loisirs, 1982. 0 à 4 ans.

Un petit garçon, gardé un soir par son grand frère, calme sa peur en imaginant que sa grand-mère arrive par le téléphone. Elle lui raconte des histoires, lui chante des berceuses, joue au paquebot dans la baignoire. (Bonne illustration de la frontière floue entre le rêve et l'état éveillé.)

Berceuses

Berceuses du monde, Galina Kosakevitch, éd. Résonances — cassettes de berceuses, plus livret avec paroles.

Berceuses du monde entier, éd. Chant du Monde (33 t.) — regroupe des berceuses françaises (Colette Magny), yiddish (Talila), russe (M. Vlady) et noires américaines (Naomie Moody).

Berceuses et chansons douces, Nathalie Boyer, Unidisc (33 t. ou cassette).

Chansons du berceau, Edmée Arma, Éd. ouvrières, 1965 (livret).

Des câlins, Jean-René Ducrozet, éd. Océan (33 t.).

Dis, on dort déjà ?, F. Moreau et F. Imbert, éd. Chevanne.

Petit oiseau d'or, Nicole Snitzelaar, éd. Nathan (33 t.).

Les plus belles berceuses et chansons enfantines allemandes, Patricia Popp, éd. Harmonia Mundi (33 t. ou cassette).

Trente chansons pour la découverte du corps vivant et la découverte de la personnalité, Marie-Louise Aucher (33 t.).

Livres

ALEXANDRE-BIDON Danièle et CLOSSON Monique, *L'Enfant à l'ombre des cathédrales*, Presses universitaires de Lyon, 1985.

BORBELY Alexandre, *Les Secrets du sommeil*, éd. Belfond Sciences.

BENOÎT Odile, *Physiologie du sommeil*, éd. Masson, 1984.

BOUTON Jeannette et DOLTO-TOLITCH Catherine, *Vive le sommeil*, éd. Hatier, coll. « Grain de sel », 1987.

CENDRON Jean et SCHULMAN Claude, *Urologie pédiatrique*, éd. Flammarion, coll. « Médecine-Sciences », 1985.

COULON J. de et FLAKE M., *Des enfants qui réussissent*, éd. Épi, 1985.

CRÉPON P., *Les Rythmes de vie de l'enfant : du tout-petit à l'adolescent*, éd. Retz, 1983.

DIBIE Pascal, *Ethnologie de la chambre à coucher*, éd. Grasset, 1987.

ETEVENON P., *Les Aveugles éblouis*, Albin Michel, Paris, 1984. *Du rêve à l'éveil*, Albin Michel, Paris, 1987.

FERBER Richard, *Solve your child's sleep problems*, Simon and Schuster, New York, 1985.

FLUCHAIRE Pierre, « Bien dormir pour mieux vivre », éd. Dangles, 1984 ; *La Révolution du sommeil*, éd. R. Laffont, 1984 ; *La Révolution du rêve*, éd. Dangles, 1984.

HAURI P., *The Sleep Disorders*, Upjohn, 1977.

HUART Pierre et LAPLANE Robert, *Histoire illustrée de la puériculture*, éd. R. Dacosta, 1979.

HUBAUD Régine et MICOUIN Gilles, *Réflexions sur la prévention des troubles psychiques de l'enfant, à propos de quelques troubles fonctionnels du nourrisson*, thèse, Université scientifique et médicale de Grenoble, 1981.

JOUVET M., *Le Sommeil et le rêve*, Éd. Odile Jacob, 1992. *Le Château des songes*, Éd. Odile Jacob, 1992.

LÉVY E., « Les rythmes scolaires. Avis et rapport présenté au Conseil économique et social », séance du 14 mai 1980, *J.O.*, n° 9, du 3 juillet 1980.

MATTLIN E., *Dormez moins, vivez plus*, éd. Belfond, 1981.

MONTAGNER Hubert *et al.*, *Les Rythmes de vie de l'enfant et de l'adolescent : ces jeunes en mal de temps et d'espace*, Stock L. Pernoud, 1983.

PARKER J., PARKER D., *Les Rêves*, France Loisirs, Paris, 1987.

PASSOUANT P., *Le Sommeil, un tiers de notre vie*, éd. Stock, Paris, 1975.

PICAT J., *Le Rêve et ses fonctions*, éd. Masson, Paris, 1984.

REINBERG A., FRAISSE P., LEROY C., MONTAGNER H., PÉQUIGNOT H., POULIZAC H., VERMEIL G., *L'Homme malade du temps*, éd. Stock, Paris, 1979.

SAINT-ANNE DARGASSIES S., *Le Développement normal et le sommeil*, éd. R. Laffont, 1976.

VERMEIL G., *La Fatigue à l'école*, éd. E.S.F., 1984.

Articles scientifiques

ADRIEN J., « Le Sommeil du nouveau-né », *La Recherche*, 1976.63(7), pp. 74-76.

ANDERS T.F., « Home Recorded Sleep in 2 and 9 months old Infants », *J. Am. Acad. Child Psychiatry*, 1978.17(3), pp. 421-432.

Association belge pour l'étude du sommeil, « Dormir », Bruxelles, 1986.

AWOUST J. et LÉVI S., « Nouveaux aspects de la dynamique fœtale », 17e Journées nationales de médecine périnatale, 1987, pp. 161-172.

BENOÎT O., « Rythme veille-sommeil et mode d'existence », *Revue du Praticien*, 1976.26(27), pp. 1945-1954.
« Rythme veille-sommeil : facteurs principaux de son organisation. *Tempo médical*, 1982.109, pp. 15-20.

BENOÎT O., GARMA L., LEYGONIE F., SHERRER J., « Le sommeil et l'enfant », *Cahier médical*, 1976, pp. 22-28.

BENOÎT O., HOUZEL D., KREISLER L., GABERSEK V., MAZET P., « Le sommeil de l'enfant et ses troubles », *Rev. Neuropsycho. infantile*, 1975.23 (10-11), pp. 645-663.

BENOÎT O. *et al.*, *Troubles du sommeil et de la vigilance en pratique quotidienne*, éd. Upjohn, 1987.

BILLIARD M., « Le besoin excessif de sommeil », *Tempo médical*, 1982, 109, pp. 53-60.

BOUTON J., VERMEIL G., « Comment faire dormir un enfant », *La Revue de pédiatrie*, 1976.10 (XII), pp. 573-581.

CARSKADON M.A., HARVEY K., DUKE P., ANDERS T.F., LITT I.F., DEMENT W.C., « Pubertal Changes in Daytime Sleepings », *Sleep*, 1980. 2, pp. 453-460.

CHALLAMEL M.-J., REVOL M., LESZCZYNSKI M.-C., DEBILLY G., « Organisation nycthémérale des états de vigilance chez un nourrisson normal et chez le nourrisson dit "réchappé d'un syndrome de mort subite" », *Rev. E.E.G. neurophysiol.*, 1981.11, pp. 28-36.

COBBLE P., KUPFER D., TASTA L., KANE J., « E.E.G., Sleep of Normal Healthy Children. I. Findings Using Standart Measurement Methods », *Sleep*, 1984.7(4), pp. 289-303.

COON S., GUILLEMINAULT C., « Dévelopment of Sleep Wake Patterns and Non-Rapid Eyes Movement Sleep Stages during the First Months of Life in Normal Infants », *Pediatrics*, 1982.69(6), pp. 793-798.

DE VILLARD R., DALERY J., MOURET J., MAILLET J., SCHOTT B., « Le somnambulisme de l'enfant », *Lyon Médical*, 1978.240(14), pp. 65-72.

DEMENT W.C., « Altérations du rythme veille-sommeil », *La Nouvelle Presse médicale*, 1982.11(40), pp. 2976-2978.

DENENBERG V.H., THOMAN E.B., « Evidence for a functional role for active (R.E.M.) sleep in infancy », *Sleep*, 1981.4, pp. 185-192.

DOUMIC-GIRARD A., « Psychothérapie des insomnies précoces », in *Les Troubles de sommeil de l'enfant*, Houzel D., Soule M., Kreisler L., Benoît O. (éd.), E.S.F., Paris, 1977, pp. 84-93.

DUGAS M. *et al.*, « Les troubles du sommeil chez l'enfant », *Revue internationale de pédiatrie*, 1980.101, pp. 9-76.

FEWEL J.E., BAKER S.B., « Arousal from sleep during rapidly developing hypoxemia in lambs », *Pediat. Res.*, 1987.22(4), pp. 471-477.

FOULKES D., *Children's Dream Age Changes and Sex Differences. Walking and Sleeping*, 1977.1(2), pp. 171-174.

« R.E.M.-dream perspective on the development of Effect and cognition », *The Psychiat. Journal of the Univ. of Ottawa*, 1982.7(2), pp. 48-55.

FRANCK M., « La bataille contre l'insomnie », *Le Point*, 1980.418, pp. 81-86.

GILLY R., CHALLAMEL M.-J., REVOL M., DUTRUGE J., BELLON G., « Le syndrome de la mort subite du nourrisson », *Lyon médical*, 1977.238(17), pp. 311-318.

GOLDENBERG F., « Les hypnotiques et la pharmacologie du sommeil », *Tempo médical*, 1982.109, pp. 43-51.

GUILHAUME A., « Le sommeil de l'enfant et ses perturbations », *Tempo Médical*, 1982.109, pp. 67-70.

GUILHAUME A., BENOÎT O., RICHARDET J.-M., « Déficit en sommeil lent profond et nanisme de frustration », *Arch. Fr. Pédiat.*, 1981.38, pp. 25-27.

GUILLEMINAULT C., DEMENT W.C., MONOD N., « Syndrome "mort subite du nourrisson" : apnée au cours du sommeil », *La Nouvelle Presse médicale*, 1973.2(20), pp. 1355-1358.

GUILLEMINAULT C. *et al.*, *Sleep ans its Disorders in Children*, Raven Press, New York, 1987.

HALLEK M., REINBE A., « Fœtus et nouveau-nés ont aussi des horloges biologiques », *La Recherche*, 1986.17(178), pp. 851-852.

HELLBRUGGE T., « Ontogenèse des rythmes circadiens chez l'enfant », in *Cycles biologiques et psychiatrie*, Symposium Bel Air, éd. Masson, Paris, 1968.

HOUZEL D., « Fonction du rêve et psychopathologie du sommeil de l'enfant », *Neuropsychiatrie infantile*, 1972.20, pp. 829-838.
« Rêve et psychopathologie de l'enfant », *Neuropsychiatrie de l'enfance*, 1980.28, pp. 155-164.
« Les troubles du sommeil de l'enfant et de l'adolescent », in *Traité de psychiatrie de l'enfant et de l'adolescent*, Lebovici S., Diatkine R. & Soule M., PUF, 1985 ; tome 2, pp. 445-465.

JOUVET M., « Neurobiologie du rêve », in *L'Unité de l'homme. Le cerveau humain*, Morin E., Piattelli-Palmarini (éd.), Le Seuil, Paris, 1974.2, pp. 102-126.
« Bilan et perspectives de l'hypnologie », *Revue du Praticien*, 1976.26(27), pp. 1901-1910.
« Le comportement onirique », *Pour la Science*, 1979.25, pp. 136-152.
« Programmation génétique itérative et sommeil paradoxal », *Confrontations psychiatriques*, 1986.27, pp. 153-181.
« Mémoires et "cerveau dédoublé" au cours du rêve. À propos de 2 525 souvenirs de rêve », *L'Année du praticien*, 1979, tome 29, pp. 27-32.

KAHN A., « Le syndrome de la mort subite du nourrisson. Que pouvons-nous faire ? », *Bruxelles-Médical*, 1979.6, pp. 301-306.

KAHN A., BLUM D., « Possible role of phenothiazines in SIDS », *The Lancet*, 1979. II, pp. 364-365.

KURTZ D., KRIEGER J., « Les arrêts respiratoires au cours du sommeil. Faits et hypothèses », *Rev. Neurol.*, 1978. 134 (1), pp. 11-22.

MAZET P., « L'insomnie du nourrisson : un trouble psychosomatique fréquent et précoce », *Revue de Neuropsychiatrie infantile*, 1972. 20 (11-12), pp. 839-847.

MISHKIN M., APPENZELLER T., « L'anatomie de la mémoire », *Pour la Science*, août 1987, pp. 26-36.

MONOD N., DREYFUS-BRISAC C., « Le sommeil de l'enfant », *Vie méd.*, 1972. 53, pp. 25-36.

MONOD N., PLOUIN P., STERNBERG B., PEIRANO P., PAJOT N., FLORES R., KASTLER B., GUIDASCI S., « Are polygraphic and cardio-pneumographic respiratory patterns useful tools for predicting the risk for SIDS ? A 10 Years Study », *Biol. Neonates*, 1986. 50, pp. 147-153.

MONTAGNER Hubert *et al.*, « Données nouvelles sur les systèmes d'interaction entre le nouveau-né et sa mère », *Comportement n° 6*, éd. du CNRS, 1986, pp. 125-154.

MORRISON A., « Une fenêtre ouverte sur le cerveau pendant le sommeil », *Pour la Science*, 1983, pp. 50-59.

MOURET J., « Vous avez dit dormir », *Cahiers médicaux*, 1982. 7 (29), pp. 1839-1842.
« Prescrire et déprescrire les somnifères », *Cahier médical*, 1982. 7 (30), pp. 1907-1980.

NAVELET Y., ANDERS T., GUILLEMINAULT C., « Narcolepsy in Children » in *Narcolepsy*, Guillerminault C., Dement W.C., Passouant P. (éd.), New York, 1976, chap. 10, pp. 171-177.

NAVELET Y., PAYAN C., GUILHAUME A., BENOÎT O., « Nocturnal sleep organization in infants ''at risk'' for SIDS », *Pediat. Res.*, 1984. 18 (7), pp. 654-657.

PASSOUANT P., BILLIARD M., « La Narcolepsie », *Revue du Praticien*, 1976, 26 (27), pp. 1917-1923.

PASSOUANT P., BILLIARD M., TOUCHON J., BESSET A., « Le sommeil », *Médecine actuelle*, 1980. 7 (5), pp. 123-147.

PÉLICIER Y., « Le sommeil et sa pathologie », Les dossiers médicaux de *Tonus*.
« Le rêve », *Tempo médical*, 1982. 109, pp. 11-13.
« Les fonctions du sommeil et des rêves », *J. Psy. Biol. et Thérap.*, 1982. 2 (4), pp. 5-11.

REINBERG A., GHATA J., *Les Rythmes biologiques* (4ᵉ éd.), PUF, coll. « Que sais-je ? », Paris, 1982.

REINBERG A., « La chronopharmacologie », *La Recherche*, n° 132, avril 1982, pp. 478-489.

ROFFWARG H., MUZIO J., DEMENT C., « Ontogenetic Development of the Human Sleep-Dream Cycle », *Science*, 1966.

SAKAI K., « Anatomical and Physiological Basis of Paradoxical Sleep », in *Brain Mechanisms of Sleep*, éd. Raven Press, McGinty D.J. *et al.*, New York, 1985.
« Central Mechanisms of Paradoxical Sleep », in *Brain Dev.*, 1986. 8, pp. 403-407.

SALZARULO P., FAGIOLI I., SALOMON F., RICOUR C., RAIMBAULT G., AMBROSI S., CICCHI O., DUHAMEL J.-F., RIGOARD C., « Sleep Patterns in Infants under Continuous Feeding from Birth », *Electr. Clin. Neurophysio.*, 1980. 49, pp. 330-336.

SAMSON-DOLLFUS D., « Le sommeil du nourrisson de moins de 1 an », *Tempo médical*, 1982.

SAMSON-DOLLFUS D., NOGUES B., VERDURE-POUSSIN A., MALLEVILLE F., « Électro-encéphalogramme du sommeil de l'enfant normal entre 5 mois et 3 ans », *Rev. EEG Neurophysiolol.*, 1977. 7 (3), pp. 335-345.

SCHOTT B., MOURET J., FISCHER C., TRILLET M., DE VILLARD R., « Le sommeil et ses troubles », *Lyon Médical*, 1978. 240 (15), pp. 177-193.

SOULE M., « L'endormissement se fait dans une aire d'illusion », in *Les Troubles de sommeil de l'enfant*, Houzel D., Soule M., Kreisler L., Benoît O. (éd.), ESF, Paris, 1977, pp. 1 -16.

VAN CAUTER E., « Rythmes hormonaux du sommeil », in *Physiologie du sommeil*, Benoît O., éd. Masson, 1984, pp. 85-98.

VAN GEIJN H.P., CARON F.J., SWARTJES J.M., VAN WOERDEN E.E., BRONS J.T., « Les états comportementaux du fœtus », 17e Journées nationales de médecine périnatale, 1987, pp. 185-192.

VANN-MERCIER G., SAKAI K., JOUVET M., « Neurones spécifiques de l'éveil dans l'hypothalamus postérieur du chat », *C.R. Acad. Sc.*, Paris, 1984. 298 (III, 7), pp. 195-200.

VILLARD R. de, DALERY J., MAILLET J., « Le somnambulisme de l'enfant », *Neuropsychiatr. enfance*, 1980. 28, pp. 222-224.

VINCENT J.-D., « La physiologie du sommeil », *La Nouvelle Presse médicale*, 1979. 8 (31), pp. 250-251.
« Biologie des passions », éd. Le Seuil, Paris, 1986.
Numéro spécial « Sommeil et Psychiatrie », *Confrontation psychiatrique*, 1977. 15, pp. 9-260.

Collectif, « Le rêve et le sommeil », n° spécial *Neuropsychiatrie de l'enfance et de l'adolescence*, Paris, 1980. 4-5, pp. 155-237.

Table des matières

Cet ouvrage a été composé par
TÉLÉCOMPO - 61290 Bizou

Impression réalisée sur Presse Offset par

BRODARD & TAUPIN

GROUPE CPI

33346 – La Flèche (Sarthe), le 22-12-2005
Dépôt légal : mai 2003
Suite du premier tirage : décembre 2005

POCKET – 12, avenue d'Italie - 75627 Paris cedex 13
Tél. : 01.44.16.05.00

Imprimé en France